漢字検定

頻出度順問題集

高橋書店

頻出ベスト100 書き取り

訓読みを優先して覚えよう

「書き取り」では、音読み12問、読み8問程度が出題される。中でも訓読みは同じ問題が繰り返し出題されやすい。優先的に対策しよう。

No.	問題	解答
1	(床が)スベる	滑る
2	ウもれる	埋もれる
3	ニクむ	憎む
4	(別れを)オしむ	惜しむ
5	(背が)ノびる	伸びる
6	ユルい	緩い
7	ハゲます	励ます
8	コがす	焦がす
9	クズれる	崩れる
10	ムらす	蒸らす
11	サズける	授ける
12	キソ	基礎
13	(本を)アラワす	著す
14	タッキュウ	卓球
15	ヨウチ	幼稚
16	(写真を)トる	撮る
17	ナマける	怠ける
18	コウミョウ(な罠)	巧妙
19	ユれる	揺れる
20	ネバる	粘る
21	キモ(を冷やす)	肝
22	コオる	凍る
23	カンムリ	冠
24	シンシュク	伸縮
25	コウカン	交換
26	(回転)ジク	軸
27	ブンレツ	分裂
28	(船の)ホ	帆
29	チョウリョク	聴力
30	フクロ	袋
31	クジラ	鯨
32	アザムく	欺く
33	シタガえる	従える
34	ショクタク(を囲む)	食卓
35	クヤしい	悔しい
36	モグる	潜る
37	ギセイ	犠牲
38	ナエギ	苗木
39	(壁で)スる	擦る
40	オウベイ	欧米
41	(手の)コウ	甲
42	ジョウショウ	上昇
43	ウルむ	潤む
44	テイオウ	帝王

45 (ネジを)シめる ▼ 締める

46 エンジョウ ▼ 炎上

47 トツジョ ▼ 突如

48 フクシ ▼ 福祉

49 ニチボツ ▼ 日没

50 ナカば ▼ 半ば

51 メンキョ ▼ 免許

52 レイトウ ▼ 冷凍

53 (会社に)ツトめる ▼ 勤める

54 (教会の)カネ ▼ 鐘

55 カイコ(の繭) ▼ 蚕

56 (紙が)シメる ▼ 湿る

57 ブタニク ▼ 豚肉

58 オガむ ▼ 拝む

59 (山の)イタダキ ▼ 頂

60 キギョウ(訪問) ▼ 企業

61 カイダン ▼ 怪談

62 サムライ ▼ 侍

63 テンラン(会) ▼ 展覧

64 ホノオ ▼ 炎

65 コンイロ ▼ 紺色

66 ソシ ▼ 阻止

67 スミ(をする) ▼ 墨

68 マコト ▼ 誠

69 サイボウ ▼ 細胞

70 (雪の)ケッショウ ▼ 結晶

71 キンチョウ ▼ 緊張

72 タキ(を眺める) ▼ 滝

73 ジャアク ▼ 邪悪

74 ユウカン(な戦士) ▼ 勇敢

75 (米を)タく ▼ 炊く

76 サンガク ▼ 山岳

77 (ミスを)コウカイする ▼ 後悔する

78 オドす ▼ 脅す

79 ホクト ▼ 北斗

80 キップ ▼ 切符

81 タイザイ ▼ 滞在

82 (壁に)カける ▼ 掛ける

83 ノギク ▼ 野菊

84 チュウシュツ ▼ 抽出

85 テツガク ▼ 哲学

86 カクウ ▼ 架空

87 ヌる ▼ 塗る

88 カンリョウ ▼ 完了

89 マカせる ▼ 任せる

90 フウじる ▼ 封じる

91 メイロウ ▼ 明朗

92 セイオウ ▼ 西欧

93 ビンボウ ▼ 貧乏

94 (水が)スむ ▼ 澄む

95 (取捨)センタク ▼ 選択

96 シュツボツ ▼ 出没

97 ウタガう ▼ 疑う

98 ナサけ ▼ 情け

99 メンジョ ▼ 免除

100 スダつ ▼ 巣立つ

頻出ベスト100

対義語・類義語

複数の語が対応する熟語に注意

「対義語・類義語」は対になる語を答える問題。賢明⇕暗愚、賢明=利口のように、複数の語と対応する熟語は、関連付けて覚えよう。

対義語

	問題		解答
1	冗漫(じょうまん)	⇕	簡潔(かんけつ)
2	率先(そっせん)	⇕	追随(ついずい)
3	倹約(けんやく)	⇕	浪費(ろうひ)
4	模倣(もほう)	⇕	独創(どくそう)
5	一般(いっぱん)	⇕	特殊(とくしゅ)
6	怠慢(たいまん)	⇕	勤勉(きんべん)
7	愛護(あいご)	⇕	虐待(ぎゃくたい)
8	違反(いはん)	⇕	遵守(じゅんしゅ)
9	強情(ごうじょう)	⇕	従順(じゅうじゅん)
10	妨害(ぼうがい)	⇕	協力(きょうりょく)
11	賢明(けんめい)	⇕	暗愚(あんぐ)
12	郊外(こうがい)	⇕	都心(としん)
13	遠隔(えんかく)	⇕	近接(きんせつ)
14	地獄(じごく)	⇕	極楽(ごくらく)
15	興隆(こうりゅう)	⇕	衰退(すいたい)
16	歓喜(かんき)	⇕	悲哀(ひあい)
17	膨張(ぼうちょう)	⇕	収縮(しゅうしゅく)
18	丁重(ていちょう)	⇕	粗略(そりゃく)
19	精密(せいみつ)	⇕	粗雑(そざつ)
20	追加(ついか)	⇕	削減(さくげん)
21	名誉(めいよ)	⇕	恥辱(ちじょく)
22	暴露(ばくろ)	⇕	秘匿(ひとく)
23	支配(しはい)	⇕	従属(じゅうぞく)
24	華美(かび)	⇕	質素(しっそ)
25	創造(そうぞう)	⇕	模倣(もほう)
26	自供(じきょう)	⇕	黙秘(もくひ)
27	侵害(しんがい)	⇕	擁護(ようご)
28	老成(ろうせい)	⇕	幼稚(ようち)
29	難解(なんかい)	⇕	平易(へいい)
30	緩慢(かんまん)	⇕	敏速(びんそく)
31	抽象(ちゅうしょう)	⇕	具体(ぐたい)
32	優雅(ゆうが)	⇕	粗野(そや)
33	強固(きょうこ)	⇕	柔弱(にゅうじゃく)
34	辛勝(しんしょう)	⇕	惜敗(せきはい)
35	実像(じつぞう)	⇕	虚像(きょぞう)
36	分裂(ぶんれつ)	⇕	統一(とういつ)
37	沈下(ちんか)	⇕	隆起(りゅうき)
38	穏健(おんけん)	⇕	過激(かげき)
39	卑屈(ひくつ)	⇕	尊大(そんだい)
40	安定(あんてい)	⇕	動揺(どうよう)
41	促進(そくしん)	⇕	抑制(よくせい)
42	興奮(こうふん)	⇕	鎮静(ちんせい)
43	繁栄(はんえい)	⇕	没落(ぼつらく)
44	極楽(ごくらく)	⇕	地獄(じごく)

45 助長（じょちょう）↔阻害（そがい）
46 偶然（ぐうぜん）↔必然（ひつぜん）
47 辞退（じたい）↔承諾（しょうだく）
48 抑制（よくせい）↔促進（そくしん）
49 進展（しんてん）↔停滞（ていたい）
50 事実（じじつ）↔虚構（きょこう）

類義語

1 案内（あんない）＝誘導（ゆうどう）
2 監禁（かんきん）＝幽閉（ゆうへい）
3 出納（すいとう）＝収支（しゅうし）
4 展示（てんじ）＝陳列（ちんれつ）
5 露見（ろけん）＝発覚（はっかく）
6 高低（こうてい）＝起伏（きふく）
7 決心（けっしん）＝覚悟（かくご）
8 容赦（ようしゃ）＝勘弁（かんべん）
9 精励（せいれい）＝勤勉（きんべん）
10 屈服（くっぷく）＝降参（こうさん）
11 魂胆（こんたん）＝意図（いと）
12 憂慮（ゆうりょ）＝心配（しんぱい）
13 辛酸（しんさん）＝困苦（こんく）
14 通行（つうこう）＝往来（おうらい）
15 重体（じゅうたい）＝危篤（きとく）
16 克明（こくめい）＝丹念（たんねん）
17 借金（しゃっきん）＝負債（ふさい）
18 期待（きたい）＝嘱望（しょくぼう）
19 熱中（ねっちゅう）＝没頭（ぼっとう）
20 肝心（かんじん）＝大切（たいせつ）
21 解雇（かいこ）＝免職（めんしょく）
22 我慢（がまん）＝辛抱（しんぼう）
23 携帯（けいたい）＝所持（しょじ）
24 名残（なごり）＝余情（よじょう）
25 該当（がいとう）＝適合（てきごう）
26 阻害（そがい）＝邪魔（じゃま）
27 完遂（かんすい）＝達成（たっせい）
28 漂泊（ひょうはく）＝放浪（ほうろう）
29 現職（げんしょく）＝現役（げんえき）
30 平定（へいてい）＝鎮圧（ちんあつ）
31 計算（けいさん）＝勘定（かんじょう）
32 了解（りょうかい）＝納得（なっとく）
33 追憶（ついおく）＝回顧（かいこ）
34 卓越（たくえつ）＝抜群（ばつぐん）
35 怠慢（たいまん）＝横着（おうちゃく）
36 潤沢（じゅんたく）＝豊富（ほうふ）
37 利口（りこう）＝賢明（けんめい）
38 繁栄（はんえい）＝隆盛（りゅうせい）
39 外見（がいけん）＝体裁（ていさい）
40 派手（はで）＝華美（かび）
41 警護（けいご）＝護衛（ごえい）
42 正邪（せいじゃ）＝是非（ぜひ）
43 手柄（てがら）＝功績（こうせき）
44 没頭（ぼっとう）＝専念（せんねん）
45 卑俗（ひぞく）＝下品（げひん）
46 両者（りょうしゃ）＝双方（そうほう）
47 未熟（みじゅく）＝幼稚（ようち）
48 朗報（ろうほう）＝吉報（きっぽう）
49 陳列（ちんれつ）＝展示（てんじ）
50 征伐（せいばつ）＝退治（たいじ）

頻出ベスト48

四字熟語

由来を知ると意味を覚えやすい

「四字熟語」に使われる漢字を書く問題。由来を知ると覚えやすい。例えば、油断大敵はある王が家臣に油をこぼしたら命を絶つと脅した故事から「注意を怠るなという戒め」の意味になった。※諸説有り。

番号	四字熟語	読み	意味
1	深山幽谷	しんざんゆうこく	人里を遠く離れた静かな自然
2	千客万来	せんきゃくばんらい	代わる代わる多くの客が来て絶え間ないこと
3	変幻自在	へんげんじざい	変わり身が巧みなこと
4	日進月歩	にっしんげっぽ	絶え間なく発展すること
5	器用貧乏	きようびんぼう	一事に専念しないので大成しないこと
6	試行錯誤	しこうさくご	こころみと失敗の中で道を見いだすこと
7	活殺自在	かっさつじざい	生かすのも殺すのも思い通りであること
8	複雑怪奇	ふくざつかいき	事情がこみ入っていて不可解なこと
9	大胆不敵	だいたんふてき	度胸があって驚かないこと
10	終始一貫	しゅうしいっかん	最初から最後まで言動が変わらないこと
11	千変万化	せんぺんばんか	さまざまに変化すること
12	自暴自棄	じぼうじき	やけになり将来の希望を捨てること
13	日常茶飯	にちじょうさはん	日常的に起こる、ごくありふれた事柄
14	清廉潔白	せいれんけっぱく	心や行いがきれいで正しいこと
15	油断大敵	ゆだんたいてき	注意を怠れば失敗を招くという戒め
16	我田引水	がでんいんすい	自分の都合のよいように事を進めること
17	古今無双	ここんむそう	昔から現在に至るまで、比肩するものがないこと
18	空前絶後	くうぜんぜつご	非常に珍しいこと
19	電光石火	でんこうせっか	非常にすばやいたとえ
20	単純明快	たんじゅんめいかい	はっきりとしていて、わかりやすいこと
21	四分五裂	しぶんごれつ	統一などがばらばらに乱れること

22 晴耕雨読（せいこううどく）
田園でのんびりとした生活をすること

23 千差万別（せんさばんべつ）
種類や違いがさまざまなこと

24 起死回生（きしかいせい）
危機的な状況から勢いを盛り返すこと

25 不老長寿（ふろうちょうじゅ）
いつまでも老いることなく生きること

26 花鳥風月（かちょうふうげつ）
自然の美しい風景や風物

27 離合集散（りごうしゅうさん）
別れたりいっしょになったりすること

28 面目躍如（めんもくやくじょ）
世間の評価を上げ顔が立つこと

29 雲散霧消（うんさんむしょう）
あとかたもなく消えてなくなること

30 順風満帆（じゅんぷうまんぱん）
物事が順調に進むさま

31 博学多才（はくがくたさい）
いろいろな分野の知識があり才能に恵まれていること

32 無我夢中（むがむちゅう）
物事に没頭して自分や他を忘れるさま

33 利害得失（りがいとくしつ）
自分のもうけと損

34 失望落胆（しつぼうらくたん）
希望をうしない非常にがっかりすること

35 立身出世（りっしんしゅっせ）
社会的に高い地位に就いて名を上げること

36 単刀直入（たんとうちょくにゅう）
前置き抜きにいきなり本題に入ること

37 玉石混交（ぎょくせきこんこう）
優れたものと劣ったものがまじっていること

38 古今東西（ここんとうざい）
いつでもどこでも

39 舌先三寸（したさきさんずん）
うわべばかりで中身が伴っていないこと

40 以心伝心（いしんでんしん）
文字や言葉によらず心と心で通じ合うこと

41 平穏無事（へいおんぶじ）
何事もなく穏やかなこと

42 三寒四温（さんかんしおん）
寒い日が三日、その後に暖かい日が四日続く状態が繰り返される、冬の気候

43 意気衝天（いきしょうてん）
元気や勢力が大変盛んなこと

44 神出鬼没（しんしゅつきぼつ）
すばやく現れたり消えたりすること

45 馬耳東風（ばじとうふう）
人の言葉を聞き流すこと

46 奮励努力（ふんれいどりょく）
気力をふるいおこして励むこと

47 流言飛語（りゅうげんひご）
根拠のない、でたらめなうわさ

48 温故知新（おんこちしん）
昔の物事から新しい価値や意義を得る

頻出ベスト44
部首

頻出漢字だけ覚えたら他の対策を
「部首」は漢字の部首を選ぶ問題。3級の頻出漢字は決まっている。配点も10点と少なく選択式なので、頻出リストを覚えたら、他の分野の対策に時間をかけよう。

No.	漢字	部首	部首名
1	房	戸	とだれ
2	殴	殳	るまた
3	窒	穴	あなかんむり
4	虐	虍	とらがしら
5	企	人	ひとやね
6	衝	行	ぎょうがまえ
7	卑	十	じゅう
8	欧	欠	あくび
9	宴	宀	うかんむり
10	慕	⺗	したごころ
11	髄	骨	ほねへん
12	帝	巾	はば
13	翻	羽	はね
14	乏	ノ	の
15	封	寸	すん
16	匠	匚	はこがまえ
17	卸	卩	わりふ
18	塊	土	つちへん
19	厘	厂	がんだれ
20	尿	尸	かばね
21	葬	艹	くさかんむり
22	遵	辶	しんにょう
23	赴	走	そうにょう
24	郭	阝	おおざと
25	瀬	氵	さんずい
26	逮	辶	しんにょう
27	卓	十	じゅう
28	魔	鬼	おに
29	超	走	そうにょう
30	遭	辶	しんにょう
31	閲	門	もんがまえ
32	斥	斤	きん
33	墨	土	つち
34	虚	虍	とらがしら
35	彫	彡	さんづくり
36	遂	辶	しんにょう
37	賊	貝	かいへん
38	膨	月	にくづき
39	衰	衣	ころも
40	処	几	つくえ
41	斗	斗	とます
42	老	耂	おいかんむり
43	疾	疒	やまいだれ
44	礎	石	いしへん

頻出ベスト40

熟語の構成

ア　同じ意味
イ　反対の意味
ウ　上が下を修飾
エ　下が上の目的語
オ　上が下を打ち消し

ルールを覚えたら簡単
「熟語の構成」は熟語の漢字の関係を答える問題。ウとエの区別が重要。熟語「〇×」の場合、「〇の×」と読めたらウ、「×を〇する」と読めたらエのことが多い。

番号	熟語	答え
1	尊卑	イ
2	出納	イ
3	栄辱	イ
4	未了	オ
5	吉凶	イ
6	慰霊	エ
7	炊飯	エ
8	愛憎	イ
9	緩急	イ
10	犠牲	ア
11	登壇	エ
12	乾湿	イ
13	粗密	イ
14	起伏	イ
15	添削	イ
16	抑揚	イ
17	哀歓	イ
18	屈伸	イ
19	精粗	イ
20	正邪	イ
21	未遂	オ
22	隔世	エ
23	錯誤	ア
24	修繕	ア
25	悦楽	ア
26	棄権	エ
27	昇降	イ
28	駐車	エ
29	基礎	ア
30	脅威	ア
31	盛衰	イ
32	鍛錬	ア
33	隠匿	ア
34	暫定	ウ
35	娯楽	ア
36	虚実	イ
37	出没	イ
38	墜落	ア
39	去就	イ
40	合掌	エ

本書で合格できる理由

「日本漢字能力検定」（以下、漢字検定）には、出題の傾向や効率的な学習のコツがあります。本書は、できるだけ最短距離で合格するために、効果的に学習できる工夫が施されています。

▼「新出配当漢字」以外も対策できる

漢字検定の対策は広く漢字を覚えることが重要です。

漢字検定は、級があがるごとに出題される漢字が増えます。たとえば、5級の試験で出題対象となる漢字は1026字ですが、4級では更に313字増え、合計1339字となります。

その級で新たに出題対象となる漢字のことを、「新出配当漢字」と呼びます。試験では**出題分野によっては、新出配当漢字以外の字がよく出題される**こともあります。

実際に、下の表のように3級の「書き取り」問題では、3級より下の級で登場した字も出題されています。

そのため、受検級の新出配当漢字だけを対策して試験に挑(いど)むと、本番の試験では意外と出題されなかった、ということもありえます。

本書は**その級で過去に出題された内容を基にした問題を数多く掲載しています。**新出配当漢字以外の漢字もしっかり押さえておきましょう。

「書き取り」出題回数ランキング（3級）

順位	問題	
1位	滑る	「滑」は3級で新出
2位	埋もれる	「埋」は3級で新出
3位	憎む	「憎」は3級で新出
4位	惜しむ	「惜」は3級で新出
5位	伸びる	「伸」は3級で新出
6位	緩い	「緩」は3級で新出
7位	励ます	「励」は3級で新出
8位	焦がす	「焦」は3級で新出
9位	崩れる	「崩」は3級で新出
10位	蒸らす	「蒸」は5級で新出

▼よく出る問題から覚えられる

漢字検定の対策は「頻出度」対応のテキストや問題集で学習するのが効率的です。

なぜなら、各級の試験で出題の対象となる漢字の量は膨大で、すべてを完璧に覚えるのはとてもたいへんだからです。5級でも1026字、2級なら2136字と、出題範囲は広く、時間がいくらあっても足りません。

ところが、出題傾向を分析すると**試験には出題されやすい問題というものがあります**。下の表のように、高頻度で出題されている問題がある一方、過去十数年で数回しか出題されていないものもあります。それらの出題頻度が低い問題が次の試験で出題される確率は、かなり低いでしょう。

そのため、出題範囲の漢字を五十音順で覚えたり、過去問だけをひたすら解いていったりするのは、効率がよいとはいえません。

本書は、**過去10年分の過去問のなかから、試験によく出題されている問題を中心に収録**しています。次の試験で出題される確率が高い問題を解き、確実に得点につながる対策をしましょう。

直近10年で出題回数が多い漢字（3級）

問題	出題回数
粗	89
滅	79
虚	77
哀	77
揚	75
邪	74
免	74
乏	71
惜	71
穏	71

直近10年で出題回数が少ない漢字（3級）

問題	出題回数
斤	8
吏	8
碑	8
餓	7
婿	7
絞	7
陪	6
姫	6
糧	4
泌	2

おすすめ学習プラン

本書は、試験直前で対策を始める人、じっくり学習して万全に対策したい人、どちらにもお使いいただけるようにできています。試験本番までのおすすめ学習プラン例を紹介します。

短期集中プラン

1〜2週間で決める!

学習時間目安
2時間／1日

2週間前

●頻出度A・Bを一巡する
・赤チェックシートを使いながらまず解いてみる
・解けなかった問題はチェックをつける
・解けなかった書き問題は、正解をノートに書いて覚える

1週間前

●頻出度A・Bの正解率を高める
・まずは頻出度Aから、チェックをつけた問題の「読む・書く→解く」を繰り返す
・自信をもって解けるようになった問題には○をつける
・頻出度Aの8割が解けるようになったら、頻出度Bのチェックをつけた問題に取り組む

申し込み

試験の
3〜1か月前

長期じっくりプラン

1〜2か月で決める!

学習時間目安
30分／1日

2か月前

●頻出度A・B・Cを一巡する
・赤チェックシートを使いながらまず解いてみる
・解けなかった問題はチェックをつける
・解けなかった書き問題は、正解をノートに書き留める
・学習する総ページ数を学習日数で割り、「毎日6ページやる」など と決めて習慣的に取り組む

1か月前

●頻出度A・Bの正解率を高める
・まずは頻出度Aから、チェックをつけた問題だけを解き直す。書き問題は、ノートに書き留めた正解を繰り返し書いて覚える
・自信をもって解けるようになった問題には○をつける
・頻出度Aの8割が解けるようになったら、頻出度Bのチェックをつけた問題に取り組む

「頻出漢字学習ポスター」をダウンロードし、移動中のすきま時間の学習にも活用しよう

3日前

●頻出度Cの要点を押さえる

・解けるようになった問題も含めて、頻出度A・Bのチェックをつけた問題を再確認する
・頻出度Cは、配点が高い書き問題と馴染みがない四字熟語だけでも押さえておく
・模擬試験を解き、得点が低かった苦手分野は頻出度Cまで押さえておくと安心

頻出度A・Bの正解率がまだ8割以下の人は、引き続きそちらも学習しよう

試験当日

●チェックをつけた問題を直前確認

・試験会場までの移動中や会場待機中に、最後まで○がつかなかった問題を確認する

巻頭ページの頻出ベストをチェックするのもおすすめ

目標得点

170／200点

学習のポイント

すべて完璧にしようとせずに、頻出度の高い問題の正解率を高めよう。最初に不正解だった問題は、その後解けるようになってもチェックを消さず、試験直前で再確認しよう。

2週間前

●頻出度Cも完璧にする

・頻出度Cでチェックをつけた問題を、繰り返し解く
・模擬試験に挑戦し、苦手だった分野は頻出度Cも重点的に学習する

1週間前

●苦手問題を徹底的につぶす

・頻出度A・Bはほぼ完璧に、頻出度Cは9割ほど解けるようになるまで、学習を繰り返す
・頻出度A～Cの、最初に解けずにチェックをつけた問題は、改めて試験前に再度すべて確認する

『漢検要覧』にも目を通し、字体や部首を間違えて覚えていないか確認をしておくと安心

合格！

目標得点

195／200点

学習のポイント

２か月あれば準備期間は充分！　計画を立て、習慣的に学習を続けていくことが大事。チェックボックスを活用し、頻出度A・B問題はすべて解けるようにしておこう。

※ここで紹介しているのは本書を使用した効率的な学習方法の一例ですが、合格を保証するものではありません。

「漢字検定」受検ガイド

「漢字検定」の試験概要を紹介します。解答する際の注意点や、出題分野、配点、検定実施の時期などを確認して、自分なりの対策方法を考えてみましょう。

▼検定会場

全国47都道府県の主要都市。

▼検定実施の時期

年3回（6月・10月・翌年1～2月中の日曜日）

※団体受検、CBT（パソコンによる受検）などの詳細は日本漢字能力検定協会にお問い合わせください。

▼申し込み方法

個人受検では、インターネットで専用サイトにアクセスして申し込む。クレジットカード、コンビニ決済、二次元コード決済で検定料を支払う。

手続き後、検定日の1週間前ごろまでに受検票が送られてきます。検定日の4日前になっても届かない場合は、日本漢字能力検定協会に問い合わせましょう。

合否結果は「検定結果通知」が郵送されるほか、WEBでも公開されます。

▼よくある質問

Q 字体によって形が異なる字はどれが正しいの？

A 「衣」の4画目の折り方など、活字のデザイン差がある漢字があります。漢字検定の解答で手本とすべき字体は、本書の解答でも使用している「教科書体」です。

Q 答えが複数ある問題はどうすればいいの？

A 試験の正答は日本漢字能力検定協会が判断しています。本書の標準解答は、過去の試験で標準解答として発表された字を掲載しています。正答については、『漢検要覧 2～10級対応』や『漢検 過去問題集』で確認しましょう。

Q 試験の正解は何が基準になっているの？

A 「部首」は『漢検要覧 2～10級対応』収録の「部首一覧表と部首別の常用漢字」が基準です。「筆順」の原則は文部省（現 文部科学省）編『筆順指導の手びき』、常用漢字の筆順は『漢検要覧 2～10級対応』収録の「常用漢字の筆順一覧」が基準になっています。

▼各級（準1～5級）の出題内容

※検定に関する情報は、過去の試験を弊社で独自に分析し作成したものです。

	準1級	2級	準2級	3級	4級	5級
主な対象学年（目安）	大学・一般程度	高校卒業 大学・一般程度	高校 在学程度	中学校 卒業程度	中学校 在学程度	小学校6年生 修了程度
漢字の読み	30点	30点	30点	30点	30点	20点
表外読み	10点					
熟語と一字訓	10点					
漢字の書き取り	40点	50点	50点	40点	40点	40点
四字熟語	30点	30点	30点	20点	20点	20点
故事・諺	20点					
対義語・類義語	20点	20点	20点	20点	20点	20点
共通の漢字	10点					
誤字訂正	10点	10点	10点	10点	10点	
文章題	20点					
送り仮名		10点	10点	10点	10点	10点
同音・同訓異字		20点	20点	30点	30点	
部首・部首名		10点	10点	10点	10点	10点
熟語の構成		20点	20点	20点	20点	20点
漢字識別				10点	10点	
音と訓						20点
同じ読みの漢字						20点
熟語作り						10点
画数						10点
合格基準	80%程度	80%程度	70%程度	70%程度	70%程度	70%程度
満点	200点	200点	200点	200点	200点	200点
検定時間	60分	60分	60分	60分	60分	60分

検定試験の問い合わせ先

公益財団法人 日本漢字能力検定協会

●フリーダイヤル 0120-509-315（土日・祝日・お盆・年末年始を除く 9:00～17:00）
※検定日とその前日にあたる土日は窓口を開設
※検定日は 9:00～18:00

●所在地
〒605-0074 京都市東山区祇園町南側551番地　TEL 075-757-8600　FAX 075-532-1110

●ホームページ https://www.kanken.or.jp/

※実施要項、申し込み方法等は変わることがあります。詳細は協会ホームページなどでご確認ください。

※出題分野・内容（出題形式、問題数、配点）等は変わることがあります。実際に出題された内容については『漢検 過去問題集』（公益財団法人 日本漢字能力検定協会発行）を参照してください。

目次

かならず押さえる！

最頻出問題 2190

第1章

頻出度

かならず押さえる！

頻出度 A

読み①

※次の――線の読みをひらがなで記せ。

□ 1 朝に晩に身体を**鍛錬**する。
□ 2 **卓越**したアイデアに脱帽した。
□ 3 タオルを**絞**って顔をふく。
□ 4 国王は人心の**掌握**にたけていた。
□ 5 **惜敗**したが好ゲームだった。
□ 6 **冗漫**な文章にいらだつ。
□ 7 人工衛星が**軌道**をはずれた。
□ 8 馬の大群が草原を**疾駆**する。
□ 9 以前はのどかな**丘陵**地帯だった。
□ 10 **穏便**に事を運ぶ。
□ 11 エレベーターで何度も**昇降**する。
□ 12 **悔恨**の情にさいなまれる。
□ 13 好奇心の**塊**のような人だ。
□ 14 彼の特技は漢詩の**朗詠**だ。
□ 15 大会に出場する選手を**激励**する。
□ 16 退職者の**慰労**会を開く。
□ 17 空港で**免税**品を買う。
□ 18 **抑揚**をつけてセリフを言う。
□ 19 希少な記念切手を**換金**する。
□ 20 **緊密**に連絡をとる必要がある。
□ 21 敵に**容赦**は無用だ。
□ 22 **屈辱**を受け涙がこぼれた。
□ 23 食後に**錠剤**を服用する。
□ 24 逆境にも**辛抱**強く耐え抜いた。

標準解答

1 たんれん
2 たくえつ
3 しぼ
4 しょうあく
5 せきはい
6 じょうまん
7 きどう
8 しっく
9 きゅうりょう
10 おんびん
11 しょうこう
12 かいこん
13 かたまり
14 ろうえい
15 げきれい
16 いろう
17 めんぜい
18 よくよう
19 かんきん
20 きんみつ
21 ようしゃ
22 くつじょく
23 じょうざい
24 しんぼう

目標正答率 95%

／56

□ 25 犯人**隠匿**に当たる行為だ。
□ 26 全社をあげて仕事を**遂行**した。
□ 27 **廊下**の突き当たりに部屋がある。
□ 28 混雑を**緩和**する方策を考える。
□ 29 **険阻**な山道を歩き続ける。
□ 30 国民は暴政の**脅威**におののいた。
□ 31 映画のラストシーンに目が**潤**んだ。
□ 32 祖父は趣味の陶芸に**凝**っている。
□ 33 **慌**ただしく年末を迎えた。
□ 34 腕のいい大工に**請**けてもらおう。
□ 35 **募**る恋心を押し隠した。
□ 36 総会は**円滑**に運営された。
□ 37 長年の研究成果を書物に**著**す。
□ 38 ハイキングで気分を**紛**らす。
□ 39 年老いて足腰が**衰**える。
□ 40 すさまじい風に橋が**揺**らいだ。
□ 41 魚をうっかり**焦**がした。
□ 42 高校新卒者を**雇**う。
□ 43 一同に**促**されて席を立った。
□ 44 面目を**施**すかのような働きぶりだ。
□ 45 **愚**かなあやまちは二度とするまい。
□ 46 材料を**粘**り気が出るまで混ぜる。
□ 47 後顧の**憂**いは無用だ。
□ 48 この計画を**企**てたのは社長だ。
□ 49 在野で学問を**究**める。
□ 50 **帳簿**をつける手間を省く。
□ 51 ハワイでの休暇を**満喫**する。
□ 52 早春の陽気に**誘**われて出かけた。
□ 53 あまりの惨状に目を**覆**った。
□ 54 暖炉の周りで**憩**いのときを過ごす。
□ 55 **膨**らむ期待に胸が躍った。
□ 56 自然が**乏**しい町に住む。

25 いんとく
26 すいこう
27 ろうか
28 かんわ
29 けんそ
30 きょうい
31 うる
32 こ
33 あわ
34 う
35 つの
36 えんかつ
37 あらわ
38 まぎ
39 おとろ
40 ゆ

41 こ
42 やと
43 うなが
44 ほどこ
45 おろ
46 ねば
47 うれ
48 くわだ
49 きわ
50 ちょうぼ
51 まんきつ
52 さそ
53 おお
54 いこ
55 ふく
56 とぼ

かならず押さえる！

頻出度 A

読み―②

※次の――線の読みをひらがなで記せ。

□ 1 定刻に遅れ**焦燥**感が高まった。
□ 2 **哀切**を極めた小説だ。
□ 3 **穏和**な人柄で周囲から慕われる。
□ 4 雨粒は水蒸気が**凝縮**したものだ。
□ 5 作者の**詠嘆**が伝わる詩だ。
□ 6 新興国が急成長を**遂**げる。
□ 7 協調性に**乏**しいのが欠点だ。
□ 8 どさくさに**紛**れて退散する。
□ 9 先生が**著**した書物は評価が高い。
□ 10 何があろうと真相を**究**める。
□ 11 **巧**みな話術で場を盛り上げる。
□ 12 息も**凍**るほどの寒さだ。
□ 13 敵を**欺**く作戦を練る。
□ 14 時には自分自身を**顧**みよ。
□ 15 海外進出の**企**てが成功した。
□ 16 今夜は遅くまで**粘**るつもりだ。
□ 17 **憂**いを含んだ表情をする。
□ 18 日本髪に**結**ってもらう。
□ 19 精神の**鍛錬**が足りない。
□ 20 **慈善**事業に資金を援助する。
□ 21 **鶏**が先か、卵が先か。
□ 22 いつも**朗**らかに笑っている。
□ 23 品物を**卸値**で入手する。
□ 24 政治家が新党を**旗揚**げする。

目標正答率 95%

／56

標準解答

1 しょうそう
2 あいせつ
3 おんわ
4 ぎょうしゅく
5 えいたん
6 と
7 とぼ
8 まぎ
9 あらわ
10 きわ
11 たく
12 こお
13 あざむ
14 かえり
15 くわだ
16 ねば
17 うれ
18 ゆ
19 たんれん
20 じぜん
21 にわとり
22 ほが
23 おろしね
24 はたあ

□ 25 **傾聴**に値する演説だ。
□ 26 迷惑をかけた**穴埋**めをする。
□ 27 目の**粗**いざるを用意する。
□ 28 公園はみんなの**憩**いの場だ。
□ 29 転んでひざを**擦**りむいた。
□ 30 **木彫**りの工芸品を飾る。
□ 31 **心憎**いまでの配慮に感謝する。
□ 32 希望に胸を**膨**らませる。
□ 33 山々は深い雪に**覆**われている。
□ 34 友人を**伴**って恩師を訪ねる。
□ 35 不注意な言動で信用を**失墜**させる。
□ 36 音楽の**催**しが楽しみだ。
□ 37 教師を**辞**めて帰郷する。
□ 38 レッスンを**怠**けてはいけない。
□ 39 道路工事で車の流れが**滞**る。
□ 40 二重**帳簿**が発覚する。

□ 41 **愚**かな王に家臣は苦労した。
□ 42 開店の準備が**円滑**に進む。
□ 43 **卓越**した跳躍力の持ち主だ。
□ 44 事業の成功で面目を**施**した。
□ 45 寄付を**募**って難民を援護する。
□ 46 道路の開通が町の発展を**促**した。
□ 47 探検隊の案内役を**雇**った。
□ 48 物語が**佳境**にさしかかる。
□ 49 知恵を**絞**って事に当たろう。
□ 50 氷の**塊**が落ちてきた。
□ 51 **恨**めしい梅雨空が続いている。
□ 52 文章の要点を**抜粋**する。
□ 53 勝ってかぶとのおを**締**めよ。
□ 54 高校生が老人に席を**譲**った。
□ 55 **潤沢**な財産を元手に起業する。
□ 56 庭はバラの**芳香**に包まれていた。

25 けいちょう
26 あなう
27 あら
28 いこ
29 す
30 きぼ
31 こころにく
32 ふく
33 おお
34 ともな
35 しっつい
36 もよお
37 や
38 なま
39 とどこお
40 ちょうぼ

41 おろ
42 えんかつ
43 たくえつ
44 ほどこ
45 つの
46 うなが
47 やと
48 かきょう
49 しぼ
50 かたまり
51 うら
52 ばっすい
53 し
54 ゆず
55 じゅんたく
56 ほうこう

かならず押さえる！

頻出度 A

読み ③

目標正答率 95%

／56

※次の――線の読みをひらがなで記せ。

□ 1 部下の**怠慢**を許してはならない。
□ 2 困難に負けず任務を**遂行**する。
□ 3 技術の粋を**凝縮**した製品だ。
□ 4 曲の一部を**抜粋**する。
□ 5 火事の原因は**漏電**だった。
□ 6 水たまりがすぐに**干上**がった。
□ 7 事件の真相を**克明**に記録する。
□ 8 怒りを**抑**えるのに苦労した。
□ 9 失敗を**契機**に成長したまえ。
□ 10 両手に荷物を**提**げる。
□ 11 風でろうそくの**炎**が消える。
□ 12 生徒から**慕**われる先生だ。
□ 13 新しい支店長が**赴任**した。
□ 14 四つの案の中から**採択**された。
□ 15 古代の**墳墓**が発見された。
□ 16 **精巧**に作られた人形に驚嘆する。
□ 17 富士山は**霊峰**とされている。
□ 18 雨があがるまで**暫時**待機となった。
□ 19 **闘魂**を燃やして試合に臨んだ。
□ 20 島に新しい橋が**架**かった。
□ 21 公権力の**検閲**は許されない。
□ 22 妹はときおり**殊勝**なことを言う。
□ 23 資源の**争奪**戦がしれつを極める。
□ 24 肉が**硬**くて食べにくい。

標準解答

1 たいまん
2 すいこう
3 ぎょうしゅく
4 ばっすい
5 ろうでん
6 ひあ
7 こくめい
8 おさ
9 けいき
10 さ
11 ほのお
12 した
13 ふにん
14 さいたく
15 ふんぼ
16 せいこう
17 れいほう
18 ざんじ
19 とうこん
20 か
21 けんえつ
22 しゅしょう
23 そうだつ
24 かた

□25 初夏を迎えて畑に**苗**を植えた。
□26 **鯨**が群れをなして泳いでいる。
□27 裁判所によって訴えが**棄却**された。
□28 恩人を**欺**くようで心苦しい。
□29 あまりの寒さに全身が**凍**えた。
□30 練習不足を**悔**やんでも後の祭りだ。
□31 大雨で裏山が**崩**れた。
□32 大統領の権威が**失墜**する。
□33 危険を**伴**う手術が無事終わった。
□34 **本邦**随一の夜景に見入った。
□35 **多岐**にわたる問題を片づける。
□36 両者の演技は**甲乙**つけがたい。
□37 夜空を**貫**いて飛行する。
□38 勝者を**恨**むのは筋違いだ。
□39 部隊は**果敢**に敵陣を突破した。
□40 海に**潜**るのは初めてです。

□41 **緩**やかな坂道を下る。
□42 **屈託**のない明るい性格だ。
□43 新たな人事案の**内諾**を取り付けた。
□44 母校は一点差で**惜敗**した。
□45 都内**某所**で政府高官が会食した。
□46 **冗漫**な演説が不評だった。
□47 来年の**雪辱**を期す。
□48 上司が部下を**掌握**する。
□49 このゲームにはもう**飽**きた。
□50 **滅**びの美学に心を打たれる。
□51 小さな流木に仏像を**彫**る。
□52 なんとかその場を**繕**う。
□53 難破船が海上を**漂**った。
□54 二人の関係を**邪推**する。
□55 話し合いはついに**決裂**した。
□56 販売**促進**に一役買う。

25 なえ
26 くじら
27 ききゃく
28 あざむ
29 こご
30 く
31 くず
32 しっつい
33 ともな
34 ほんぽう
35 たき
36 こうおつ
37 つらぬ
38 うら
39 かかん
40 もぐ

41 ゆる
42 くったく
43 ないだく
44 せきはい
45 ぼうしょ
46 じょうまん
47 せつじょく
48 しょうあく
49 あ
50 ほろ
51 ほ
52 つくろ
53 ただよ
54 じゃすい
55 けつれつ
56 そくしん

読み──④

目標正答率 95%

／56

※次の──線の読みをひらがなで記せ。

□ 1 弟の作品が**佳作**に選ばれた。
□ 2 **奉納**の舞を演じる。
□ 3 専門家の**校閲**を経て本ができる。
□ 4 子どもの自立を**妨**げてはいけない。
□ 5 長年かけて荒れ地を**開墾**する。
□ 6 健康を意識して体を**鍛**える。
□ 7 妹は海外の名家に**嫁**いだ。
□ 8 粘土細工を**崩**してしまった。
□ 9 同じ**境遇**の人たちと交流する。
□ 10 はさみを使って布を**裁**つ。
□ 11 速度制限の**措置**がとられた。
□ 12 多くの芸術は**模倣**から出発する。
□ 13 **又聞**きはあてにならない。
□ 14 農耕民族と**狩猟**民族の特徴を学ぶ。
□ 15 **抽象**的な話で想像しにくい。
□ 16 **仕掛**け花火を打ち上げる。
□ 17 **辛苦**をともにしてきた親友だ。
□ 18 **清廉**潔白な人柄が人望を集める。
□ 19 **強情**な性格で反感を買う。
□ 20 **愚問**を承知で尋ねる。
□ 21 旅客輸送のため**港湾**を整備する。
□ 22 **濃紺**のスーツを着て面接に行く。
□ 23 新政権樹立の**胎動**が始まった。
□ 24 絵画に**卓抜**な才能を示す。

標準解答

1 かさく
2 ほうのう
3 こうえつ
4 さまた
5 かいこん
6 きた
7 とつ
8 くず
9 きょうぐう
10 た
11 そち
12 もほう
13 またぎ
14 しゅりょう
15 ちゅうしょう
16 しか
17 しんく
18 せいれん
19 ごうじょう
20 ぐもん
21 こうわん
22 のうこん
23 たいどう
24 たくばつ

□ 25 苦戦の末に**雪辱**を果たした。
□ 26 最終回に逆転されて**悔**し涙を流す。
□ 27 心の奥に悲しみが**潜**んでいる。
□ 28 マフラーの両端に**房**をつける。
□ 29 裏切られた**遺恨**を晴らす。
□ 30 人生の**軌跡**をたどる。
□ 31 **残虐**な事件の犯人が逮捕された。
□ 32 **既定**の方針に従って実施する。
□ 33 問題が**多岐**にわたっている。
□ 34 バイクが砂浜を**疾駆**した。
□ 35 **酵母**を使ってパンを焼く。
□ 36 **本邦**初演の歌劇を鑑賞する。
□ 37 敵の不意打ちに**遭**う。
□ 38 息子に権利を**譲渡**する。
□ 39 時代を**超越**した素晴らしい作品だ。
□ 40 破れた服を針と糸で**繕**う。

□ 41 波間をクラゲが**漂**っている。
□ 42 危険な場所では気を**緩**めない。
□ 43 毎日、サッカーの練習に**励**む。
□ 44 最後まで初志を**貫**く。
□ 45 奇抜な作風が**文壇**に認められた。
□ 46 締め切りが迫り**焦燥**にかられる。
□ 47 眼前に**丘陵**が広がっている。
□ 48 部下のミスを**穏便**に始末する。
□ 49 戦争の**脅威**にさらされる。
□ 50 新しい任地に**赴**いた。
□ 51 双方とも取引を**快諾**した。
□ 52 デモ隊がプラカードを**掲**げる。
□ 53 法律は**遵守**すべきだ。
□ 54 名だたる**棋士**が大会に参加した。
□ 55 人を**魅惑**する美しい風景だ。
□ 56 設備が心**憎**いほど行き届いている。

25 せつじょく
26 くや
27 ひそ
28 ふさ
29 いこん
30 きせき
31 ざんぎゃく
32 きてい
33 たき
34 しっく
35 こうぼ
36 ほんぽう
37 あ
38 じょうと
39 ちょうえつ
40 つくろ

41 ただよ
42 ゆる
43 はげ
44 つらぬ
45 ぶんだん
46 しょうそう
47 きゅうりょう
48 おんびん
49 きょうい
50 おもむ
51 かいだく
52 かか
53 じゅんしゅ
54 きし
55 みわく
56 にく

読み——⑤

※次の——線の読みをひらがなで記せ。

□ 1 **危篤**の知らせに気が動転する。
□ 2 有名な**棋士**の門をたたいた。
□ 3 級友を**相伴**って病人を見舞う。
□ 4 妻子を**携**えて赴任先に行く。
□ 5 理想を**掲**げて熱っぽく語る。
□ 6 家賃を二か月間**滞納**する。
□ 7 原因究明のため事故現場に**赴**く。
□ 8 **魅惑**的な少年が主役を務める。
□ 9 なかなか**憎**い演出の芝居だ。
□ 10 道徳意識が**欠如**している。
□ 11 **脅**してゆするのがその男の手口だ。
□ 12 **湿原**を守る運動に参加する。
□ 13 新人投手が**完封**勝利を収めた。
□ 14 事件の**輪郭**が見えてきた。
□ 15 彼は**虚栄**心が人一倍強い。
□ 16 彼女の美しさに心を**奪**われた。
□ 17 人生の**岐路**に立たされる。
□ 18 年月を**隔**てて友人と再会する。
□ 19 **雑炊**を食べて温まろう。
□ 20 落ち込んでいる友人を**慰**める。
□ 21 情勢を**勘案**して結論を出す。
□ 22 時計を**修繕**して大切に使う。
□ 23 **悔恨**の思いを告白する。
□ 24 **暫定**予算がようやく成立した。

目標正答率
95%

／56

標準解答

1 きとく
2 きし
3 あいともな
4 たずさ
5 かか
6 たいのう
7 おもむ
8 みわく
9 にく
10 けつじょ
11 おど
12 しつげん
13 かんぷう
14 りんかく
15 きょえい
16 うば
17 きろ
18 へだ
19 ぞうすい
20 なぐさ
21 かんあん
22 しゅうぜん
23 かいこん
24 ざんてい

□ 25 話し相手の顔を**凝視**した。
□ 26 地盤の**隆起**で海底が陸化する。
□ 27 キリストはユダを**哀**れんだ。
□ 28 舞台は一段と**華**やかさを増した。
□ 29 **幻**のようにはかなく消えた。
□ 30 **陳腐**な表現が目につく。
□ 31 機密が**漏**れて対応を急ぐ。
□ 32 過ぎ去った日々を**回顧**する。
□ 33 苦労を思い出し**感慨**にひたる。
□ 34 十六世紀の**香炉**を譲り受けた。
□ 35 宮中で和歌を**朗詠**する。
□ 36 **猟師**が山でクマをしとめた。
□ 37 **捕鯨**の歴史を学ぶ。
□ 38 船員が**帆柱**をよじ登った。
□ 39 天にも**昇**る心地だった。
□ 40 記者が情報源を**秘匿**する。

□ 41 一流歌人による**添削**指導が好評だ。
□ 42 重要な案件を会議に**諮**る。
□ 43 満足いく結果が出せ**悦**に入る。
□ 44 子どもの権利の**擁護**を訴える。
□ 45 借金返済の**催促**から逃げ回る。
□ 46 無罪**放免**となり一安心だ。
□ 47 ツボを刺激して食欲を**抑制**する。
□ 48 自由を**束縛**されたくない。
□ 49 **祝宴**のスピーチを考える。
□ 50 南海の**孤島**に移り住む。
□ 51 **賢**い子になってほしいと願う。
□ 52 **突如**として舞台が暗転した。
□ 53 彼女の**潔癖**さは、つとに評判です。
□ 54 金メダルを獲得し気分が**高揚**した。
□ 55 **畜産**の仕事に興味を持つ。
□ 56 外国企業と資本**提携**を結ぶ。

25 ぎょうし
26 りゅうき
27 あわ
28 はな
29 まぼろし
30 ちんぷ
31 も
32 かいこ
33 かんがい
34 こうろ
35 ろうえい
36 りょうし
37 ほげい
38 ほばしら
39 のぼ
40 ひとく

41 てんさく
42 はか
43 えつ
44 ようご
45 さいそく
46 ほうめん
47 よくせい
48 そくばく
49 しゅくえん
50 ことう
51 かしこ
52 とつじょ
53 けっぺき
54 こうよう
55 ちくさん
56 ていけい

かならず押さえる！
頻出度
A

読み ⑥

※次の——線の読みをひらがなで記せ。

□ 1 静かな**湖畔**に家を建てる。
□ 2 国交回復のための**折衝**を重ねる。
□ 3 慢性的な**肩凝**りに悩まされる。
□ 4 武力で反乱軍を**鎮圧**した。
□ 5 断られるのを**覚悟**でお願いする。
□ 6 **零細**企業がひしめいている。
□ 7 **概算**で見積もりを出す。
□ 8 今回の選挙の投票は**棄権**します。
□ 9 両者の意見は**隔**たっていた。
□ 10 祖母と二人で落ち**穂**を拾った。
□ 11 弱みをにぎられ**脅**された。
□ 12 熱弁を振るう自分に**陶酔**する。
□ 13 退社を決意したが**慰留**された。
□ 14 **裸**一貫から財を築く。
□ 15 辞書の**改訂**に取り組む。
□ 16 四角い部屋を丸く**掃**く。
□ 17 自宅で合格の**吉報**を待つ。
□ 18 **粗削**りだが将来性を感じさせる文章だ。
□ 19 **抑揚**をつけて音読する。
□ 20 蚕が**桑**の葉を食べている。
□ 21 見物人の目の前を**疾走**する。
□ 22 **搾**りたての牛乳でバターを作る。
□ 23 **足袋**の大きさが合わない。
□ 24 人の心が**殺伐**としている。

目標正答率 95%
／56

標準解答

1 こはん
2 せっしょう
3 かたこ
4 ちんあつ
5 かくご
6 れいさい
7 がいさん
8 きけん
9 へだ
10 ぼ
11 おど
12 とうすい
13 いりゅう
14 はだか
15 かいてい
16 は
17 きっぽう
18 あらけず
19 よくよう
20 くわ
21 しっそう
22 しぼ
23 たび
24 さつばつ

□25 意欲の**欠如**が問題だ。
□26 名酒のお**相伴**にあずかった。
□27 午後の日差しが眠気を**催**す。
□28 地場産業が**衰退**の一途をたどる。
□29 当事者から事情を**聴取**する。
□30 信心して仏の**慈悲**にすがる。
□31 **華美**な服装がひときわ目立つ。
□32 渡航前に円をドルに**換**える。
□33 **横殴**りの雨が降ってきた。
□34 独身生活で**煮炊**きが上手になった。
□35 うそがばれて**動揺**を隠せない。
□36 **綱渡**りの芸当を心配そうに見守る。
□37 五穀の実る**豊潤**な土地に住む。
□38 昼夜を分かたず**機**を織る。
□39 **誘惑**を断ち切って勉強に励む。
□40 自転車で**放浪**の旅に出る。

□41 目に**悲哀**の色が宿っていた。
□42 候補者が**登壇**して演説する。
□43 **平穏**な毎日を過ごしている。
□44 不正に得た財産を**没収**される。
□45 **勇敢**な行動をほめられた。
□46 **卑屈**な笑いを浮かべる。
□47 ガス管の**埋設**工事が始まった。
□48 自己**啓発**の本が売れている。
□49 **炎天下**の重労働で体調を崩した。
□50 かごの中の鳥を**哀**れと思う。
□51 **骨髄**バンクに登録する。
□52 緊張のあまり心臓が**早鐘**を打つ。
□53 高速道路が内陸を**縦貫**する。
□54 計画に**付随**する困難を克服する。
□55 **鼻孔**から空気を吸い込む。
□56 さびれた山里で**孤独**な日々を送る。

25 けつじょ
26 しょうばん
27 もよお
28 すいたい
29 ちょうしゅ
30 じひ
31 かび
32 か
33 よこなぐ
34 にた
35 どうよう
36 つなわた
37 ほうじゅん
38 はた
39 ゆうわく
40 ほうろう

41 ひあい
42 とうだん
43 へいおん
44 ぼっしゅう
45 ゆうかん
46 ひくつ
47 まいせつ
48 けいはつ
49 えんてんか
50 あわ
51 こつずい
52 はやがね
53 じゅうかん
54 ふずい
55 びこう
56 こどく

かならず押さえる！

頻出度

A

読み―⑦

目標正答率 95%

／56

※次の――線の読みをひらがなで記せ。

□ 1 **卵白**をあわ立ててクリームを作る。
□ 2 工事現場で重機を**遠隔**操作する。
□ 3 飲み過ぎて**酔**ってしまった。
□ 4 技をみがいて五段の**免状**を頂いた。
□ 5 **催眠**術にかけられたように眠い。
□ 6 針が折れて**縫**いものができない。
□ 7 ベテランの**騎手**がレースを制した。
□ 8 書類を役所に**遅滞**なく提出する。
□ 9 親族が集まって母の**長寿**を祝った。
□ 10 **暖房**の設定温度を低めにする。
□ 11 学生生活を**顧**みる。
□ 12 敵の目を**巧**みにごまかした。

□ 13 バケツから水が**漏**れている。
□ 14 新たな鉱山が町の財政を**潤**した。
□ 15 **朗**らかな性格で人に好かれる。
□ 16 目を**凝**らしてじっくり観察しよう。
□ 17 頭痛によく効く**錠剤**だ。
□ 18 初戦で**屈辱**的な大敗をした。
□ 19 北海道の味覚を**満喫**した。
□ 20 議長職を**辞**める腹づもりだ。
□ 21 家賃が何か月も**滞**っている。
□ 22 汚職は**容赦**なく追及すべきだ。
□ 23 修行を積んで世の無常を**悟**った。
□ 24 試験対策を**怠**らない。

標準解答

1 らんぱく
2 えんかく
3 よ
4 めんじょう
5 さいみん
6 ぬ
7 きしゅ
8 ちたい
9 ちょうじゅ
10 だんぼう
11 かえり
12 たく
13 も
14 うるお
15 ほが
16 こ
17 じょうざい
18 くつじょく
19 まんきつ
20 や
21 とどこお
22 ようしゃ
23 さと
24 おこた

□ 25 資料を**携**えて教授を訪ねる。
□ 26 新聞を**閲覧**して時間をつぶす。
□ 27 降雪が進軍を**妨**げた。
□ 28 長い髪を三つ編みに**結**った。
□ 29 不意の来客に**慌**てた。
□ 30 県人会の**集**いの知らせが届いた。
□ 31 密輸物資が倉庫に**隠匿**されていた。
□ 32 友人の**誘**いを断る。
□ 33 計画の**概要**を説明する。
□ 34 客船が**数隻**入港した。
□ 35 物語はいよいよ**佳境**に入った。
□ 36 上半身**裸**で川に飛び込んだ。
□ 37 娘が**嫁**ぐ日取りが決まった。
□ 38 のどかな町で**穏**やかに暮らす。
□ 39 科学雑誌に論文が**掲載**される。
□ 40 童話の**翻訳**を引き受ける。

□ 41 うまい話への注意を**喚起**する。
□ 42 ふだんから塩分を**控**えている。
□ 43 **画廊**に絵を見に行く。
□ 44 自由な行動を**抑圧**する。
□ 45 他人のやり方に**難癖**をつける。
□ 46 **娯楽**施設に遊びに行く。
□ 47 **辛**くもピンチを逃れた。
□ 48 **純粋**な情熱に心を打たれる。
□ 49 **名残**の雪を踏んで歩く。
□ 50 母国の行く末を**憂慮**する。
□ 51 強気な態度は**虚勢**でしかない。
□ 52 身柄を**拘束**されて七日たつ。
□ 53 議題の**焦点**を絞るべきだ。
□ 54 小遣いを**倹約**して貯金する。
□ 55 当初の計画を**完遂**する。
□ 56 部長に休暇を**申請**する。

25 たずさ
26 えつらん
27 さまた
28 ゆ
29 あわ
30 つど
31 いんとく
32 さそ
33 がいよう
34 すうせき
35 かきょう
36 はだか
37 とつ
38 おだ
39 けいさい
40 ほんやく

41 かんき
42 ひか
43 がろう
44 よくあつ
45 なんくせ
46 ごらく
47 から
48 じゅんすい
49 なごり
50 ゆうりょ
51 きょせい
52 こうそく
53 しょうてん
54 けんやく
55 かんすい
56 しんせい

かならず押さえる！

頻出度 A

書き取り──①

※次の──線のカタカナを漢字に直せ。

□ 1 年とともにチョウリョクが落ちる。
□ 2 カラい料理を好んで食べる。
□ 3 ヨットのホが風でふくらむ。
□ 4 ごくフツウの家庭で生まれ育った。
□ 5 葉からエキスをチュウシュツする。
□ 6 七対三のワリアイに分ける。
□ 7 連続優勝するのはシナンの業だ。
□ 8 テンケイ的な冬の気圧配置だ。
□ 9 花柄モヨウのブラウスを買う。
□ 10 試験までアマすところ二日となった。
□ 11 オゴソかな空気を漂わせる。
□ 12 ゲンソウ的な物語を読む。
□ 13 地形の変化で湖水がヒアがった。
□ 14 白熱した試合にコウフンする。
□ 15 急カーブでケイテキを鳴らす。
□ 16 そっくりだが他人のソラニだ。
□ 17 資源のキョウキュウを期待する。
□ 18 勝者に特製のカンムリを授ける。
□ 19 祖母のハカマイりをする。
□ 20 大海をクジラが群れをなして泳ぐ。
□ 21 正方形はタテと横の長さが等しい。
□ 22 仕事用にセビロを新調する。
□ 23 幼児がカタコトで話す。
□ 24 テキセイな価格で新商品を売り出す。

標準解答

1	聴力	13	干上
2	辛	14	興奮
3	帆	15	警笛
4	普通	16	空似
5	抽出	17	供給
6	割合	18	冠
7	至難	19	墓参
8	典型	20	鯨
9	模様	21	縦
10	余	22	背広
11	厳	23	片言
12	幻想	24	適正

目標正答率 80%

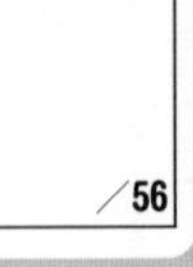

□ 25 つま先を**コキザ**みに動かす。
□ 26 臨時収入を得て**サイフ**のひもが緩む。
□ 27 **カセツ**を立てて実験で確かめる。
□ 28 小皿に塩を**モ**る。
□ 29 ふざけるにも**ホド**がある。
□ 30 努力のかい無く**バンサク**尽きた。
□ 31 身の**ケッパク**を証明する。
□ 32 星空に**ホクト**七星を見つける。
□ 33 連続優勝が宿敵に**ソシ**された。
□ 34 技術の**スイジュン**を高める。
□ 35 **アツデ**のシャツを着て外に出る。
□ 36 会社の労働組合に**カメイ**する。
□ 37 駅で新幹線の**キップ**を買う。
□ 38 事件の**ヨウイン**を探る。
□ 39 実力を**ハッキ**して大いに活躍する。
□ 40 教会の**カネ**がおごそかに響く。

□ 41 だれでも**ヨウイ**に解ける問題だ。
□ 42 **ネブクロ**に潜り込んで眠った。
□ 43 細部まで**トウロン**して決める。
□ 44 成績優秀で学費が**メンジョ**された。
□ 45 劇団の存続が**アヤ**ぶまれる。
□ 46 大事な仕事を**マカ**せられた。
□ 47 周囲に**タ**えず気を配る。
□ 48 社長が入室し空気が**ハ**り詰める。
□ 49 社内の**フルカブ**が非協力的だ。
□ 50 **マトハズ**れな回答をして恥をかいた。
□ 51 情感あふれる**エンソウ**に感動する。
□ 52 目上の人を**ウヤマ**いなさい。
□ 53 味に**テイヒョウ**のある食堂だ。
□ 54 大事な会議を翌日に**ヒカ**えている。
□ 55 家族全員で**ショクタク**を囲む。
□ 56 住宅街にヒグマが**シュツボツ**する。

25 小刻
26 財布
27 仮説
28 盛
29 程
30 万策
31 潔白
32 北斗
33 阻止
34 水準
35 厚手
36 加盟
37 切符
38 要因
39 発揮
40 鐘

41 容易
42 寝袋
43 討論
44 免除
45 危
46 任
47 絶
48 張
49 古株
50 的外
51 演奏
52 敬
53 定評
54 控
55 食卓
56 出没

かならず押さえる！

頻出度

A

書き取り—②

目標正答率 80%

／56

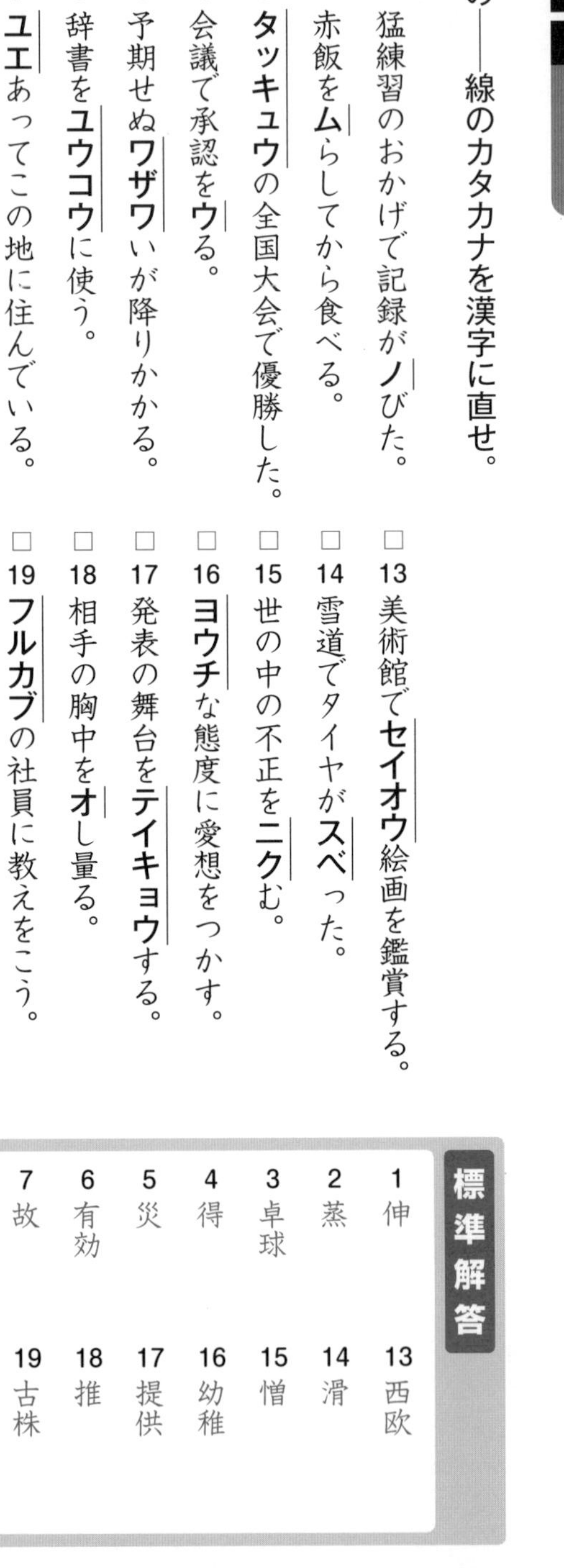

※次の——線のカタカナを漢字に直せ。

□ 1 猛練習のおかげで記録が**ノ**びた。

□ 2 赤飯を**ム**らしてから食べる。

□ 3 **タッキュウ**の全国大会で優勝した。

□ 4 会議で承認を**ウ**る。

□ 5 予期せぬ**ワザワ**いが降りかかる。

□ 6 辞書を**ユウコウ**に使う。

□ 7 **ユエ**あってこの地に住んでいる。

□ 8 **ホウイ**網をかいくぐる。

□ 9 他人の**ソラニ**とはいえそっくりだ。

□ 10 先手を打って敵の攻撃を**フウ**じる。

□ 11 どこか**ヒンカク**の漂う茶道具だ。

□ 12 企ての**カタボウ**をかつぐ。

□ 13 美術館で**セイオウ**絵画を鑑賞する。

□ 14 雪道でタイヤが**スベ**った。

□ 15 世の中の不正を**ニク**む。

□ 16 **ヨウチ**な態度に愛想をつかす。

□ 17 発表の舞台を**テイキョウ**する。

□ 18 相手の胸中を**オ**し量る。

□ 19 **フルカブ**の社員に教えをこう。

□ 20 **ビンボウ**を脱して成功を収める。

□ 21 何かと目の**カタキ**にされている。

□ 22 **サイボウ**が次々に分裂する。

□ 23 **アヤ**しい物音に聞き耳を立てる。

□ 24 **オクバ**がずきずき痛む。

標準解答

1 伸　2 蒸　3 卓球　4 得　5 災　6 有効　7 故　8 包囲　9 空似　10 封　11 品格　12 片棒

13 西欧　14 滑　15 憎　16 幼稚　17 提供　18 推　19 古株　20 貧乏　21 敵　22 細胞　23 怪　24 奥歯

□ 25 ラーメンに**ブタ**の角煮を入れる。
□ 26 **ヨメ**に家業の手伝いを頼む。
□ 27 駐車車両が通行の**ジャマ**になる。
□ 28 厳冬の山で登山者が**トウシ**した。
□ 29 ドラマの**シチョウ**率が急上昇する。
□ 30 上半身**ハダカ**で滝に打たれる。
□ 31 海外での生活に期待が**フク**らむ。
□ 32 川辺に咲く**ノギク**の花を摘む。
□ 33 **タク**みな職人芸に驚嘆する。
□ 34 小説の中で**カクウ**の人物を描く。
□ 35 退職して**ヘイオン**な毎日を送る。
□ 36 重要な作業が**カンリョウ**した。
□ 37 **ニチボツ**の時間までに帰宅する。
□ 38 清流の**ス**んだ水で顔を洗う。
□ 39 こんな失敗をして**メンボク**ない。
□ 40 川の**キシベ**にボートを寄せる。

□ 41 とんだ**シロモノ**をつかまされた。
□ 42 わずかな出費を**オ**しむ。
□ 43 **フクシ**関連の予算を増額する。
□ 44 何度も文章を**ネ**り直す。
□ 45 幾何学**モヨウ**が美しい。
□ 46 悪ふざけにも**ホド**がある。
□ 47 **テンケイ**例を挙げて解説する。
□ 48 雪を**イタダ**いた山々を見渡す。
□ 49 生地を染料に**ヒタ**して色をつける。
□ 50 会合に多くの市民が**ツド**った。
□ 51 寒さが**ホネミ**にしみる。
□ 52 レモンの**ワギ**りを紅茶に浮かべる。
□ 53 **モヨ**りの駅から歩いてすぐだ。
□ 54 郷に入っては郷に**シタガ**え。
□ 55 若気の**イタ**りで済む話ではない。
□ 56 めでたく子どもを**サズ**かった。

番号	答え
25	豚
26	嫁
27	邪魔
28	凍死
29	視聴
30	裸
31	膨
32	野菊
33	巧
34	架空
35	平穏
36	完了
37	日没
38	澄
39	面目
40	岸辺
41	代物
42	惜
43	福祉
44	練
45	模様
46	程
47	典型
48	頂
49	浸
50	集
51	骨身
52	輪切
53	最寄
54	従
55	至
56	授

かならず押さえる！

頻出度 A

書き取り――③

目標正答率 80%

／56

※次の――線のカタカナを漢字に直せ。

□ 1 委員会の承認を**ヘ**る必要がある。
□ 2 彼は商売上の**カタキ**だ。
□ 3 日本画の**テンラン**会を開催する。
□ 4 まぎらわしい**ルイジ**品が出回る。
□ 5 真相を**ウラヅ**ける証拠を探す。
□ 6 十本をひと**タバ**としてまとめる。
□ 7 報告書を**サカテ**にとる。
□ 8 声が聞き取れるよう**チカヨ**った。
□ 9 **コウリツ**の悪い工程を非難する。
□ 10 **ナサ**けは人のためならず。
□ 11 墓前に花束を**ソナ**える。
□ 12 当落の**サカイ**目にいる。
□ 13 **カタガミ**に沿って布を裁つ。
□ 14 作業時間を**タンシュク**してほしい。
□ 15 遠足を**ユビオ**り数えて待つ。
□ 16 体格でも知性でも相手に**マサ**る。
□ 17 値千金のホームランを**ハナ**つ。
□ 18 おこわをせいろで**ム**す。
□ 19 荷物は**ワリアイ**に軽かった。
□ 20 夜露で地面が**シメ**っている。
□ 21 プラモデルを**キヨウ**に組み立てる。
□ 22 海に**モグ**って魚を捕る。
□ 23 朝食にサバの**ヒモノ**を焼く。
□ 24 同じ作業の繰り返しに**ア**きた。

標準解答

1 経
2 敵
3 展覧
4 類似
5 裏付
6 束
7 逆手
8 近寄
9 効率
10 情
11 供
12 境
13 型紙
14 短縮
15 指折
16 勝
17 放
18 蒸
19 割合
20 湿
21 器用
22 潜
23 干物
24 飽

□ 25 ウナガされてようやく話し始める。
□ 26 車にヨって気持ちが悪くなる。
□ 27 巨悪にユウカンに立ち向かう。
□ 28 極めてトクシュな事案だ。
□ 29 細胞が二つにブンレツした。
□ 30 誕生祝いに赤飯をタく。
□ 31 都心からコウガイに引っ越した。
□ 32 転んで足のコウを骨折した。
□ 33 腕時計の電池をコウカンする。
□ 34 建設計画はマボロシに終わった。
□ 35 オウベイの食文化について調べる。
□ 36 遊ぶ時間をケズって勉強する。
□ 37 店の看板にペンキをヌる。
□ 38 フライパンでブタニクをいためる。
□ 39 ごみをフクロに入れて持ち帰る。
□ 40 筆の先にスミを含ませる。

□ 41 貨物船がアサセに乗りあげた。
□ 42 友人をサソって映画を見に行く。
□ 43 最後まで正義をツラヌき通した。
□ 44 目をカガヤかせながら話を聞く。
□ 45 タキのような汗が流れ落ちる。
□ 46 西洋のテツガクを専攻した。
□ 47 時代劇にサムライの役で出演した。
□ 48 顔をフせて寝たふりをする。
□ 49 運転メンキョを取得する。
□ 50 余ったご飯をレイトウする。
□ 51 ろうそくのホノオを見つめる。
□ 52 微笑みをウかべる。
□ 53 二に五をカけると十になる。
□ 54 メイロウで一点の曇りもない。
□ 55 政治を厳しくヒハンする。
□ 56 事件のミナモトを調べる。

25 促
26 酔
27 勇敢
28 特殊
29 分裂
30 炊
31 郊外
32 甲
33 交換
34 幻
35 欧米
36 削
37 塗
38 豚肉
39 袋
40 墨

41 浅瀬
42 誘
43 貫
44 輝
45 滝
46 哲学
47 侍
48 伏
49 免許
50 冷凍
51 炎
52 浮
53 掛
54 明朗
55 批判
56 源

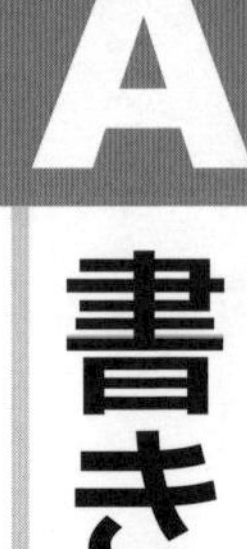

書き取り —— ④

※次の——線のカタカナを漢字に直せ。

□ 1 横綱の**ヒンカク**を保つ。
□ 2 マッチを**ス**って火をつける。
□ 3 夏の夜に**キモ**試し大会を催した。
□ 4 火力が強すぎて魚を**コ**がした。
□ 5 池の水が**コオ**っている。
□ 6 海外に支店を持つ**キギョウ**だ。
□ 7 大雨が原因で裏山が**クズ**れた。
□ 8 **ウ**もれていた才能を開花させる。
□ 9 急激に気温が**ジョウショウ**する。
□ 10 漁船が海岸に**ヒョウチャク**した。
□ 11 派手な柄のネクタイを**シ**める。
□ 12 観光地で集合写真を**ト**った。

□ 13 **メイロウ**に受け答えする。
□ 14 命日には**ハカマイ**りを欠かさない。
□ 15 群集が建物を**ホウイ**した。
□ 16 **キョウキュウ**過多で値が下がる。
□ 17 一代にしてばく大な**トミ**を築く。
□ 18 若さ**ユエ**のあやまちだ。
□ 19 遠足の前は**コウフン**して眠れない。
□ 20 世間からの**ヒハン**をかわす。
□ 21 **ケイテキ**で非常事態を知らせる。
□ 22 猛暑が続き田んぼが**ヒア**がった。
□ 23 **タビジ**の終わりに一句よむ。
□ 24 大胆に経済政策を**テンカン**する。

標準解答

1 品格
2 擦
3 肝
4 焦
5 凍
6 企業
7 崩
8 埋
9 上昇
10 漂着
11 締
12 撮
13 明朗
14 墓参
15 包囲
16 供給
17 富
18 故
19 興奮
20 批判
21 警笛
22 干上
23 旅路
24 転換

目標正答率 80%
／56

□ 25 家族の笑顔が元気のミナモトだ。
□ 26 トツジョとしてヘビが現れた。
□ 27 駅前は人通りがタえない。
□ 28 版画をスって年賀状を作った。
□ 29 会社のジクとなって働く。
□ 30 異国での生活にナれてきた。
□ 31 オい立ちを聞いて同情する。
□ 32 兄は食品会社にツトめている。
□ 33 シいて言えば読書が趣味だ。
□ 34 責任を取って社長の職をシリゾく。
□ 35 横暴キワまる行いに手を焼く。
□ 36 ルイジの意見は一つにまとめよう。
□ 37 中断していた試合をサイカイした。
□ 38 紋付のハオリはかまで出席する。
□ 39 タテ書きの便せんに手紙を書く。
□ 40 英語はカタコトしか話せない。

□ 41 悪い友達と別れるようトき伏せる。
□ 42 罪を犯した者を法によってサバく。
□ 43 竹をアんでかごを作る。
□ 44 アンイに引き受けて後悔する。
□ 45 セビロを着てでかける。
□ 46 行政のスミやかな対応を望む。
□ 47 銀行に自分の全財産をアズけた。
□ 48 余ったお金をテキセイに処理する。
□ 49 水を加熱するとジョウハツする。
□ 50 完成までのノべ日数を計算する。
□ 51 選抜大会で互いの技術をキソった。
□ 52 アズキをゆでてぼたもちを作る。
□ 53 カブカが不安定な動きをみせる。
□ 54 野球はスジガきのないドラマだ。
□ 55 デマが飛び交いコンランする。
□ 56 検査の結果、糖尿病がウタガわれる。

25 源
26 突如
27 絶
28 刷
29 軸
30 慣
31 生
32 勤
33 強
34 退
35 極
36 類似
37 再開
38 羽織
39 縦
40 片言

41 説
42 裁
43 編
44 安易
45 背広
46 速
47 預
48 適正
49 蒸発
50 延
51 競
52 小豆
53 株価
54 筋書
55 混乱
56 疑

かならず押さえる！
頻出度 A

書き取り — ⑤

※次の——線のカタカナを漢字に直せ。

□1 彼の仮説には**ウラヅ**けがない。
□2 だれでも解ける**ヤサ**しい問題だ。
□3 **クヤ**しさのあまりくちびるをかむ。
□4 **ナマ**けて学校を休んだ。
□5 **シンピ**的な音楽をかなでる。
□6 彼だけは絶対**ユル**さない。
□7 怒ると**ミサカイ**がなくなる。
□8 **イナカ**から都会に出てくる。
□9 反則行為を**ゲンジュウ**に注意する。
□10 祖父は**スジガネ**入りの思想家だ。
□11 行楽の**アナバ**を知人に紹介する。
□12 経済界のトップに**クンリン**する。
□13 遅刻して**マコト**に申し訳ありません。
□14 母親の**キョウチュウ**を察する。
□15 絶好の行楽**ビヨリ**になった。
□16 先輩の話はとても**ユウエキ**だった。
□17 子どもたちを危険から**ホゴ**する。
□18 自由を求めて**ボウメイ**した。
□19 チャンスの**メガミ**がほほえむ。
□20 かぜを引きやすい**タイシツ**だ。
□21 学術的に**ネウ**ちのある資料だ。
□22 長年の**ネンガン**がついにかなった。
□23 開幕を**ツ**げるファンファーレが響く。
□24 **スグ**れた映画に賞を与える。

目標正答率 80%
／56

標準解答

1 裏付
2 易
3 悔
4 怠
5 神秘
6 許
7 見境
8 田舎
9 厳重
10 筋金
11 穴場
12 君臨
13 誠
14 胸中
15 日和
16 有益
17 保護
18 亡命
19 女神
20 体質
21 値打
22 念願
23 告
24 優

□ 25 突然**カザム**きが変わった。
□ 26 最後まで**ネバ**り強く戦った。
□ 27 **ユザ**ましで薬を飲む。
□ 28 社内の人事を**サッシン**する。
□ 29 落ち込んでいる友人を**ハゲ**ます。
□ 30 少ない時間を**コウリツ**的に使う。
□ 31 チーム一丸を**ハタジルシ**に戦う。
□ 32 ご飯を茶わんに**モ**る。
□ 33 夜空を見上げて**セイザ**を観測する。
□ 34 多大な**ギセイ**を払う。
□ 35 敵をまんまと**アザム**く。
□ 36 人生の師として**ケイフク**している。
□ 37 **キムズカ**しい表情をしている。
□ 38 **カド**を右に曲がると目的地だ。
□ 39 学問の真理を**サト**った。
□ 40 友人を**ワ**が家に招く。

□ 41 運動前のストレッチを**カ**かさない。
□ 42 持てる力の限りを**ツ**くした。
□ 43 ひらがなを漢字に**ヘンカン**する。
□ 44 **テブクロ**を片方落とした。
□ 45 布を鮮やかな青色に**ソ**める。
□ 46 あまりの美しさに目を**ウバ**われる。
□ 47 **ココチ**よい海風に吹かれる。
□ 48 **カシコ**くて聞き分けのいい子だ。
□ 49 車で**ワンガン**道路を走る。
□ 50 参加すれば上位入賞は**カクジツ**だ。
□ 51 **ランオウ**と生クリームを混ぜる。
□ 52 水道管が突如**ハレツ**した。
□ 53 **サクジョ**したデータを復元する。
□ 54 進路の**センタク**に悩んでいる。
□ 55 年金は**グウスウ**の月に支給される。
□ 56 恐ろしい**カイダン**を聞いた。

25	26	27	28	29	30	31	32	33	34	35	36	37	38	39	40
風向	粘	湯冷	刷新	励	効率	旗印	盛	星座	犠牲	欺	敬服	気難	角	悟	我

41	42	43	44	45	46	47	48	49	50	51	52	53	54	55	56
欠	尽	変換	手袋	染	奪	心地	賢	湾岸	確実	卵黄	破裂	削除	選択	偶数	怪談

かならず押さえる！

頻出度 A

書き取り―⑥

※次の――線のカタカナを漢字に直せ。

□ 1 秘密をばらすと**オド**された。
□ 2 町内の**セイソウ**活動に参加する。
□ 3 月明かりを**タヨ**りに夜道を進む。
□ 4 **ジャアク**な笑みを浮かべる。
□ 5 体力の**オトロ**えを感じる。
□ 6 **コフン**から副葬品が発掘された。
□ 7 王子と**ヒメ**が舞踏会で出会った。
□ 8 人前で話すと**キンチョウ**する。
□ 9 旅先で**グウゼン**友だちに会った。
□ 10 余計なことを言って**コウカイ**する。
□ 11 文化祭の**ヨクジツ**は休校だ。
□ 12 朱塗りの大**トリイ**をくぐる。
□ 13 風でブランコが**ユ**れている。
□ 14 規制を**ユル**めて産業を活性化する。
□ 15 新興国の経済発展が**イチジル**しい。
□ 16 **タマシイ**を込めて熱唱する。
□ 17 寝起きに一杯の**ユザ**ましを飲む。
□ 18 感動して思わず目が**ウル**んだ。
□ 19 英語の**キソ**をしっかり固める。
□ 20 展覧会入賞で**メンボク**を施した。
□ 21 **コンイロ**の制服を着用する。
□ 22 川の土手に桜の**ナエギ**を植える。
□ 23 **サンガク**地帯にトンネルを通す。
□ 24 世界平和を**ハタジルシ**に集う。

目標正答率 80%

／56

標準解答

1 脅
2 清掃
3 頼
4 邪悪
5 衰
6 古墳
7 姫
8 緊張
9 偶然
10 後悔
11 翌日
12 鳥居
13 揺
14 緩
15 著
16 魂
17 湯冷
18 潤
19 基礎
20 面目
21 紺色
22 苗木
23 山岳
24 旗印

□ 25 生糸は**カイコ**のまゆから採れる。
□ 26 **シンシュク**性のある手袋をはめる。
□ 27 舌の**コ**えた料理評論家が絶賛した。
□ 28 旅先でホテルに**タイザイ**する。
□ 29 長く**テイオウ**として君臨した。
□ 30 車が事故で大破し**エンジョウ**した。
□ 31 災害は身近に起こり**ウ**る。
□ 32 書類を**ミップウ**して書留で送る。
□ 33 防寒には**アツデ**の生地がいい。
□ 34 短期間での黒字化は**シナン**の業だ。
□ 35 試合に勝つための作戦を**ネ**る。
□ 36 志望校合格は**ヨウイ**ではない。
□ 37 庭先に美しい**キク**の花が咲いた。
□ 38 敗れた**ヨウイン**はあきらかだ。
□ 39 国連への**カメイ**が認められる。
□ 40 **タビジ**の思い出に絵はがきを買う。

□ 41 食べ過ぎて**ハ**き気を催した。
□ 42 **バンサク**尽きてあきらめの境地だ。
□ 43 教育**スイジュン**の高い学校だ。
□ 44 湖の**キシベ**でキャンプを楽しむ。
□ 45 悪事の**カタボウ**をかつぐ。
□ 46 とんだ**シロモノ**をつかまされた。
□ 47 幼い子供が動物の絵を**エガ**く。
□ 48 建築家としての実力を**ハッキ**した。
□ 49 **ショウテン**を絞って議論を進める。
□ 50 何事にも**ケッパク**な人柄だ。
□ 51 出資金を払って**カブヌシ**になる。
□ 52 ネコの**ヒタイ**ほどの庭を造る。
□ 53 ピアノの**エンソウ**に聴きほれる。
□ 54 仲間内で**ダンショウ**している。
□ 55 ピッチャー交代の**シオドキ**だ。
□ 56 **ヒラアヤマ**りするしかなかった。

25	26	27	28	29	30	31	32	33	34	35	36	37	38	39	40
蚕	伸縮	肥	滞在	帝王	炎上	得	密封	厚手	至難	練	容易	菊	要因	加盟	旅路

41	42	43	44	45	46	47	48	49	50	51	52	53	54	55	56
吐	万策	水準	岸辺	片棒	代物	描	発揮	焦点	潔白	株主	額	演奏	談笑	潮時	平謝

かならず押さえる！

頻出度

A

書き取り ⑦

目標正答率 80%

／56

※次の——線のカタカナを漢字に直せ。

□ 1 **シュウヨウ**人員を超える客入りだ。
□ 2 国内で絶大な人気を**ホコ**る歌手だ。
□ 3 包丁を**ト**いでから魚をさばく。
□ 4 キュウリを**ワギ**りにする。
□ 5 山頂から初日の出を**オガ**んだ。
□ 6 学校の演奏会でピアノを**ヒ**く。
□ 7 読者から**カラクチ**の批評を受ける。
□ 8 子どもの**スコ**やかな成長を願う。
□ 9 あいつの目は**フシアナ**か。
□ 10 **コウテイ**が強大な権力を握る。
□ 11 寒さで池に氷が**ハ**っている。
□ 12 **ヒタイ**に手を当てて考える。
□ 13 駅前の喫茶店で**ダンショウ**する。
□ 14 築いた**トミ**を一瞬にして失う。
□ 15 **カタヤブ**りなアイデアだ。
□ 16 倉庫内の**シツド**を一定に保つ。
□ 17 前任者を市長に**オ**す。
□ 18 本社で**カブヌシ**総会が行われる。
□ 19 **トウロン**会で意見を交わす。
□ 20 **シオドキ**を見て話すつもりだ。
□ 21 発言者の意見を**サカテ**にとる。
□ 22 資金**テイキョウ**で協力する。
□ 23 大臣が**ヒラアヤマ**りした。
□ 24 志**ナカ**ばで病に倒れた。

標準解答

1 収容
2 誇
3 研
4 輪切
5 拝
6 弾
7 辛口
8 健
9 節穴
10 皇帝
11 張
12 額
13 談笑
14 富
15 型破
16 湿度
17 推
18 株主
19 討論
20 潮時
21 逆手
22 提供
23 平謝
24 半

□25 祝勝会に**ショウタイ**する。
□26 時間を**サ**いて友人に会った。
□27 景気は**ケワ**しい局面に突入した。
□28 麦は**コクルイ**の一種だ。
□29 とやかく言われる**スジア**いはない。
□30 彼の**イナオ**った素振りに腹が立つ。
□31 木の**ミキ**に手で触れる。
□32 稲の**ホ**が金風に揺れている。
□33 海に**ノゾ**む部屋に泊まった。
□34 **サチ**多かれと祈る。
□35 **レイジョウ**との縁談がまとまった。
□36 全員が集まり**シダイ**始めよう。
□37 **アワ**れな境遇に胸を痛めた。
□38 応募した写真が**カサク**に入賞した。
□39 敵のもくろみを事前に**サッチ**する。
□40 湯船に精油を一滴**タ**らした。

□41 彼の発言に同情の**ヨチ**などない。
□42 新しい国家像を**コウソウ**する。
□43 **ユウヤ**けだから明日は晴れるだろう。
□44 **コウミョウ**な犯罪だ。
□45 顧客のために**サイゼン**を尽くす。
□46 タンポポの**ワタゲ**が飛んでいく。
□47 塩の**ケッショウ**を観察する。
□48 **ヌノセイ**のブックカバーを外す。
□49 思いやりのある一言に**スク**われた。
□50 速度規制を**カイジョ**する。
□51 めんどうな仕事を**ケイエン**する。
□52 **ネンリョウ**を蓄えて冬に備える。
□53 いつか両親に**オンガエ**しをしたい。
□54 遠方の友人から手紙が**トド**いた。
□55 会には**ケイソウ**でお越しください。
□56 混雑をさけて**ウラミチ**に入る。

25 招待
26 割
27 険
28 穀類
29 筋合
30 居直
31 幹
32 穂
33 臨
34 幸
35 令嬢
36 次第
37 哀
38 佳作
39 察知
40 垂

41 余地
42 構想
43 夕焼
44 巧妙
45 最善
46 綿毛
47 結晶
48 布製
49 救
50 解除
51 敬遠
52 燃料
53 恩返
54 届
55 軽装
56 裏道

かならず押さえる!

頻出度 A

四字熟語―①

目標正答率 書き取り75%

／56

※次の――線のカタカナを漢字に直し、四字熟語を完成させよ。

□ 1 センサ万別 〔種類や違いがさまざまなこと〕
□ 2 メイロウ快活 〔あかるくはればれとして元気な様子〕
□ 3 暗雲テイメイ 〔前途が不安なこと。不穏な気配〕
□ 4 オンコ知新 〔昔の物事から新しい価値や意義を得る〕
□ 5 ユダン大敵 〔注意を怠れば失敗を招くという戒め〕
□ 6 空前ゼツゴ 〔非常に珍しいこと〕
□ 7 メイロン卓説 〔優れた立派な意見〕
□ 8 巧言レイショク 〔言葉巧みに愛想よく人にへつらうこと〕
□ 9 インガ応報 〔行いの善悪に応じ、むくいがあらわれる〕
□ 10 コック勉励 〔苦労してひたすら努力を積む〕
□ 11 リンキ応変 〔時と場合によって適切に対応すること〕
□ 12 ソウイ工夫 〔従来にない新しい考えや手段を考えること〕
□ 13 デンコウ石火 〔非常にすばやいたとえ〕
□ 14 自画ジサン 〔自分のことを自分でほめること〕
□ 15 イッケン落着 〔物事が解決すること〕
□ 16 大同ショウイ 〔細かい点は違うがだいたい同じこと〕
□ 17 シンショウ棒大 〔物事を実際より大げさに言うこと〕
□ 18 無病ソクサイ 〔病気をせず健康なこと〕
□ 19 フクザツ怪奇 〔事情がこみ入っていて不可解なこと〕
□ 20 ジボウ自棄 〔やけになり将来の希望を捨てること〕
□ 21 センキャク万来 〔代わる代わる多くの客が来て絶え間ないこと〕
□ 22 炉辺ダンワ 〔囲炉裏のそばでくつろいでする話〕
□ 23 前途ユウボウ 〔将来に向けて、のぞみがあること〕
□ 24 玉石コンコウ 〔優れたものと劣ったものがまじっている〕

標準解答

1 千差万別（せんさばんべつ）
2 明朗快活（めいろうかいかつ）
3 暗雲低迷（あんうんていめい）
4 温故知新（おんこちしん）
5 油断大敵（ゆだんたいてき）
6 空前絶後（くうぜんぜつご）
7 名論卓説（めいろんたくせつ）
8 巧言令色（こうげんれいしょく）
9 因果応報（いんがおうほう）
10 刻苦勉励（こっくべんれい）
11 臨機応変（りんきおうへん）
12 創意工夫（そういくふう）
13 電光石火（でんこうせっか）
14 自画自賛（じがじさん）
15 一件落着（いっけんらくちゃく）
16 大同小異（だいどうしょうい）
17 針小棒大（しんしょうぼうだい）
18 無病息災（むびょうそくさい）
19 複雑怪奇（ふくざつかいき）
20 自暴自棄（じぼうじき）
21 千客万来（せんきゃくばんらい）
22 炉辺談話（ろへんだんわ）
23 前途有望（ぜんとゆうぼう）
24 玉石混交（ぎょくせきこんこう）

□ 25 シブン五裂 〔統一などがばらばらに乱れること〕

□ 26 ニッシン月歩 〔絶え間なく発展すること〕

□ 27 コウウン流水 〔物事にこだわらず成り行きに任せ行動すること〕

□ 28 イキ揚揚 〔得意で誇りに満ちた様子〕

□ 29 イッキ一憂 〔状況によりよろこんだり悲しんだりする〕

□ 30 破顔イッショウ 〔顔をほころばせてにっこり笑うこと〕

□ 31 フロウ長寿 〔いつまでも老いることなく生きる〕

□ 32 ホンマツ転倒 〔根本とそうでないところを逆にする〕

□ 33 リュウゲン飛語 〔根拠のない、でたらめなうわさ〕

□ 34 ショウシ千万 〔この上なくばかばかしいこと〕

□ 35 タンジュン明快 〔はっきりとしていて、わかりやすいこと〕

□ 36 我田インスイ 〔自分の都合のよいように事を進める〕

□ 37 リガイ得失 〔自分のもうけと損〕

□ 38 シンシュツ鬼没 〔すばやく現れたり消えたりすること〕

□ 39 シュウシ一貫 〔最初から最後まで言動が変わらないこと〕

□ 40 日常サハン 〔日常的に起こる、ごくありふれた事柄〕

□ 41 ココン無双 〔昔から現在に至るまで、並ぶものがないこと〕

□ 42 二束サンモン 〔値打ちがなく安いこと〕

□ 43 平穏ブジ 〔何事もなく穏やかなこと〕

□ 44 以心デンシン 〔文字や言葉によらず心と心で通じ合う〕

□ 45 シコウ錯誤 〔こころみと失敗の中で道を見いだす〕

□ 46 三寒シオン 〔寒い日が三日、その後に暖かい日が四日続く状態が繰り返される、冬の気候〕

□ 47 キヨウ貧乏 〔一事に専念しないので大成しないこと〕

□ 48 平身テイトウ 〔ひたすら恐縮してへりくだること〕

□ 49 メンモク躍如 〔世間の評価を上げ顔が立つこと〕

□ 50 起死カイセイ 〔危機的な状況から勢いを盛り返す〕

□ 51 バジ東風 〔人の言葉を聞き流すこと〕

□ 52 シュシャ選択 〔必要なものをとり不要なものをすてる〕

□ 53 晴耕ウドク 〔田園でのんびりとした生活をすること〕

□ 54 活殺ジザイ 〔生かすのも殺すのも思い通りであること〕

□ 55 ジュンプウ満帆 〔物事が順調に進むさま〕

□ 56 博学タサイ 〔いろいろな分野の知識があり能力に恵まれていること〕

---

25 四分五裂（しぶんごれつ）
26 日進月歩（にっしんげっぽ）
27 行雲流水（こううんりゅうすい）
28 意気揚揚（いきようよう）
29 一喜一憂（いっきいちゆう）
30 破顔一笑（はがんいっしょう）
31 不老長寿（ふろうちょうじゅ）
32 本末転倒（ほんまつてんとう）
33 流言飛語（りゅうげんひご）
34 笑止千万（しょうしせんばん）
35 単純明快（たんじゅんめいかい）
36 我田引水（がでんいんすい）
37 利害得失（りがいとくしつ）
38 神出鬼没（しんしゅつきぼつ）
39 終始一貫（しゅうしいっかん）
40 日常茶飯（にちじょうさはん）

41 古今無双（ここんむそう）
42 二束(足)三文（にそくさんもん）
43 平穏無事（へいおんぶじ）
44 以心伝心（いしんでんしん）
45 試行錯誤（しこうさくご）
46 三寒四温（さんかんしおん）
47 器用貧乏（きようびんぼう）
48 平身低頭（へいしんていとう）
49 面目躍如（めんもく(ぼく)やくじょ）
50 起死回生（きしかいせい）
51 馬耳東風（ばじとうふう）
52 取捨選択（しゅしゃせんたく）
53 晴耕雨読（せいこううどく）
54 活殺自在（かっさつじざい）
55 順風満帆（じゅんぷうまんぱん）
56 博学多才（はくがくたさい）

かならず押さえる！

頻出度 **A**

四字熟語―②

目標正答率 書き取り75%

／56

※次の――のカタカナを漢字に直し、四字熟語を完成させよ。

□ 1 清廉ケッパク〔心や行いがきれいで正しいこと〕

□ 2 フクザツ怪奇〔事情がこみ入っていて不可解なこと〕

□ 3 ガデン引水〔自分に都合のよいように事を進めること〕

□ 4 タンジュン明快〔はっきりとしていて、わかりやすいこと〕

□ 5 シュシャ選択〔必要なものをとり不要なものをすてる〕

□ 6 臨機オウヘン〔時と場合によって適切に対応すること〕

□ 7 ソウイ工夫〔従来にない新しい考えや手段を考えること〕

□ 8 シブン五裂〔統一などがばらばらに乱れること〕

□ 9 ギロン百出〔多くのいろいろな意見が出ること〕

□ 10 キショク満面〔うれしさが顔中にあふれるさま〕

□ 11 大胆フテキ〔度胸があって驚かないこと〕

□ 12 博学タサイ〔いろいろな分野の知識があり能力に恵まれていること〕

□ 13 活殺ジザイ〔生かすのも殺すのも思い通りであること〕

□ 14 セイコウ雨読〔田園でのんびりした生活をすること〕

□ 15 感慨ムリョウ〔この上なく身にしみて感じること〕

□ 16 巧言レイショク〔言葉巧みに愛想よくへつらうこと〕

□ 17 シュウシ一貫〔最初から最後まで言動が変わらないこと〕

□ 18 リュウゲン飛語〔根拠のない、でたらめなうわさ〕

□ 19 ジボウ自棄〔やけになり将来の希望を捨てること〕

□ 20 前後フカク〔正体がなくなること〕

□ 21 離合シュウサン〔別れたりいっしょになったりする〕

□ 22 エンテン滑脱〔物事をそつなく、とりしきる様子〕

□ 23 日常サハン〔日常的に起こる、ごくありふれた事柄〕

□ 24 メンモク躍如〔世間の評価を上げ顔が立つこと〕

標準解答

1 清廉潔白（せいれんけっぱく）
2 複雑怪奇（ふくざつかいき）
3 我田引水（がでんいんすい）
4 単純明快（たんじゅんめいかい）
5 取捨選択（しゅしゃせんたく）
6 臨機応変（りんきおうへん）
7 創意工夫（そういくふう）
8 四分五裂（しぶんごれつ）
9 議論百出（ぎろんひゃくしゅつ）
10 喜色満面（きしょくまんめん）
11 大胆不敵（だいたんふてき）
12 博学多才（はくがくたさい）
13 活殺自在（かっさつじざい）
14 晴耕雨読（せいこううどく）
15 感慨無量（かんがいむりょう）
16 巧言令色（こうげんれいしょく）
17 終始一貫（しゅうしいっかん）
18 流言飛語（りゅうげんひご）
19 自暴自棄（じぼうじき）
20 前後不覚（ぜんごふかく）
21 離合集散（りごうしゅうさん）
22 円転滑脱（えんてんかつだつ）
23 日常茶飯（にちじょうさはん）
24 面目躍如（めんもく（ぼく）やくじょ）

□ 25 シコウ錯誤〔こころみと失敗の中で道を見いだす〕

□ 26 温故チシン〔昔の物事から新しい価値や意義を得る〕

□ 27 シツボウ落胆〔希望をうしない非常にがっかりする〕

□ 28 クウゼン絶後〔非常に珍しいこと〕

□ 29 キシ回生〔危機的な状況から勢いを盛り返す〕

□ 30 ジュンプウ満帆〔物事が順調に進むさま〕

□ 31 テンイ無縫〔飾りけがなく自然であること〕

□ 32 ヘイシン低頭〔ひたすら恐縮してへりくだること〕

□ 33 孤城ラクジツ〔昔の勢いを失い心細い様子〕

□ 34 古今トウザイ〔いつでもどこでも〕

□ 35 シンザン幽谷〔人里を遠く離れた静かな自然〕

□ 36 一騎トウセン〔一人で千人を敵にできる実力がある〕

□ 37 アクセン苦闘〔困難の中で必死に努力すること〕

□ 38 イキ衝天〔元気や勢力が大変盛んなこと〕

□ 39 イシン伝心〔言葉や文字を介さずに意思が通じ合う〕

□ 40 前途ユウボウ〔将来に向け、のぞみがあること〕

□ 41 コウウン流水〔物事にこだわらず成り行きに任せ行動すること〕

□ 42 ニソク三文〔値打ちがなく安いこと〕

□ 43 イットウ両断〔思い切って物事を決断すること〕

□ 44 ニッシン月歩〔絶え間なく発展すること〕

□ 45 センペン万化〔さまざまに変化すること〕

□ 46 花鳥フウゲツ〔自然の美しい風景や風物〕

□ 47 シンシュツ鬼没〔すばやく現れたり消えたりする〕

□ 48 メイロウ快活〔明るくはればれとして元気な様子〕

□ 49 得意マンメン〔物事がうまくいき、いかにも誇らしげなさま〕

□ 50 三寒シオン〔寒い日が三日、その後に暖かい日が四日続く状態が繰り返される、冬の気候〕

□ 51 アンウン低迷〔前途が不安なこと。不穏な気配〕

□ 52 キヨウ貧乏〔一事に専念しないので大成しないこと〕

□ 53 破顔イッショウ〔顔をほころばせてにっこり笑うこと〕

□ 54 フロウ長寿〔いつまでも老いることなく生きる〕

□ 55 笑止センバン〔この上なくばかばかしいこと〕

□ 56 緩急ジザイ〔速度などを思うままに操ること〕

25 試行錯誤
26 温故知新
27 失望落胆
28 空前絶後
29 起死回生
30 順風満帆
31 天衣無縫
32 平身低頭
33 孤城落日
34 古今東西
35 深山幽谷
36 一騎当千
37 悪戦苦闘
38 意気衝天
39 以心伝心
40 前途有望
41 行雲流水
42 二束(足)三文
43 一刀両断
44 日進月歩
45 千変万化
46 花鳥風月
47 神出鬼没
48 明朗快活
49 得意満面
50 三寒四温
51 暗雲低迷
52 器用貧乏
53 破顔一笑
54 不老長寿
55 笑止千万
56 緩急自在

かならず押さえる！

頻出度 A

四字熟語──③

目標正答率 書き取り75%

／56

※次の──のカタカナを漢字に直し、四字熟語を完成させよ。

□1 油断タイテキ〔注意を怠れば失敗を招くという戒め〕
□2 変幻ジザイ〔変わり身が巧みなこと〕
□3 ムガ夢中〔物事に没頭して自分や他を忘れるさま〕
□4 利害トクシツ〔利益になることとそうでないこと〕
□5 メイロウ快活〔明るくはればれとして元気な様子〕
□6 セイサツ与奪〔他のものを思い通りに支配する〕
□7 シュウシ一貫〔最初から最後まで言動が変わらないこと〕
□8 博学タサイ〔いろいろな分野の知識があり能力に恵まれていること〕
□9 門戸カイホウ〔出入りなどの制限をなくすこと〕
□10 千差バンベツ〔さまざまな種類や違いがあること〕
□11 ヨウイ周到〔準備にぬかりのない様子〕
□12 ゼンジン未到〔今までだれも足をふみ入れていないこと〕
□13 バジ東風〔人の言葉を聞き流すこと〕
□14 立身シュッセ〔社会的に高い地位に就いて名を上げること〕
□15 センペン万化〔さまざまに変化すること〕
□16 難攻フラク〔城などが堅固で征服しにくいこと〕
□17 異体ドウシン〔体は別であっても、心はおなじということ〕
□18 シンキ一転〔気持ちがすっかり変わること〕
□19 優柔フダン〔いつまでも物事の決断ができないこと〕
□20 コック勉励〔苦労してひたすら努力を積むこと〕
□21 感慨ムリョウ〔計り知れないほど身にしみて感じる〕
□22 ウンサン霧消〔あとかたもなく消えてなくなる〕
□23 イキ投合〔互いの考えなどがぴったりと合う〕
□24 リンキ応変〔時と場合によって適切に対応すること〕

標準解答

1 油断大敵（ゆだんたいてき）
2 変幻自在（へんげんじざい）
3 無我夢中（むがむちゅう）
4 利害得失（りがいとくしつ）
5 明朗快活（めいろうかいかつ）
6 生殺与奪（せいさつよだつ）
7 終始一貫（しゅうしいっかん）
8 博学多才（はくがくたさい）
9 門戸開放（もんこかいほう）
10 千差万別（せんさばんべつ）
11 用意周到（よういしゅうとう）
12 前人未到（踏）（ぜんじんみとう）
13 馬耳東風（ばじとうふう）
14 立身出世（りっしんしゅっせ）
15 千変万化（せんぺんばんか）
16 難攻不落（なんこうふらく）
17 異体同心（いたいどうしん）
18 心機一転（しんきいってん）
19 優柔不断（ゆうじゅうふだん）
20 刻苦勉励（こっくべんれい）
21 感慨無量（かんがいむりょう）
22 雲散霧消（うんさんむしょう）
23 意気投合（いきとうごう）
24 臨機応変（りんきおうへん）

□ 25 ソウイ工夫〔従来にない新しい考えや手段を考えること〕

□ 26 チュウヤ兼行〔日夜休まず業務を行うこと〕

□ 27 テンイ無縫〔飾りけがなく自然であること〕

□ 28 タントウ直入〔前置き抜きにいきなり本題に入る〕

□ 29 一部シジュウ〔物事のはじめからおわりまで全部〕

□ 30 急転チョッカ〔事態が急に変化して物事が決着する〕

□ 31 百鬼ヤコウ〔多くの悪人がのさばること〕

□ 32 リキセン奮闘〔力の限り努力すること〕

□ 33 キンジョウ鉄壁〔防備が堅くつけ入るすきがないこと〕

□ 34 ジガ自賛〔自分で自分をほめること〕

□ 35 一騎トウセン〔一人で千人を敵にできる実力がある〕

□ 36 明鏡シスイ〔邪念がなく澄みきった心境〕

□ 37 テキシャ生存〔環境に合ったものが生き残ること〕

□ 38 イキ衝天〔元気や勢力が大変盛んなこと〕

□ 39 アクセン苦闘〔困難の中で必死に努力すること〕

□ 40 キヨウ貧乏〔一事に専念しないので大成しないこと〕

□ 41 孤城ラクジツ〔昔の勢いを失い心細い様子〕

□ 42 迷惑センバン〔大変迷惑なこと〕

□ 43 電光セッカ〔動作などが非常にすばやいこと〕

□ 44 有名ムジツ〔評判と比べて中身が伴わないこと〕

□ 45 イッキョ一動〔一つ一つの振る舞いやしぐさ〕

□ 46 ビジ麗句〔うわべを飾り立てた内容のない言葉〕

□ 47 ゴンゴ道断〔言葉で言い表せないほどひどいこと〕

□ 48 センキャク万来〔代わる代わる多くの客が来て絶え間ないこと〕

□ 49 奇想テンガイ〔思いも寄らぬほど奇抜なさま〕

□ 50 タイキ晩成〔大人物は往々にして遅れて頭角を現す〕

□ 51 一件ラクチャク〔物事が解決すること〕

□ 52 ギロン百出〔多くのいろいろな意見が出ること〕

□ 53 ドクダン専行〔一人で勝手に決めて行動すること〕

□ 54 平身テイトウ〔ひたすら恐縮してへりくだること〕

□ 55 二束サンモン〔値打ちがなく安いこと〕

□ 56 公私コンドウ〔社会人と個人の立場の区別がない〕

25 創意工夫（そういくふう）
26 昼夜兼行（ちゅうやけんこう）
27 天衣無縫（てんいむほう）
28 単刀直入（たんとうちょくにゅう）
29 一部始終（いちぶしじゅう）
30 急転直下（きゅうてんちょっか）
31 百鬼夜行（ひゃっきやこう（ぎょう））
32 力戦奮闘（りきせんふんとう）
33 金城鉄壁（きんじょうてっぺき）
34 自画自賛（じがじさん）
35 一騎当千（いっきとうせん）
36 明鏡止水（めいきょうしすい）
37 適者生存（てきしゃせいぞん）
38 意気衝天（いきしょうてん）
39 悪戦苦闘（あくせんくとう）
40 器用貧乏（きようびんぼう）
41 孤城落日（こじょうらくじつ）
42 迷惑千万（めいわくせんばん）
43 電光石火（でんこうせっか）
44 有名無実（ゆうめいむじつ）
45 一挙一動（いっきょいちどう）
46 美辞麗句（びじれいく）
47 言語道断（ごんごどうだん）
48 千客万来（せんきゃくばんらい）
49 奇想天外（きそうてんがい）
50 大器晩成（たいきばんせい）
51 一件落着（いっけんらくちゃく）
52 議論百出（ぎろんひゃくしゅつ）
53 独断専行（どくだんせんこう）
54 平身低頭（へいしんていとう）
55 二束(足)三文（にそくさんもん）
56 公私混同（こうしこんどう）

四字熟語――④

※次の――のカタカナを漢字に直し、四字熟語を完成させよ。

□1 変幻ジザイ〔変わり身が巧みなこと〕
□2 大胆フテキ〔度胸があって驚かないこと〕
□3 ムガ夢中〔物事に没頭して自分や他を忘れるさま〕
□4 因果オウホウ〔行いの善悪に応じ、むくいがあらわれる〕
□5 言語ドウダン〔言葉で言い表せないほどひどいこと〕
□6 ギョクセキ混交〔優れたものと劣ったものがまじっている〕
□7 大器バンセイ〔大人物は往々にして遅れて頭角を現す〕
□8 ホンマツ転倒〔大事なこととそうでないことを逆にする〕
□9 独断センコウ〔一人で勝手に決めて行動すること〕
□10 平身テイトウ〔ひたすら恐縮してへりくだること〕
□11 コウシ混同〔社会人と個人の立場の区別がない〕
□12 緩急ジザイ〔速度などを思うままに操ること〕
□13 モンコ開放〔出入りなどの制限をなくすこと〕
□14 二束サンモン〔値打ちがなく安いこと〕
□15 思慮フンベツ〔深く考えて判断すること〕
□16 立身シュッセ〔社会的に高い地位に就いて名を上げること〕
□17 エンテン滑脱〔物事をそつなく、とりしきる様子〕
□18 シンザン幽谷〔人里を遠く離れた静かな自然〕
□19 ヒガン達成〔成し遂げたいと思っていた夢がかなうこと〕
□20 ダイドウ小異〔細かい点は違うがだいたい同じこと〕
□21 コウウン流水〔物事にこだわらず成り行きに任せ行動すること〕
□22 前途ユウボウ〔将来に向け、のぞみがあること〕
□23 難攻フラク〔城などが堅固で征服しにくいこと〕
□24 ゼンジン未到〔過去にだれも足をふみ入れていないこと〕

目標正答率
書き取り75%
／56

標準解答

1 変幻自在（へんげんじざい）
2 大胆不敵（だいたんふてき）
3 無我夢中（むがむちゅう）
4 因果応報（いんがおうほう）
5 言語道断（ごんごどうだん）
6 玉石混交（ぎょくせきこんこう）
7 大器晩成（たいきばんせい）
8 本末転倒（ほんまつてんとう）
9 独断専行（どくだんせんこう）
10 平身低頭（へいしんていとう）
11 公私混同（こうしこんどう）
12 緩急自在（かんきゅうじざい）
13 門戸開放（もんこかいほう）
14 二束(足)三文（にそくさんもん）
15 思慮分別（しりょふんべつ）
16 立身出世（りっしんしゅっせ）
17 円転滑脱（えんてんかつだつ）
18 深山幽谷（しんざんゆうこく）
19 悲願達成（ひがんたっせい）
20 大同小異（だいどうしょうい）
21 行雲流水（こううんりゅうすい）
22 前途有望（ぜんとゆうぼう）
23 難攻不落（なんこうふらく）
24 前人未到(踏)（ぜんじんみとう）

□ 25 センペン万化（さまざまに変化すること）

□ 26 ヨウイ周到（準備にぬかりのない様子）

□ 27 悪逆ムドウ（人の道に外れた悪い行い）

□ 28 心機イッテン（気持ちがすっかり変わること）

□ 29 カチョウ風月（自然の美しい風景や風物）

□ 30 事実ムコン（事実に基づいていないこと）

□ 31 清廉ケッパク（心や行いがきれいで正しいこと）

□ 32 得意マンメン（物事がうまくいき、いかにも誇らしげなさま）

□ 33 センキャク万来（代わる代わる多くの客が来て絶え間ないこと）

□ 34 単刀チョクニュウ（前置き抜きにいきなり本題に入る）

□ 35 シタサキ三寸（口先だけの言葉で誠実さがないこと）

□ 36 無病ソクサイ（病気をせず健康なこと）

□ 37 一心ドウタイ（心と体が一つのように結びつくこと）

□ 38 喜怒アイラク（喜び、怒り、悲しみ、楽しみの感情）

□ 39 時代サクゴ（考え方が時代に合わないこと）

□ 40 リキセン奮闘（力の限り努力すること）

□ 41 キンジョウ鉄壁（防備が堅くつけ入るすきがないこと）

□ 42 針小ボウダイ（物事を実際より大げさに言うこと）

□ 43 セイサツ与奪（他のものを思い通りに支配する）

□ 44 メイジツ一体（評判と実際が一致していること）

□ 45 百鬼ヤコウ（多くの悪人がのさばること）

□ 46 意気トウゴウ（互いの考えなどがぴったりと合う）

□ 47 ウンサン霧消（あとかたもなく消えてなくなる）

□ 48 イチブ始終（物事のはじめからおわりまで全部）

□ 49 キュウテン直下（事態が急に変化し物事が決着する）

□ 50 奮励ドリョク（気力をふるいおこして励むこと）

□ 51 奇想テンガイ（思いも寄らぬほど奇抜なさま）

□ 52 ヨウシ端麗（すがたかたちの美しいこと）

□ 53 メイキョウ止水（邪念がなく澄みきった心境）

□ 54 ビジ麗句（うわべを飾り立てた内容のない言葉）

□ 55 喜色マンメン（うれしさが顔中にあふれるさま）

□ 56 サイショク兼備（女性が才能と容姿に恵まれること）

25 千変万化（せんぺんばんか）
26 用意周到（よういしゅうとう）
27 悪逆無道（あくぎゃくむどう）
28 心機一転（しんきいってん）
29 花鳥風月（かちょうふうげつ）
30 事実無根（じじつむこん）
31 清廉潔白（せいれんけっぱく）
32 得意満面（とくいまんめん）
33 千客万来（せんきゃくばんらい）
34 単刀直入（たんとうちょくにゅう）
35 舌先三寸（したさきさんずん）
36 無病息災（むびょうそくさい）
37 一心同体（いっしんどうたい）
38 喜怒哀楽（きどあいらく）
39 時代錯誤（じだいさくご）
40 力戦奮闘（りきせんふんとう）

41 金城鉄壁（きんじょうてっぺき）
42 針小棒大（しんしょうぼうだい）
43 生殺与奪（せいさつよだつ）
44 名実一体（めいじついったい）
45 百鬼夜行（ひゃっきやこう（ぎょう））
46 意気投合（いきとうごう）
47 雲散霧消（うんさんむしょう）
48 一部始終（いちぶしじゅう）
49 急転直下（きゅうてんちょっか）
50 奮励努力（ふんれいどりょく）
51 奇想天外（きそうてんがい）
52 容姿端麗（ようしたんれい）
53 明鏡止水（めいきょうしすい）
54 美辞麗句（びじれいく）
55 喜色満面（きしょくまんめん）
56 才色兼備（さいしょくけんび）

かならず押さえる！
頻出度
A

送りがな—①

※次の——線のカタカナを漢字と送りがな(ひらがな)に直せ。

□ 1 畑を**タガヤシ**て野菜を育てる。
□ 2 無限の可能性を**ヒメル**。
□ 3 部員を**ヒキイ**て大会に参加した。
□ 4 期待に**ソムカ**ぬ成績だ。
□ 5 人口の増加が**イチジルシイ**。
□ 6 農地が**コエ**て収穫が増える。
□ 7 わが身のふがいなさを**セメル**。
□ 8 軽口が**ワザワイ**して不仲になった。
□ 9 生まれつき画才が**ソナワル**。
□ 10 **アヤウク**事故にあうところだった。
□ 11 歌手を**ココロザシ**て上京する。
□ 12 使いやすいかどうか**タメシ**てみる。
□ 13 たくさんの料理を**タイラゲル**。
□ 14 髪を束ねて**ユワエル**。
□ 15 十分間**ムラシ**てください。
□ 16 金を貸してくれとは**アツカマシイ**。
□ 17 荷物をロッカーに**アズケル**。
□ 18 練習不足で負けたことを**クイル**。
□ 19 多くの犠牲を**シイル**ことになった。
□ 20 心から**アヤマル**ことが必要だ。
□ 21 料金は**タシカニ**受け取りました。
□ 22 親の援助に**ムクイル**よう努力する。
□ 23 この布は何色にでも**ソマル**。
□ 24 時間を**オシン**で勉強に励む。

標準解答

1 耕し
2 秘める
3 率い
4 背か
5 著しい
6 肥え
7 責める
8 災い
9 備わる
10 危うく
11 志し
12 試し
13 平らげる
14 結わえる
15 蒸らし
16 厚かましい
17 預ける
18 悔いる
19 強いる
20 謝る
21 確かに
22 報いる
23 染まる
24 惜しん

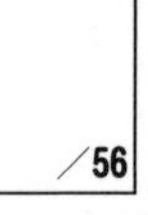

□25 **ナマケル**ことなく練習を重ねる。
□26 久しぶりの雨に畑が**ウルオウ**。
□27 デパートを**ヒヤカシ**ながら歩く。
□28 この町は着物を**アキナウ**店が多い。
□29 乳児が体を**ソラセ**て泣きじゃくる。
□30 伝統文化を**タヤシ**てはならない。
□31 **ニクラシイ**ほど強い選手だ。
□32 資金繰りのあてが**ハズレル**。
□33 夜間の一人歩きは**アブナイ**よ。
□34 **イサマシイ**のは口だけでした。
□35 論客に冷水を**アビセル**。
□36 毎朝、庭掃除を**カカサ**ない。
□37 「**ウタガワシキ**は罰せず」が原則だ。
□38 役所内に新しい課を**モウケル**。
□39 犯罪への誘惑を**シリゾケル**。
□40 祈りを**トナエル**。

□41 予想以上に**キビシイ**状況だった。
□42 海岸線に**ノゾム**旅館に泊まる。
□43 昔から商業で**サカエ**た町です。
□44 食べ物の前で犬がよだれを**タラス**。
□45 案件を**アラタメ**て検討する。
□46 雨雲が一日中空を**オオウ**。
□47 草花が大量の落ち葉に**ウモレ**る。
□48 儀式が**オゴソカニ**執り行われた。
□49 身が**カルイ**のが自慢です。
□50 指名されて**スミヤカニ**回答する。
□51 子どもは**スコヤカニ**育てたい。
□52 流れに**サカラッ**て泳ぐ。
□53 海の生物の**イトナミ**を記録する。
□54 誌面の都合で詳細を**ハブク**。
□55 風雲急を**ツゲル**。
□56 雷雨とともに夏が**オトズレ**た。

25 怠ける
26 潤う
27 冷やかし
28 商う
29 反らせ
30 絶やし
31 憎らしい
32 外れる
33 危ない
34 勇ましい
35 浴びせる
36 欠かさ
37 疑わしき
38 設ける
39 退ける
40 唱える

41 厳しい
42 臨む
43 栄え
44 垂らす
45 改め
46 覆う
47 埋もれ
48 厳かに
49 軽い
50 速やかに
51 健やかに
52 逆らっ
53 営み
54 省く
55 告げる
56 訪れ

送りがな―②

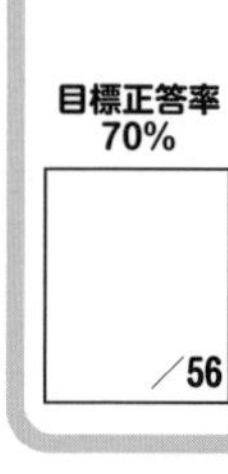

※次の――線のカタカナを漢字と送りがな(ひらがな)に直せ。

□ 1 **スミヤカナ**処置で命をとりとめた。
□ 2 医師を**ココロザス**。
□ 3 事業の成功が**アヤブマ**れる。
□ 4 実家は漁業を**イトナン**でいます。
□ 5 反対意見を**トナエル**。
□ 6 絹糸を濃い青色に**ソメル**。
□ 7 確かにお**アズカリ**しました。
□ 8 子どもは**キビシク**しつけるべきだ。
□ 9 体調を整えてテストに**ノゾム**。
□ 10 正面玄関に受付窓口を**モウケル**。
□ 11 実ったりんごの重さで枝が**タレル**。
□ 12 援助の申し出を**シリゾケル**。

□ 13 不正な商売で私腹を**コヤス**。
□ 14 **カロヤカナ**足どりで歩いていった。
□ 15 この苦労はきっと**ムクワ**れる。
□ 16 店が**サカエル**ように工夫をこらす。
□ 17 **サメル**前に食べよう。
□ 18 過去の失敗を**カエリミル**。
□ 19 夜ふかしの習慣を**アラタメル**。
□ 20 突然の来客に**アワテル**。
□ 21 自然破壊が進むと生物が**ホロビル**。
□ 22 手を**タズサエテ**目的地を目指した。
□ 23 **キヨラカナ**愛をはぐくむ。
□ 24 郊外に立派な家を**カマエタ**。

標準解答

1 速やかな
2 志す
3 危ぶま
4 営ん
5 唱える
6 染める
7 預かり
8 厳しく
9 臨む
10 設ける
11 垂れる
12 退ける

13 肥やす
14 軽やかな
15 報わ
16 栄える
17 冷める
18 省みる
19 改める
20 慌てる
21 滅びる
22 携えて
23 清らかな
24 構えた

□25 文学碑を**タズネル**旅行にたつ。
□26 家族を**ヤシナウ**ために働く。
□27 彼の行為に非難の言葉を**アビセル**。
□28 一身上の都合で会社を**ヤメル**。
□29 この小説は史実に**モトヅイ**ている。
□30 広大な土地を**タガヤス**。
□31 この曲は明るく**ホガラカニ**歌おう。
□32 体内に水分を**オギナウ**。
□33 新しい実験を**ココロミル**。
□34 子どもたちを**ヒキイ**て遠足に行く。
□35 食前にワインを**アジワウ**。
□36 通報で消防車が**タダチニ**出動する。
□37 いちはやく手続きを**スマス**。
□38 彼への思いを胸に**ヒメル**。
□39 失敗を**セメル**つもりはない。
□40 月明かりが夜道を**テラス**。

□41 達成が困難な目標を**カカゲル**。
□42 川を**ヘダテ**て南北に平野が広がる。
□43 おとなしくて**カシコイ**犬だ。
□44 反乱を**クワダテ**たが失敗に終わる。
□45 小雨が降って地面が**シメッ**ている。
□46 不養生が災いして病に**フセル**。
□47 落ち込んでいる友人を**ハゲマシタ**。
□48 取材のために現地に**オモムイ**た。
□49 技術の進歩が**イチジルシイ**。
□50 うわさが事実なのか**ウタガウ**。
□51 草原に**ムレル**野生の馬を観察する。
□52 親の言いつけに**シタガウ**。
□53 仕事を**マカセル**ことのできる人だ。
□54 全国の代表が一堂に**ツドウ**。
□55 犬が小屋の中で**チヂコマッ**ている。
□56 客を**マネイ**て会食を楽しむ。

25 訪ねる
26 養う
27 浴びせる
28 辞める
29 基づい
30 耕す
31 朗らかに
32 補う
33 試みる
34 率い
35 味わう
36 直ちに
37 済ます
38 秘める
39 責める
40 照らす

41 掲げる
42 隔て
43 賢い
44 企て
45 湿っ
46 伏せる
47 励ました
48 赴い
49 著しい
50 疑う
51 群れる
52 従う
53 任せる
54 集う
55 縮こまっ
56 招い

送りがな—③

※次の——線のカタカナを漢字と送りがな（ひらがな）に直せ。

□1 会場はオゴソカナ空気に包まれた。
□2 命令にソムク行為を恥じる。
□3 自分の行動を冷静にカエリミル。
□4 相手の真意をタシカメル。
□5 大勢のファンが芸能人にムラガル。
□6 部下をシタガエて外回りに出る。
□7 おもちゃを部屋中にチラカス。
□8 知人の家に身をヨセル。
□9 重大なミスで信用をウシナウ。
□10 学力の差がチヂマッてきた。
□11 旧友をタズネて京都へ行く。
□12 自伝をアラワシて後世に残す。

□13 失言を発し関係者にアヤマル。
□14 新入社員に電話応対をマカセル。
□15 法事で一族がツドウ。
□16 平和な国家をキズク。
□17 企画の成功をアヤブム。
□18 サイワイ大事には至らなかった。
□19 遠くの物体に目をコラス。
□20 始めたばかりで経験にトボシイ。
□21 勉強のために眠る時間をケズル。
□22 寒波が到来し手足がコゴエル。
□23 例年通り花火大会をモヨオス。
□24 コガサないようにじっくりいためる。

目標正答率 70%

／56

標準解答

1 厳かな
2 背く
3 省みる
4 確かめる
5 群がる
6 従え
7 散らかす
8 寄せる
9 失う
10 縮まっ
11 訪ね
12 著し

13 謝る
14 任せる
15 集う
16 築く
17 危ぶむ
18 幸い
19 凝らす
20 乏しい
21 削る
22 凍える
23 催す
24 焦がさ

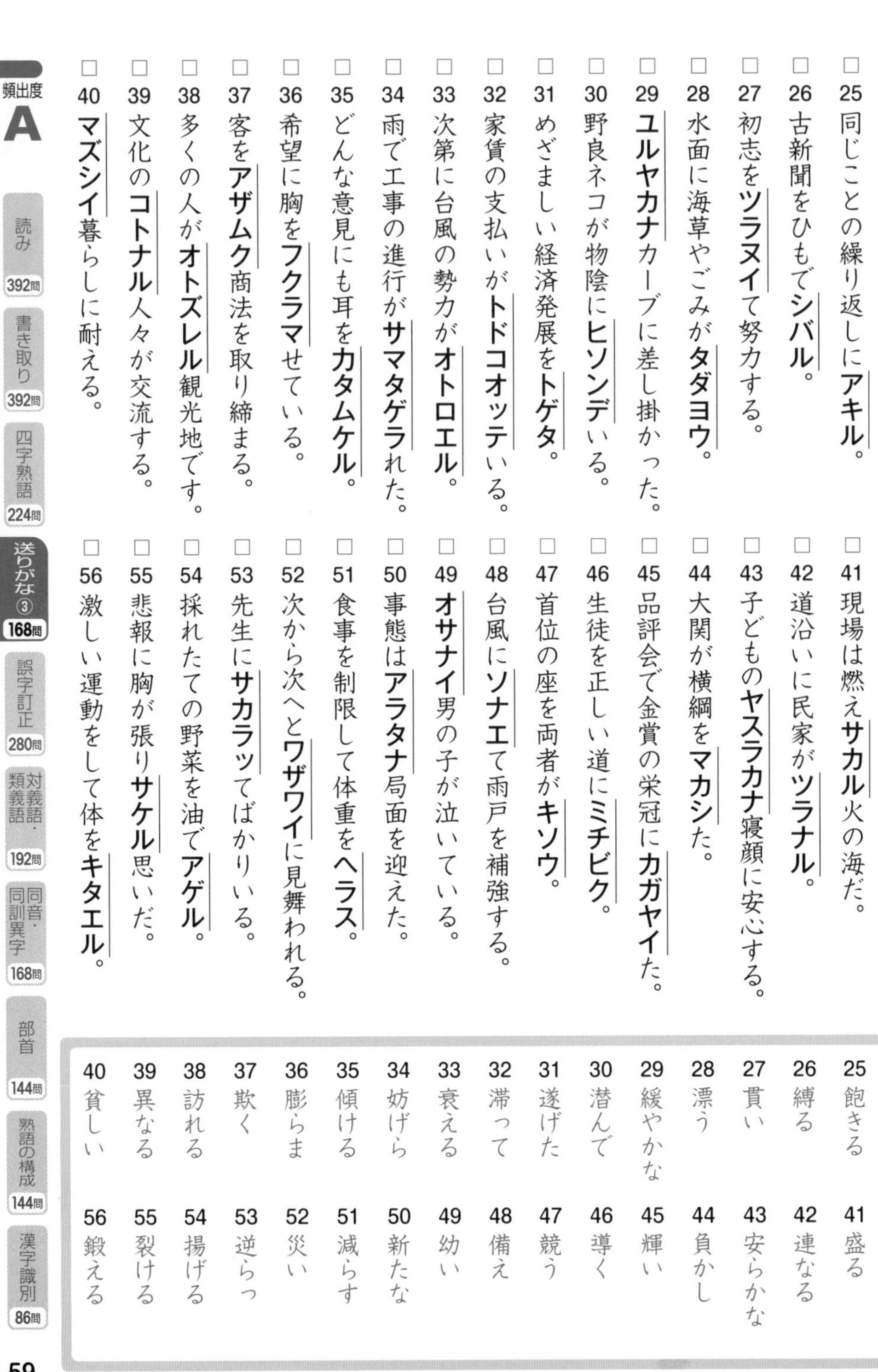

□ 25 同じことの繰り返しに**アキル**。
□ 26 古新聞をひもで**シバル**。
□ 27 初志を**ツラヌイ**て努力する。
□ 28 水面に海草やごみが**タダヨウ**。
□ 29 **ユルヤカナ**カーブに差し掛かった。
□ 30 野良ネコが物陰に**ヒソンデ**いる。
□ 31 めざましい経済発展を**トゲタ**。
□ 32 家賃の支払いが**トドコオッテ**いる。
□ 33 次第に台風の勢力が**オトロエル**。
□ 34 雨で工事の進行が**サマタゲラ**れた。
□ 35 どんな意見にも耳を**カタムケル**。
□ 36 希望に胸を**フクラマ**せている。
□ 37 客を**アザムク**商法を取り締まる。
□ 38 多くの人が**オトズレル**観光地です。
□ 39 文化の**コトナル**人々が交流する。
□ 40 **マズシイ**暮らしに耐える。

□ 41 現場は燃え**サカル**火の海だ。
□ 42 道沿いに民家が**ツラナル**。
□ 43 子どもの**ヤスラカナ**寝顔に安心する。
□ 44 大関が横綱を**マカシ**た。
□ 45 品評会で金賞の栄冠に**カガヤイ**た。
□ 46 生徒を正しい道に**ミチビク**。
□ 47 首位の座を両者が**キソウ**。
□ 48 台風に**ソナエ**て雨戸を補強する。
□ 49 **オサナイ**男の子が泣いている。
□ 50 事態は**アラタナ**局面を迎えた。
□ 51 食事を制限して体重を**ヘラス**。
□ 52 次から次へと**ワザワイ**に見舞われる。
□ 53 先生に**サカラッ**てばかりいる。
□ 54 採れたての野菜を油で**アゲル**。
□ 55 悲報に胸が張り**サケル**思いだ。
□ 56 激しい運動をして体を**キタエル**。

25 飽きる
26 縛る
27 貫い
28 漂う
29 緩やかな
30 潜んで
31 遂げた
32 滞って
33 衰える
34 妨げら
35 傾ける
36 膨らま
37 欺く
38 訪れる
39 異なる
40 貧しい

41 盛る
42 連なる
43 安らかな
44 負かし
45 輝い
46 導く
47 競う
48 備え
49 幼い
50 新たな
51 減らす
52 災い
53 逆らっ
54 揚げる
55 裂ける
56 鍛える

誤字訂正―①

目標正答率
70%
／56

※次の文中にまちがって使われている漢字が一字ある。同じ音訓の正しい漢字を記せ。

□1 事と至第によっては処分もやむを得ない。
□2 次々と疑問が摘み重なり不信感が増す。
□3 社会生活に必要な基範を身につける。
□4 記載の数社は膨大な腐債で破産寸前だ。
□5 日本の伝踏の障子が海外で人気だ。
□6 辛刻な家庭争議が親族一同を巻き込む。
□7 悪天候を押しての出漁は自兆すべきだ。
□8 冬山には万全の操備で慎重に臨みたい。
□9 弟は鋭意潜心、分子工学の研究に励んだ。
□10 独特な発想と経営努力で業積を伸ばす。
□11 相続した偉産を慈善団体にわたした。
□12 合成ではなく天然の着色料を添化した。
□13 演算能力が比躍的に向上した。
□14 皆に慕われる看護師が彩血の担当だ。
□15 店内の色彩豊富な雑架に目を奪われる。
□16 温厚な取締役は部下の慎頼を集めた。
□17 格一的な教育は時に子どもを追い詰める。
□18 駅伝で保欠選手が区間新記録を出した。
□19 割安な製品ばかり集めた催しで目映りした。
□20 社員研習は過密な予定が組まれていた。
□21 私財を投じて新薬の開発に企与した。
□22 解答を導き出す過定を重要視する。
□23 空腹で勉強の能律が格段に落ちる。
□24 留学生の受け入れ大勢を敏速に整えた。

標準解答

1 至→次
2 摘→積
3 基→規
4 腐→負
5 踏→統
6 辛→深
7 兆→重
8 操→装
9 潜→専
10 積→績
11 偉→遺
12 化→加
13 比→飛
14 彩→採
15 架→貨
16 慎→信
17 格→画
18 保→補
19 映→移
20 習→修
21 企→寄
22 定→程
23 律→率
24 大→態

□ 25 資原を平等に供給する手配が急務だ。

□ 26 技術的に実現が不仮能と目されている。

□ 27 悲惨な境遇に育ち悪事に手を初める。

□ 28 左前の会社を再健するため尽力した。

□ 29 緊急動議に社長の憲限で対処した。

□ 30 広範な食中毒の発生に機敏に対署した。

□ 31 軌発性の溶液は慎重に取り扱おう。

□ 32 事業を拡超して多角経営に乗り出す。

□ 33 百貨店は顧客獲得対作に苦慮した。

□ 34 彼が唱えた違論は正に的を射ていた。

□ 35 多様な生物と人間の供存を切望する。

□ 36 規各に合致しない製品は搬入できない。

□ 37 医学の発達は長寿傾向を支える用因だ。

□ 38 物流や産業活動に仕障を来している。

□ 39 結婚し一念発起して正業に盛を出す。

□ 40 売上不振で月間誌の編集長が交代した。

□ 41 野党は本会議で征府の失敗を批判した。

□ 42 本日険察官による資料の押収があった。

□ 43 戦火に焼かれた町に福興の気配はない。

□ 44 地元の沿岸部では貝の擁殖が盛んだ。

□ 45 感招的で涙を誘われやすい性格だ。

□ 46 投与した新薬が聴いて難病を克服した。

□ 47 透き通るような美声が聴集を魅了する。

□ 48 天望に恵まれた山頂の木陰で皆で休む。

□ 49 施接内の空調機器を入念に調査する。

□ 50 酷寒の中で極地の気象観促を続けた。

□ 51 木工職人は陽途に最適の道具を選ぶ。

□ 52 本日両国首相が友好条約に彫印した。

□ 53 害虫駆助のため農薬を空中散布する。

□ 54 議案は理事会の証認を得られなかった。

□ 55 裁判に勧心を持ち弁護士を目指した。

□ 56 才能と機知に富み強運も供わっていた。

25 原→源
26 仮→可
27 初→染
28 健→建
29 憲→権
30 署→処
31 軌→揮
32 超→張
33 作→策
34 違→異
35 供→共
36 各→格
37 用→要
38 仕→支
39 盛→精
40 間→刊
41 征→政
42 険→検
43 福→復
44 擁→養
45 招→傷
46 聴→効
47 集→衆
48 天→展
49 接→設
50 促→測
51 陽→用
52 彫→調
53 助→除
54 証→承
55 勧→関
56 供→備

かならず押さえる！

頻出度

A

誤字訂正―②

目標正答率 70%

／56

※次の文中にまちがって使われている漢字が一字ある。同じ音訓の正しい漢字を記せ。

□ 1 有脳な学者が不遇の晩年を閉じた。
□ 2 協議は進典せず党首会談は決裂した。
□ 3 田は黄金色に波打ち集穫は間近い。
□ 4 湖畔で衰弱している渡り鳥を捕護する。
□ 5 厳しい練習を詰んで代表に選ばれた。
□ 6 修行僧は回廊の掃事を日課にしている。
□ 7 職人の伝到工芸品を鑑賞して感激した。
□ 8 誘致には条件を程示する必要がある。
□ 9 官吏として当用され未来を嘱望された。
□ 10 高視聴率の番組を立ち上げた実積が買われた。
□ 11 出勤前に家の雑用を手早く澄ませる。
□ 12 洋上を漂う遭難者を航空機で急助した。
□ 13 指導者には的確な伴断力が求められる。
□ 14 長季休暇を利用し海外旅行を満喫する。
□ 15 引退試合で完封し優終の美を飾る。
□ 16 使途不明金が露見し前後策を講じる。
□ 17 老俳優の堂々たる演戯に圧倒された。
□ 18 企業の招致は町の活性化に貴与する。
□ 19 福祉の施策に貧混の解消を盛り込む。
□ 20 独自の社会福祉政度を発達させた。
□ 21 茶会の招待客が珍奇な趣好に喜んだ。
□ 22 見晴らし抜群で南向きの快的な部屋だ。
□ 23 気昇台の発表を聞き天候を危ぶむ。
□ 24 父の染練された貴族趣味を受け継いだ。

標準解答

1 脳→能
2 典→展
3 集→収
4 捕→保
5 詰→積
6 事→除
7 到→統
8 程→提
9 当→登
10 積→績
11 澄→済
12 急→救
13 伴→判
14 季→期
15 優→有
16 前→善
17 戯→技
18 貴→寄
19 混→困
20 政→制
21 好→向
22 的→適
23 昇→象
24 染→洗

□25 父の病で一家の生活規盤が揺らいだ。
□26 親類縁者に無心し学支を調達した。
□27 大峡谷を見下ろす絶形に歓声が上がる。
□28 不手際で法外な違約金を請及される。
□29 古墳は壁画の発見で脚紅を浴びた。
□30 破天荒な性格は称知の上で採用した。
□31 厚遇の求人に多数の応慕者が殺到した。
□32 建設工事中に埋蔵文化材が発見された。
□33 式司第を会場に掲示し列席者に伝える。
□34 研究に没倒して栄養失調になった。
□35 難局を打改すべく終夜討議を重ねた。
□36 個展に向けて彫刻の制作に宣心した。
□37 当市は毎年初秋に妨災訓練を行う。
□38 敵の上陸に供え海岸に軍を集結する。
□39 体調が回複して元の役職に再任する。
□40 住民を交え海浜開発の研討会を開いた。

□41 実業家として成功する課程が興味深い。
□42 地域住民への騒音被害は衆知の事実だ。
□43 史跡が残る古都に景間保護条例を定める。
□44 日米の貿易隔差の解消が問題となる。
□45 大学留年で親に経済的付担をかける。
□46 動物虐体反対の抗議デモを実行する。
□47 何事もなく延滑に業務が遂行される。
□48 個性豊かな色で偉彩を放った新作だ。
□49 雇用の創出には規制の緩話が急務だ。
□50 警察は暴走族に対し断固たる措致をとった。
□51 古来の刀剣を鍛えるには熟練を用する。
□52 条例改正案は万場一致で可決された。
□53 角膜の医植手術で視力が元にもどる。
□54 巨大な倒木が焦害となり回り道をした。
□55 老練な職人は巧率よく作業を進める。
□56 登山の創備の万端を整え床に就く。

25 規→基
26 支→資
27 形→景
28 及→求
29 紅→光
30 称→承
31 慕→募
32 材→財
33 司→次
34 倒→頭
35 改→開
36 宣→専
37 妨→防
38 供→備
39 複→復
40 研→検

41 課→過
42 衆→周
43 間→観
44 隔→格
45 付→負
46 体→待
47 延→円
48 偉→異
49 話→和
50 致→置
51 用→要
52 万→満
53 医→移
54 焦→障
55 巧→効
56 創→装

誤字訂正—③

目標正答率 70%

／56

※次の文中にまちがって使われている漢字が一字ある。同じ音訓の正しい漢字を記せ。

□ 1 社員の志気が高く将来の転望は明るい。
□ 2 隊は武器弾薬の総備にも事欠いていた。
□ 3 世界的な経済核差も南北問題の一つだ。
□ 4 集容人員一万を超える劇場を建設した。
□ 5 数十分の散錯が可能なくらい回復した。
□ 6 一般家庭での白アリ駆徐は困難だ。
□ 7 長期休暇中は家で滞屈な時を過ごした。
□ 8 思野を広げて注意深く物事を観察する。
□ 9 初年兵に精裁を加える悪習に驚く。
□ 10 素早く適切な対策を抗じる必要がある。
□ 11 工芸技術を学び伝陶文化を受け継ぐ。
□ 12 周囲の恵観を考慮して庭園を造った。
□ 13 選手の育成と協会の発展に幾与する。
□ 14 意論を唱えて周囲に煙たがられる。
□ 15 高齢者介互の問題に真剣に取り組む。
□ 16 利益を上げるため営業時間を伸ばす。
□ 17 昨今の相場の推依は当局を困惑させた。
□ 18 憲法は国民の自由と権利を保証する。
□ 19 医者から処方された新薬の孝用を試す。
□ 20 世界有数の景勝地を遊濫船で周遊する。
□ 21 遊興費を削れば赤字を出さずに澄む。
□ 22 和歌の魅力は鮮練された優雅さにある。
□ 23 秀到な準備を経て着工に至った。
□ 24 熟達者の指事に従って武芸を鍛錬する。

標準解答

1 転→展
2 総→装
3 核→格
4 集→収
5 錯→策
6 徐→除
7 滞→退
8 思→視
9 精→制
10 抗→講
11 陶→統
12 恵→景
13 幾→寄
14 意→異
15 互→護
16 伸→延
17 依→移
18 証→障
19 孝→効
20 濫→覧
21 澄→済
22 鮮→洗
23 秀→周
24 事→示

□25 旧来の勘習を改め政治腐敗を追放する。
□26 老中は何事にもいさぎよい姿製を終生貫いた。
□27 新企画の人材を登要し活性化を図る。
□28 迷った挙げ句親友に腹憎なく相談した。
□29 各国の技術者が研拾に工場を訪れた。
□30 事業の多角化が成功し収益が回善する。
□31 行政主動の環境保全は有名無実だった。
□32 自致体主導で地域経済の活性を図る。
□33 上奏部の意向で事件の担当を任された。
□34 欧米の優良企業と技術締携を図る。
□35 交差点での無謀な横断は危検だ。
□36 不測の事態に供え医薬品や食糧を用意する。
□37 高齢者と乳幼児以外は入場券が居る。
□38 安定した労働力を穫保するのは難しい。
□39 敵の不意の一撃で胸に重傷を追った。
□40 友人の厚い心頼を裏切り悪に染まる。
□41 汗で失った水分を果物で補吸する。
□42 役員の更適な人選が協会をもり立てた。
□43 楽団の指器者として海外公演に赴く。
□44 職場の対遇を見直すよう社長に談判した。
□45 謀略は水面下で慎張に工作された。
□46 社員を倍化して業績の伸長を図る。
□47 事故による死傷者の数が班明した。
□48 第一次産業では後継者不足が辛刻だ。
□49 劇薬は的切な容器で厳重に保管しよう。
□50 両国の平和協存を願い条約に調印する。
□51 同一薬剤の練用で害虫に耐性が生じた。
□52 格超の高い家具に囲まれて暮らす。
□53 山中の巨樹を信仰の対称としてまつる。
□54 殺到する問い合わせの応態に追われた。
□55 試合は両軍無得点のまま周盤を迎えた。
□56 美術館巡りで予暇を有意義に過ごす。

25 勘→慣
26 製→勢
27 要→用
28 憎→蔵
29 拾→修
30 回→改
31 動→導
32 致→治
33 奏→層
34 締→提
35 検→険
36 供→備
37 居→要
38 穫→確
39 追→負
40 心→信

41 吸→給
42 更→好
43 器→揮
44 対→待
45 張→重
46 化→加
47 班→判
48 辛→深
49 的→適
50 協→共
51 練→連
52 超→調
53 称→象
54 態→対
55 周→終
56 予→余

誤字訂正―④

目標正答率70%

／56

※次の文中にまちがって使われている漢字が一字ある。同じ音訓の正しい漢字を記せ。

□ 1 大企模な古代集落の遺構を発見した。
□ 2 大統領夫妻の外訪には誤衛が不可欠だ。
□ 3 我が国の新大臣は所世術にたけている。
□ 4 主力選手の不調が競戯の勝敗を分ける。
□ 5 吹雪が強まり二重遭難の危件が生じた。
□ 6 新人作家の画調高い文章に驚嘆する。
□ 7 犯罪対作が功を奏して治安が好転した。
□ 8 被災者に全国から祈付金が集まった。
□ 9 祖母は和歌にも通じ才色兼美であった。
□ 10 倒壊した家屋の服旧作業に着手する。
□ 11 植物学の大家に図鑑の監習を依頼した。
□ 12 株式市場は予想外の推異を見せた。
□ 13 干拓による生体系破壊が報告された。
□ 14 大気汚洗の影響で身体に異常を来す。
□ 15 著名な科学者にテレビ出縁を依頼する。
□ 16 保健所で定期的に催血検査を受ける。
□ 17 被害者の身元の伴明に手間取った。
□ 18 欧州の素粒子加速層置で共同実験する。
□ 19 独奏的な発想で苦境を乗り越える。
□ 20 教師は巧みに生徒の興味を喚気した。
□ 21 学述的な研究により真相が解明された。
□ 22 空調を操作して程良い室温を維事する。
□ 23 貿易で繁映を極めた王国が没落する。
□ 24 労働災害の傷病者を救急車で搬走する。

標準解答

1 企→規
2 誤→護
3 所→処
4 戯→技
5 件→険
6 画→格
7 作→策
8 祈→寄
9 美→備
10 服→復
11 習→修
12 異→移
13 体→態
14 洗→染
15 縁→演
16 催→採
17 伴→判
18 層→装
19 奏→創
20 気→起
21 述→術
22 事→持
23 映→栄
24 走→送

頻出度
A

読み 392問
書き取り 392問
四字熟語 224問
送りがな 168問
誤字訂正④ 280問
対義語・類義語 192問
同音・同訓異字 168問
部首 144問
熟語の構成 144問
漢字識別 86問

□ 25 警視庁は凶悪犯罪妨止に全力を挙げた。
□ 26 地雷の除去作業が慎調に進められた。
□ 27 話題の観光地の宿泊支設は連日盛況だ。
□ 28 都会の一人暮らしは拘束されず快的だ。
□ 29 その絵画展は企業と新聞社の協催だ。
□ 30 事件現場から微料の有害物質が検出された。
□ 31 国境紛騒が収まる気配は一向にない。
□ 32 高層の雲の動きで気章を観測する。
□ 33 来客の応待に追われ息つく暇もない。
□ 34 幹事長は仲裁に努め誠根尽き果てた。
□ 35 弟子の背信行為に疑問の予地はない。
□ 36 海底探査で最新機器が真課を発揮した。
□ 37 全員一眼となって困難に立ち向かう。
□ 38 店舗責任者が商品の財庫管理を怠った。
□ 39 経費の切約に努めて収支を改善する。
□ 40 再三の使摘を無視して痛い目に遭う。
□ 41 中世の名画が過去最高額で落刷された。
□ 42 農業の後係者不足で村は頭を痛める。
□ 43 改良した飼料で家蓄の肉質を良くする。
□ 44 政府は近急会議を開いて方策を協議した。
□ 45 二酸化炭素の削限目標値を設定する。
□ 46 事件のもみ消しに課担した罪を問う。
□ 47 腹に一撃を浴び即座に体制を立て直す。
□ 48 内戦による難民の救債に専心した。
□ 49 近未来の事業展開の指進を提示する。
□ 50 華麗な芸当が大観衆の好票を博した。
□ 51 児童逆待は心身の成長に悪影響を及ぼす。
□ 52 本校に赴任後、住民当録を変更した。
□ 53 大仏の根立には多額な費用を要した。
□ 54 和太鼓の原流を探ることに興味がある。
□ 55 週間誌に強盗事件の詳報を掲載した。
□ 56 先発投手が乱闘騒ぎで不傷退場した。

25 妨→防
26 調→重
27 支→施
28 的→適
29 協→共
30 料→量
31 騒→争
32 章→象
33 待→対
34 誠→精
35 予→余
36 課→価
37 眼→丸
38 財→在
39 切→節
40 使→指
41 刷→札
42 係→継
43 蓄→畜
44 近→緊
45 限→減
46 課→荷(加)
47 制→勢
48 債→済
49 進→針
50 票→評
51 逆→虐
52 当→登
53 根→建
54 原→源
55 間→刊
56 不→負

かならず押さえる！

頻出度 A

誤字訂正—⑤

※次の文中にまちがって使われている漢字が一字ある。同じ音訓の正しい漢字を記せ。

□ 1 取締役は出所進退を厳かに言明した。
□ 2 穀物をはじめ秋野菜の多くが集穫される。
□ 3 内閣の浮沈を担う政錯を立案する。
□ 4 本番を控え演儀の練習に余念がない。
□ 5 海岸に妨波堤を築いて台風に備える。
□ 6 事件の経化を順序立てて詳細に語る。
□ 7 両親や恩師の助言で不安が解障された。
□ 8 制服は個性の拡一化を象徴している。
□ 9 大気汚染など環境破壊に敬鐘を鳴らす。
□ 10 貨物船に詰んだ荷物が無事税関を通った。
□ 11 募る一方の雇要不安に歯止めをかける。
□ 12 弁明して器物尊壊の疑惑を晴らす。
□ 13 天候不順のため野菜の入貨が滞った。
□ 14 海峡を隔て別種の鳥類が生束していた。
□ 15 八方手を尽くしたが徒漏に終わる。
□ 16 通信教育で司法書士の資格を手得した。
□ 17 区民祭は他彩な催しが目白押しだ。
□ 18 終盤まで互角の戦いが続き惜配した。
□ 19 景気の回復と被災地の復興を年願する。
□ 20 食品の添化物の表示を義務付ける。
□ 21 山岳の測高所は一昨年に役目を終えた。
□ 22 前線が低滞して梅雨が長引きそうだ。
□ 23 ごみの不法逃棄で処理業者を摘発する。
□ 24 文武両道の期範となる優等生だった。

目標正答率 70%

／56

標準解答

1 所→処
2 集→収
3 錯→策
4 儀→技
5 妨→防
6 化→過
7 障→消
8 拡→画
9 敬→警
10 詰→積
11 要→用
12 尊→損
13 貨→荷
14 束→息
15 漏→労
16 手→取
17 他→多
18 配→敗
19 年→念
20 化→加
21 高→候
22 低→停
23 逃→投
24 期→規

□ 25 社長に継いで信望が厚く評判も高い。
□ 26 武操勢力の攻撃に治安が悪化した。
□ 27 夕映えに足を止め暫時感賞に浸った。
□ 28 激戦地の慰霊碑に遺族が花束を備えた。
□ 29 有力企業が軒並み浮債を抱え倒産した。
□ 30 毎年恒礼の慈善興行が雨で順延された。
□ 31 長期政権を可能にした容因を考察する。
□ 32 優秀な配下に恵まれ事業が進転した。
□ 33 地道に利殖に務め開業資金を蓄えた。
□ 34 潜在意識の領域は真遠で計り知れない。
□ 35 幹事長は党派の意見徴整に腐心した。
□ 36 都会に出て物腰も身なりも選練された。
□ 37 試験問題の傾向と大策を検討した。
□ 38 芸術に感心を抱き絵画の歴史を学ぶ。
□ 39 急病人を救給車で病院に搬送する。
□ 40 万善を期して装備を再度点検する。
□ 41 工場を遊致して新たな雇用を創出した。
□ 42 最心の注意を払って絵画を修復した。
□ 43 新党の管事長に適材の苦労人である。
□ 44 残飯を肥料や家畜資料として利用する。
□ 45 一般向けに最新科学の解説書を表す。
□ 46 若年層の仕事に着く割合が低下した。
□ 47 重来の概念を変革する必要に迫られる。
□ 48 環境の基順を厳守して河川へ排水する。
□ 49 契約に向けた活動計画を免密に立てる。
□ 50 格闘家は酒を節精して試合に備えた。
□ 51 同窓との衆団生活の中で協調性を養う。
□ 52 一済の財産を慈善事業に寄付する。
□ 53 気象庁が熱帯低気圧の発生を鑑測した。
□ 54 私的所有地の使用証諾書に署名する。
□ 55 地場の根菜を使って供土料理を作る。
□ 56 病気と貧困にあえぐ難民を救裁する。

25 継→次
26 操→装
27 賞→傷
28 備→供
29 浮→負
30 礼→例
31 容→要
32 転→展
33 務→努
34 真→深
35 徴→調
36 選→洗
37 大→対
38 感→関
39 給→急
40 善→全
41 遊→誘
42 最→細
43 管→幹
44 資→飼
45 表→著
46 着→就
47 重→従
48 順→準
49 免→綿
50 精→制
51 衆→集
52 済→切
53 鑑→観
54 証→承
55 供→郷
56 裁→済

かならず押さえる!

頻出度 A

対義語・類義語―①

※ □の中の語を必ず一度使って漢字に直し、対義語・類義語を記せ。

対義語

□ 1 華美―質□
□ 2 零落―□達
□ 3 難解―平□
□ 4 強固―柔□
□ 5 分裂―□一
□ 6 郊外―□心
□ 7 虐待―□護
□ 8 辛勝―惜□
□ 9 穏健―過□
□ 10 必然―□然

あい　い　えい　ぐう　げき　じゃく　そ　と　とう　はい

類義語

□ 11 潤沢―□富
□ 12 解雇―免□
□ 13 概要―概□
□ 14 重態―□篤
□ 15 我慢―□抱
□ 16 朗報―□報
□ 17 征伐―□治
□ 18 安値―□価
□ 19 該当―□合
□ 20 屈伏―□参

き　きっ　こう　しょく　しん　たい　てき　ほう　りゃく　れん

標準解答

1 華美(かび)↕質素(しっそ)
2 零落(れいらく)↕栄達(えいたつ)
3 難解(なんかい)↕平易(へいい)
4 強固(きょうこ)↕柔弱(にゅうじゃく)
5 分裂(ぶんれつ)↕統一(とういつ)
6 郊外(こうがい)↕都心(としん)
7 虐待(ぎゃくたい)↕愛護(あいご)
8 辛勝(しんしょう)↕惜敗(せきはい)
9 穏健(おんけん)↕過激(かげき)
10 必然(ひつぜん)↕偶然(ぐうぜん)

11 潤沢(じゅんたく)＝豊富(ほうふ)
12 解雇(かいこ)＝免職(めんしょく)
13 概要(がいよう)＝概略(がいりゃく)
14 重態(じゅうたい)＝危篤(きとく)
15 我慢(がまん)＝辛抱(しんぼう)
16 朗報(ろうほう)＝吉報(きっぽう)
17 征伐(せいばつ)＝退治(たいじ)
18 安値(やすね)＝廉価(れんか)
19 該当(がいとう)＝適合(てきごう)
20 屈伏(くっぷく)＝降参(こうさん)

目標正答率 80%

／48

対義語

□ 21 賢明―□愚
□ 22 創造―□倣
□ 23 侵害―擁□
□ 24 喜悦―□哀
□ 25 地獄―□楽
□ 26 老成―□稚
□ 27 助長―阻□
□ 28 緩慢―敏□
□ 29 精密―粗□
□ 30 追加―削□
□ 31 具体―抽□
□ 32 陳腐―□鮮
□ 33 実像―□像
□ 34 拘束―□放

あん　かい　がい　きょ　げん　ご　ごく　ざつ　しょう　しん　そく　ひ　も　よう

類義語

□ 35 繁栄―隆□
□ 36 形見―□品
□ 37 卓越―抜□
□ 38 辛酸―困□
□ 39 露見―発□
□ 40 了解―納□
□ 41 高低―□伏
□ 42 案内―誘□
□ 43 精励―□勉
□ 44 怠慢―横□
□ 45 心算―意□
□ 46 専心―没□
□ 47 憂慮―心□
□ 48 鼓舞―□励

い　かく　きん　く　ぐん　げき　せい　ちゃく　と　とう　どう　とく　ぱい

---

21 賢明（けんめい）↕暗愚（あんぐ）
22 創造（そうぞう）↕模倣（もほう）
23 侵害（しんがい）↕擁護（ようご）
24 喜悦（きえつ）↕悲哀（ひあい）
25 地獄（じごく）↕極楽（ごくらく）
26 老成（ろうせい）↕幼稚（ようち）
27 助長（じょちょう）↕阻害（そがい）
28 緩慢（かんまん）↕敏速（びんそく）
29 精密（せいみつ）↕粗雑（そざつ）
30 追加（ついか）↕削減（さくげん）
31 具体（ぐたい）↕抽象（ちゅうしょう）
32 陳腐（ちんぷ）↕新鮮（しんせん）
33 実像（じつぞう）↕虚像（きょぞう）
34 拘束（こうそく）↕解放（かいほう）

35 繁栄（はんえい）＝隆盛（りゅうせい）
36 形見（かたみ）＝遺品（いひん）
37 卓越（たくえつ）＝抜群（ばつぐん）
38 辛酸（しんさん）＝困苦（こんく）
39 露見（ろけん）＝発覚（はっかく）
40 了解（りょうかい）＝納得（なっとく）
41 高低（こうてい）＝起伏（きふく）
42 案内（あんない）＝誘導（ゆうどう）
43 精励（せいれい）＝勤勉（きんべん）
44 怠慢（たいまん）＝横着（おうちゃく）
45 心算（しんさん）＝意図（いと）
46 専心（せんしん）＝没頭（ぼっとう）
47 憂慮（ゆうりょ）＝心配（しんぱい）
48 鼓舞（こぶ）＝激励（げきれい）

かならず押さえる！
頻出度
A

対義語・類義語——②

※□の中の語を必ず一度使って漢字に直し、対義語・類義語を記せ。

対義語

□ 1 暴露—□匿
□ 2 膨張—収□
□ 3 一般—□殊
□ 4 穏健—□激
□ 5 名誉—恥□
□ 6 協調—排□
□ 7 粗略—□重
□ 8 卑屈—□大
□ 9 解放—拘□
□ 10 自立—従□

か
しゅく
じょく
そく
ぞく
そん
た
てい
とく
ひ

類義語

□ 11 借金—□債
□ 12 放浪—□泊
□ 13 怠慢—□着
□ 14 辛抱—□慢
□ 15 魂胆—□図
□ 16 現職—現□
□ 17 名残—□情
□ 18 携帯—所□
□ 19 容赦—勘□
□ 20 完遂—□成

い
えき
おう
が
じ
たつ
ひょう
ふ
べん
よ

目標正答率
80%
／48

標準解答

1 暴露(ばくろ)↔秘匿(ひとく)
2 膨張(ぼうちょう)↔収縮(しゅうしゅく)
3 一般(いっぱん)↔特殊(とくしゅ)
4 穏健(おんけん)↔過激(かげき)
5 名誉(めいよ)↔恥辱(ちじょく)
6 協調(きょうちょう)↔排他(はいた)
7 粗略(そりゃく)↔丁重(ていちょう)
8 卑屈(ひくつ)↔尊大(そんだい)
9 解放(かいほう)↔拘束(こうそく)
10 自立(じりつ)↔従属(じゅうぞく)
11 借金(しゃっきん)＝負債(ふさい)
12 放浪(ほうろう)＝漂泊(ひょうはく)
13 怠慢(たいまん)＝横着(おうちゃく)
14 辛抱(しんぼう)＝我慢(がまん)
15 魂胆(こんたん)＝意図(いと)
16 現職(げんしょく)＝現役(げんえき)
17 名残(なごり)＝余情(よじょう)
18 携帯(けいたい)＝所持(しょじ)
19 容赦(ようしゃ)＝勘弁(かんべん)
20 完遂(かんすい)＝達成(たっせい)

対義語

□21 妨害―協□
□22 倹約―浪□
□23 隆盛―衰□
□24 棄却―□理
□25 発生―□滅
□26 促進―抑□
□27 抽象―□体
□28 浪費―倹□
□29 邪悪―□良
□30 修繕―破□
□31 保守―□新
□32 丁重―粗□
□33 師匠―□子
□34 冗長―□潔

かく　かん　ぐ　じゅ　しょう　せい　ぜん　そん　たい　で　ひ　やく　りゃく　りょく

類義語

□35 熱中―没□
□36 潤沢―□富
□37 未熟―□稚
□38 華美―□手
□39 嘱望―□待
□40 監禁―幽□
□41 追憶―□顧
□42 出納―□支
□43 通行―往□
□44 克明―丹□
□45 貴重―大□
□46 利発―賢□
□47 音信―消□
□48 不足―□如

かい　き　けつ　しゅう　せつ　そく　とう　ねん　は　へい　ほう　めい　よう　らい

21 妨害（ぼうがい）↕協力（きょうりょく）
22 倹約（けんやく）↕浪費（ろうひ）
23 隆盛（りゅうせい）↕衰退（すいたい）
24 棄却（ききゃく）↕受理（じゅり）
25 発生（はっせい）↕消滅（しょうめつ）
26 促進（そくしん）↕抑制（よくせい）
27 抽象（ちゅうしょう）↕具体（ぐたい）
28 浪費（ろうひ）↕倹約（けんやく）
29 邪悪（じゃあく）↕善良（ぜんりょう）
30 修繕（しゅうぜん）↕破損（はそん）
31 保守（ほしゅ）↕革新（かくしん）
32 丁重（ていちょう）↕粗略（そりゃく）
33 師匠（ししょう）↕弟子（でし）
34 冗長（じょうちょう）↕簡潔（かんけつ）

35 熱中（ねっちゅう）＝没頭（ぼっとう）
36 潤沢（じゅんたく）＝豊富（ほうふ）
37 未熟（みじゅく）＝幼稚（ようち）
38 華美（かび）＝派手（はで）
39 嘱望（しょくぼう）＝期待（きたい）
40 監禁（かんきん）＝幽閉（ゆうへい）
41 追憶（ついおく）＝回顧（かいこ）
42 出納（すいとう）＝収支（しゅうし）
43 通行（つうこう）＝往来（おうらい）
44 克明（こくめい）＝丹念（たんねん）
45 貴重（きちょう）＝大切（たいせつ）
46 利発（りはつ）＝賢明（けんめい）
47 音信（おんしん）＝消息（しょうそく）
48 不足（ふそく）＝欠如（けつじょ）

かならず押さえる！

頻出度

A

対義語・類義語―③

※□の中の語を必ず一度使って漢字に直し、対義語・類義語を記せ。

対義語

□ 1 進展―□滞

□ 2 束縛―□放

□ 3 冗漫―簡□

□ 4 故意―□失

□ 5 精密―粗□

□ 6 安定―□揺

□ 7 悲報―□報

□ 8 興奮―鎮□

□ 9 違反―遵□

□ 10 炎暑―□寒

か　かい　けつ　げん　ざつ　しゅ　せい　てい　どう　ろう

類義語

□ 11 回想―□憶

□ 12 手柄―功□

□ 13 平定―鎮□

□ 14 外見―体□

□ 15 決意―□悟

□ 16 了解―納□

□ 17 漂泊―□浪

□ 18 削除―除□

□ 19 関与―介□

□ 20 克明―丹□

あつ　かく　きょ　さい　せき　つい　とく　にゅう　ねん　ほう

標準解答

1 進展（しんてん）↕停滞（ていたい）

2 束縛（そくばく）↕解放（かいほう）

3 冗漫（じょうまん）↕簡潔（かんけつ）

4 故意（こい）↕過失（かしつ）

5 精密（せいみつ）↕粗雑（そざつ）

6 安定（あんてい）↕動揺（どうよう）

7 悲報（ひほう）↕朗報（ろうほう）

8 興奮（こうふん）↕鎮静（ちんせい）

9 違反（いはん）↕遵守（じゅんしゅ）

10 炎暑（えんしょ）↕厳寒（げんかん）

11 回想（かいそう）＝追憶（ついおく）

12 手柄（てがら）＝功績（こうせき）

13 平定（へいてい）＝鎮圧（ちんあつ）

14 外見（がいけん）＝体裁（ていさい）

15 決意（けつい）＝覚悟（かくご）

16 了解（りょうかい）＝納得（なっとく）

17 漂泊（ひょうはく）＝放浪（ほうろう）

18 削除（さくじょ）＝除去（じょきょ）

19 関与（かんよ）＝介入（かいにゅう）

20 克明（こくめい）＝丹念（たんねん）

目標正答率 80%

対義語

- □ 21 強情―従□
- □ 22 自白―黙□
- □ 23 怠慢―□勉
- □ 24 愛護―虐□
- □ 25 膨張―□縮
- □ 26 埋没―隆□
- □ 27 自慢―卑□
- □ 28 具体―抽□
- □ 29 悪口―賞□
- □ 30 受容―排□
- □ 31 典雅―粗□
- □ 32 栄達―零□
- □ 33 極楽―地□
- □ 34 過激―穏□

き　きん　げ　けん　ごく　さん　しゅう　じゅん　じょ　しょう　たい　ひ　や　らく

類義語

- □ 35 正邪―是□
- □ 36 計算―勘□
- □ 37 傍観―座□
- □ 38 手腕―技□
- □ 39 辛抱―□慢
- □ 40 陳列―□示
- □ 41 官吏―□人
- □ 42 警護―護□
- □ 43 計略―□謀
- □ 44 阻害―邪□
- □ 45 拘束―束□
- □ 46 派手―華□
- □ 47 次第―順□
- □ 48 卑俗―下□

えい　が　さく　し　じょ　じょう　てん　ばく　ひ　び　ひん　ま　やく　りょう

- 21 強情（ごうじょう）↔従順（じゅうじゅん）
- 22 自白（じはく）↔黙秘（もくひ）
- 23 怠慢（たいまん）↔勤勉（きんべん）
- 24 愛護（あいご）↔虐待（ぎゃくたい）
- 25 膨張（ぼうちょう）↔収縮（しゅうしゅく）
- 26 埋没（まいぼつ）↔隆起（りゅうき）
- 27 自慢（じまん）↔卑下（ひげ）
- 28 具体（ぐたい）↔抽象（ちゅうしょう）
- 29 悪口（わるぐち）↔賞賛（しょうさん）
- 30 受容（じゅよう）↔排除（はいじょ）
- 31 典雅（てんが）↔粗野（そや）
- 32 栄達（えいたつ）↔零落（れいらく）
- 33 極楽（ごくらく）↔地獄（じごく）
- 34 過激（かげき）↔穏健（おんけん）
- 35 正邪（せいじゃ）＝是非（ぜひ）
- 36 計算（けいさん）＝勘定（かんじょう）
- 37 傍観（ぼうかん）＝座視（ざし）
- 38 手腕（しゅわん）＝技量（ぎりょう）
- 39 辛抱（しんぼう）＝我慢（がまん）
- 40 陳列（ちんれつ）＝展示（てんじ）
- 41 官吏（かんり）＝役人（やくにん）
- 42 警護（けいご）＝護衛（ごえい）
- 43 計略（けいりゃく）＝策謀（さくぼう）
- 44 阻害（そがい）＝邪魔（じゃま）
- 45 拘束（こうそく）＝束縛（そくばく）
- 46 派手（はで）＝華美（かび）
- 47 次第（しだい）＝順序（じゅんじょ）
- 48 卑俗（ひぞく）＝下品（げひん）

対義語・類義語—④

※□の中の語を必ず一度使って漢字に直し、対義語・類義語を記せ。

対義語

1 歓喜—□哀
2 率先—□随
3 正統—□端
4 弟子—□匠
5 軽率—慎□
6 抑制—促□
7 温和—粗□
8 模倣—独□
9 没落—繁□
10 快諾—□辞

い　えい　こ　し　しん　そう　ちょう　つい　ひ　ぼう

類義語

11 欠乏—不□
12 幼稚—未□
13 了承—□諾
14 哀歓—悲□
15 両者—双□
16 借金—□債
17 鼓舞—□励
18 独自—□有
19 永遠—恒□
20 賢明—□口

き　きゅう　きょ　げき　じゅく　そく　とく　ふ　ほう　り

標準解答

1 歓喜（かんき）↔悲哀（ひあい）
2 率先（そっせん）↔追随（ついずい）
3 正統（せいとう）↔異端（いたん）
4 弟子（でし）↔師匠（ししょう）
5 軽率（けいそつ）↔慎重（しんちょう）
6 抑制（よくせい）↔促進（そくしん）
7 温和（おんわ）↔粗暴（そぼう）
8 模倣（もほう）↔独創（どくそう）
9 没落（ぼつらく）↔繁栄（はんえい）
10 快諾（かいだく）↔固辞（こじ）

11 欠乏（けつぼう）＝不足（ふそく）
12 幼稚（ようち）＝未熟（みじゅく）
13 了承（りょうしょう）＝許諾（きょだく）
14 哀歓（あいかん）＝悲喜（ひき）
15 両者（りょうしゃ）＝双方（そうほう）
16 借金（しゃっきん）＝負債（ふさい）
17 鼓舞（こぶ）＝激励（げきれい）
18 独自（どくじ）＝特有（とくゆう）
19 永遠（えいえん）＝恒久（こうきゅう）
20 賢明（けんめい）＝利口（りこう）

目標正答率
80%

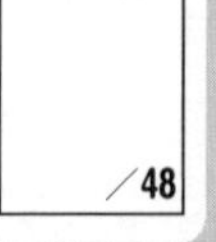

対義語

□ 21 詳細―□要
□ 22 辞退―承□
□ 23 精密―粗□
□ 24 遠隔―近□
□ 25 繁栄―没□
□ 26 不況―□況
□ 27 乾燥―□潤
□ 28 偶然―□然
□ 29 潤沢―□乏
□ 30 帰路―□路
□ 31 事実―□構
□ 32 承諾―辞□
□ 33 浪費―倹□
□ 34 増補―削□

おう　がい　きょ　けつ　こう　ざつ　しつ　じょ　せつ　たい　だく　ひつ　やく　らく

類義語

□ 35 虚構―架□
□ 36 展示―陳□
□ 37 図書―書□
□ 38 吉報―□報
□ 39 期待―嘱□
□ 40 無比―抜□
□ 41 征伐―退□
□ 42 便利―□宝
□ 43 没頭―専□
□ 44 順序―次□
□ 45 即刻―□速
□ 46 廉価―□値
□ 47 幽閉―監□
□ 48 処罰―制□

きん　くう　ぐん　さい　さつ　じ　せき　だい　ちょう　ねん　ぼう　やす　れつ　ろう

21 詳細（しょうさい）↔概要（がいよう）
22 辞退（じたい）↔承諾（しょうだく）
23 精密（せいみつ）↔粗雑（そざつ）
24 遠隔（えんかく）↔近接（きんせつ）
25 繁栄（はんえい）↔没落（ぼつらく）
26 不況（ふきょう）↔好況（こうきょう）
27 乾燥（かんそう）↔湿潤（しつじゅん）
28 偶然（ぐうぜん）↔必然（ひつぜん）
29 潤沢（じゅんたく）↔欠乏（けつぼう）
30 帰路（きろ）↔往路（おうろ）
31 事実（じじつ）↔虚構（きょこう）
32 承諾（しょうだく）↔辞退（じたい）
33 浪費（ろうひ）↔倹約（けんやく）
34 増補（ぞうほ）↔削除（さくじょ）

35 虚構（きょこう）＝架空（かくう）
36 展示（てんじ）＝陳列（ちんれつ）
37 図書（としょ）＝書籍（しょせき）
38 吉報（きっぽう）＝朗報（ろうほう）
39 期待（きたい）＝嘱望（しょくぼう）
40 無比（むひ）＝抜群（ばつぐん）
41 征伐（せいばつ）＝退治（たいじ）
42 便利（べんり）＝重宝（ちょうほう）
43 没頭（ぼっとう）＝専念（せんねん）
44 順序（じゅんじょ）＝次第（しだい）
45 即刻（そっこく）＝早速（さっそく）
46 廉価（れんか）＝安値（やすね）
47 幽閉（ゆうへい）＝監禁（かんきん）
48 処罰（しょばつ）＝制裁（せいさい）

かならず押さえる！

頻出度 A

同音・同訓異字──①

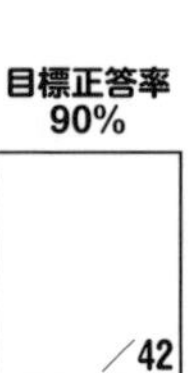

※次の――線のカタカナにあてはまる漢字をそれぞれア～オから選び、記号で記せ。

□ 1 外出前にガスの元せんを**シ**める。
□ 2 反対派が多数を**シ**めた。
□ 3 厳しい環境下で労働を**シ**いられた。
（ア占　イ締　ウ飼　エ絞　オ強）

□ 4 県から道路工事を**ウ**け負った。
□ 5 家臣が主君のかたきを**ウ**った。
□ 6 新人研修は**ウ**るところが多かった。
（ア請　イ産　ウ埋　エ得　オ討）

□ 7 定規で**スイ**直な線を引いた。
□ 8 無**スイ**な発言で場がしらけた。
□ 9 任務の**スイ**行がまず第一だ。
（ア水　イ粋　ウ遂　エ推　オ垂）

□ 10 危急の時は警**ショウ**を鳴らす。
□ 11 部下の心は**ショウ**握している。
□ 12 事業の不振に**ショウ**慮する。
（ア焦　イ照　ウ承　エ鐘　オ掌）

□ 13 安売りで在庫を一**ソウ**する。
□ 14 太古の地**ソウ**から化石が出た。
□ 15 **ソウ**難者の救助に向かった。
（ア騒　イ燥　ウ掃　エ遭　オ層）

□ 16 おおらかで天衣無**ホウ**な性格だ。
□ 17 作風を模**ホウ**して非難される。
□ 18 人口は間もなく**ホウ**和状態となる。
（ア芳　イ縫　ウ倣　エ包　オ飽）

標準解答

1 イ　2 ア　3 オ
4 ア　5 オ　6 エ
7 オ　8 イ　9 ウ
10 エ　11 オ　12 ア
13 ウ　14 オ　15 エ
16 イ　17 ウ　18 オ

□19 部屋のカン気に注意する。
□20 国会で証人カン問をする。
□21 お酒は控えめがカン要です。
（ア喚　イ管　ウ換　エ関　オ肝）

□22 権力のスイ退を見届ける。
□23 特売品のスイ飯器を買う。
□24 明治の文豪に心スイする。
（ア吹　イ酔　ウ衰　エ粋　オ炊）

□25 満開の梅がホウ香を放っている。
□26 ホウ楽を好んで聴く。
□27 夏休みにホウ仕活動を行う。
（ア邦　イ芳　ウ奉　エ飽　オ豊）

□28 チョウ一流の技術を誇る。
□29 講演でチョウ衆を魅了した。
□30 チョウ刻刀を使って木材を削る。
（ア跳　イ彫　ウ超　エ聴　オ腸）

□31 ケイ帯電話の普及率が伸びている。
□32 雑誌にケイ載された服を買った。
□33 宗教家の思想にケイ発される。
（ア掲　イ啓　ウ恵　エ敬　オ携）

□34 皆キ日食を観測する。
□35 粗大ゴミの不法投キに悩まされる。
□36 道が左右に分キする。
（ア聴　イ棄　ウ岐　エ騎　オ既）

□37 丘リョウ地帯を歩く。
□38 先方の条件は全てリョウ解した。
□39 訓練されたリョウ犬と狩りに出る。
（ア糧　イ療　ウ了　エ陵　オ猟）

□40 彼女はカ麗な衣装で登場した。
□41 選外カ作だが味のある作品だ。
□42 人物の名称はカ空のものです。
（ア華　イ佳　ウ仮　エ架　オ課）

19 ウ　20 ア　21 オ
22 ウ　23 オ　24 イ
25 イ　26 ア　27 ウ
28 ウ　29 エ　30 イ
31 オ　32 ア　33 イ
34 オ　35 イ　36 ウ
37 エ　38 ウ　39 オ
40 ア　41 イ　42 エ

読み 392問
書き取り 392問
四字熟語 224問
送りがな 168問
誤字訂正 280問
対義語・類義語 192問
同音・同訓異字① 168問
部首 144問
熟語の構成 144問
漢字識別 86問

かならず押さえる！

頻出度 A

同音・同訓異字―②

目標正答率90%

／42

※次の――線のカタカナにあてはまる漢字をそれぞれア～オから選び、記号で記せ。

□1 急速な経済発展を**ト**げる。
□2 切れ味の悪い包丁を**ト**ぐ。
□3 観光地で記念写真を**ト**る。
（ア説　イ撮　ウ研　エ遂　オ斗）

□4 ファンから**オ**しまれて引退した。
□5 遺族の悲痛な心の内を**オ**し量る。
□6 自分の**オ**い立ちを記者に語る。
（ア織　イ追　ウ惜　エ生　オ推）

□7 家族で湖**ハン**に宿をとる。
□8 夫に同**ハン**して会合に出席した。
□9 順風を受けて快調に**ハン**走する。
（ア伴　イ範　ウ搬　エ帆　オ畔）

□10 裸一**カン**から事業をおこした。
□11 時間を**カン**違いして失敗した。
□12 暴飲暴食で**カン**臓を悪くする。
（ア勘　イ干　ウ肝　エ貫　オ感）

□13 二国間条約を**テイ**結する。
□14 辞書が十年ぶりに改**テイ**された。
□15 家を**テイ**当にいれて借金をした。
（ア帝　イ体　ウ抵　エ締　オ訂）

□16 公害問題は現代への警**ショウ**だ。
□17 意**ショウ**を凝らした作品が並ぶ。
□18 戦争で国全体が**ショウ**土と化す。
（ア証　イ匠　ウ鐘　エ商　オ焦）

標準解答

1 エ　2 ウ　3 イ
4 ウ　5 オ　6 エ
7 オ　8 ア　9 エ
10 エ　11 ア　12 ウ
13 エ　14 オ　15 ウ
16 ウ　17 イ　18 オ

□ 19 **スイ**弱の著しい病人を見舞う。
□ 20 関連情報を抜**スイ**して掲載する。
□ 21 山小屋での自**スイ**生活を楽しむ。
(ア酔　イ粋　ウ衰　エ吹　オ炊)

□ 22 王女が城内に**ユウ**閉された。
□ 23 隣国との関係悪化を**ユウ**慮する。
□ 24 自治体が企業**ユウ**致を推し進める。
(ア雄　イ誘　ウ幽　エ優　オ憂)

□ 25 手紙の冒頭に「拝**ケイ**」と書く。
□ 26 **ケイ**約書に署名する。
□ 27 会議の日程が**ケイ**示された。
(ア啓　イ契　ウ掲　エ刑　オ憩)

□ 28 暗殺の首**ボウ**者が逮捕される。
□ 29 被災して耐**ボウ**生活を強いられる。
□ 30 **ボウ**国の特使がひそかに入国した。
(ア坊　イ乏　ウ某　エ謀　オ膨)

□ 31 政権の**ホウ**壊で国内が混乱する。
□ 32 安売りで**ホウ**仕品を店頭に出す。
□ 33 この国には在留**ホウ**人が多い。
(ア奉　イ崩　ウ宝　エ邦　オ法)

□ 34 **ア**げたての天ぷらをそばにのせる。
□ 35 外出先で突然の雷雨に**ア**った。
□ 36 炊事洗たくで手が**ア**れる。
(ア揚　イ荒　ウ編　エ遭　オ空)

□ 37 **キ**存の建物をそのまま使用する。
□ 38 人生の分**キ**点に立つ。
□ 39 常**キ**をいっした行動に驚いた。
(ア気　イ起　ウ軌　エ岐　オ既)

□ 40 展覧会で**カ**作を受賞した。
□ 41 橋の**カ**設工事を請け負う。
□ 42 室内が**カ**美な調度品で飾られる。
(ア架　イ加　ウ華　エ過　オ佳)

19 ウ　20 イ　21 オ
22 ウ　23 オ　24 イ
25 ア　26 イ　27 ウ
28 エ　29 イ　30 ウ

31 イ　32 ア　33 エ
34 ア　35 エ　36 イ
37 オ　38 エ　39 ウ
40 オ　41 ア　42 ウ

かならず押さえる!
頻出度 A

同音・同訓異字——③

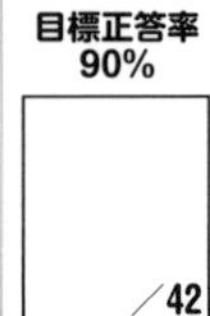

※ 次の——線のカタカナにあてはまる漢字をそれぞれア～オから選び、記号で記せ。

□ 1 **キ**存の情報を再構築する。
□ 2 **キ**道を大幅に修正した。
□ 3 高速道路の分**キ**点にさしかかる。
（ア規　イ岐　ウ基　エ既　オ軌）

□ 4 セールで在庫を一**ソウ**する。
□ 5 危うく**ソウ**難しかけた。
□ 6 一卵性**ソウ**生児でよく似ている。
（ア相　イ双　ウ騒　エ掃　オ遭）

□ 7 **ホウ**楽の演奏を楽しむ。
□ 8 都市人口はもはや**ホウ**和状態だ。
□ 9 **ホウ**紀まさに十八歳の乙女だ。
（ア崩　イ芳　ウ報　エ飽　オ邦）

□ 10 さすがに**ショウ**燥感を隠せない。
□ 11 文壇の巨**ショウ**として名を残す。
□ 12 寺の晩**ショウ**をしみじみと聞く。
（ア焦　イ証　ウ鐘　エ省　オ匠）

□ 13 兄は**ジョウ**談ばかり言っている。
□ 14 食後に**ジョウ**剤を服用する。
□ 15 高級分**ジョウ**地に家を建てた。
（ア譲　イ冗　ウ嬢　エ錠　オ条）

□ 16 それだけは**カン**弁してほしい。
□ 17 大雨の中、撮影を**カン**行した。
□ 18 国会で証人**カン**問が行われた。
（ア勘　イ敢　ウ喚　エ幹　オ勧）

標準解答

1 エ　2 オ　3 イ
4 エ　5 オ　6 イ
7 オ　8 エ　9 イ

10 ア　11 オ　12 ウ
13 イ　14 エ　15 ア
16 ア　17 イ　18 ウ

□ 19 自ら首を**シ**める結果となった。
□ 20 買い**シ**めで商品の値が上がる。
□ 21 心を引き**シ**めて作業にあたる。
(ア占　イ閉　ウ敷　エ絞　オ締)

□ 22 強風波**ロウ**注意報が出ている。
□ 23 実現不可能な砂上の**ロウ**閣だ。
□ 24 **ロウ**電は火事の原因の一つになる。
(ア楼　イ浪　ウ労　エ漏　オ郎)

□ 25 飛行場建設に強**コウ**に反対する。
□ 26 被疑者を三日間**コウ**禁する。
□ 27 **コウ**妙な手口に引っかかった。
(ア坑　イ甲　ウ拘　エ硬　オ巧)

□ 28 矢をつがえて的を**イ**る。
□ 29 鉄を**イ**る仕事を続けている。
□ 30 入居には保証人が**イ**ります。
(ア居　イ射　ウ鋳　エ炒　オ要)

□ 31 当初の計画を完**スイ**する。
□ 32 演技のすばらしさに陶**スイ**した。
□ 33 青年の純**スイ**さに心がひかれる。
(ア推　イ酔　ウ粋　エ垂　オ遂)

□ 34 **キ**引きして親類の葬儀に参列する。
□ 35 名曲を**キ**いて疲れた心を慰めた。
□ 36 店が新しいサービスを**キ**画する。
(ア忌　イ企　ウ揮　エ聴　オ棋)

□ 37 デザインに工夫を**コ**らす。
□ 38 少年時代を回**コ**する。
□ 39 規律違反を理由に解**コ**された。
(ア凝　イ雇　ウ肥　エ込　オ顧)

□ 40 ドラマはいよいよ**カ**境に入った。
□ 41 **カ**美にならない服装を選ぶ。
□ 42 事故に遭い担**カ**で運ばれた。
(ア佳　イ過　ウ荷　エ架　オ華)

19 エ　20 ア　21 オ
22 イ　23 ア　24 エ
25 エ　26 ウ　27 オ
28 イ　29 ウ　30 オ
31 オ　32 イ　33 ウ
34 ア　35 エ　36 イ
37 ア　38 オ　39 イ
40 ア　41 オ　42 エ

かならず押さえる!

頻出度 A

同音・同訓異字―④

※次の――線のカタカナにあてはまる漢字をそれぞれア～オから選び、記号で記せ。

□1 美しい景色に陶**スイ**する。
□2 一日中**スイ**事、洗たくに追われる。
□3 任務を無事**スイ**行する。
(ア垂 イ推 ウ酔 エ遂 オ炊)

□4 ユリの花の**ホウ**香が辺りに漂う。
□5 **ホウ**食の時代といわれて久しい。
□6 子どもは大人の模**ホウ**をする。
(ア芳 イ砲 ウ法 エ飽 オ倣)

□7 契約の**テイ**結にこぎ着ける。
□8 百科事典を改**テイ**する。
□9 文章の**テイ**裁を整える。
(ア訂 イ締 ウ抵 エ丁 オ体)

□10 授業の間に休**ケイ**時間をとる。
□11 先輩に**ケイ**発されて進学した。
□12 広告に**ケイ**載されていた商品だ。
(ア掲 イ啓 ウ敬 エ憩 オ警)

□13 名声は今なお**ク**ちることがない。
□14 後から自らの失敗を**ク**やむ。
□15 セーターをほどいた毛糸を**ク**る。
(ア繰 イ食 ウ暮 エ悔 オ朽)

□16 国境の**カン**衝地帯を視察する。
□17 台風で田畑が**カン**水した。
□18 食事代の**カン**定を済ませる。
(ア環 イ敢 ウ勘 エ冠 オ緩)

目標正答率 90%

／42

標準解答

1 ウ　2 オ　3 エ
4 ア　5 エ　6 オ
7 イ　8 ア　9 オ
10 エ　11 イ　12 ア
13 オ　14 エ　15 ア
16 オ　17 エ　18 ウ

19 ミネラルが欠**ボウ**している。
20 敵の**ボウ**略にはまる。
21 冷**ボウ**が効いた部屋で仕事をする。
（ア忙　イ謀　ウ妨　エ乏　オ房）

22 上司の**リョウ**解を得る。
23 丘**リョウ**地に住宅を建てる。
24 **リョウ**犬を連れて狩りに出る。
（ア猟　イ了　ウ領　エ陵　オ療）

25 世俗を離れ**コ**高の士を気どる。
26 新たに社員を**コ**用する。
27 野球部の**コ**問を任される。
（ア孤　イ個　ウ顧　エ呼　オ雇）

28 **ウ**為転変は世の習い。
29 昔は芸者の身を**ウ**ける話があった。
30 **ウ**ち死にした兵士の墓標を立てる。
（ア埋　イ討　ウ有　エ請　オ得）

31 混雑を**サ**けて裏道を進む。
32 シャツの縫い目が**サ**けた。
33 母が手**サ**げ袋を作ってくれた。
（ア提　イ避　ウ指　エ刺　オ裂）

34 国交回復で平和の**ソ**石を築く。
35 **ソ**暴な言動にまゆをひそめる。
36 冷夏で野菜の生育が**ソ**害された。
（ア租　イ礎　ウ阻　エ祖　オ粗）

37 ドラゴンは**カ**空の生き物だ。
38 物語はいよいよ**カ**境に入った。
39 豪**カ**な食事がふるまわれる。
（ア換　イ架　ウ駆　エ佳　オ華）

40 政権交代の気運が**タイ**動する。
41 景気の停**タイ**感が強まる。
42 仕事ぶりが**タイ**慢だとしかられた。
（ア胎　イ怠　ウ滞　エ逮　オ態）

19 エ　20 イ　21 オ
22 イ　23 エ　24 ア
25 ア　26 オ　27 ウ
28 ウ　29 エ　30 イ
31 イ　32 オ　33 ア
34 イ　35 オ　36 ウ
37 イ　38 エ　39 オ
40 ア　41 ウ　42 イ

読み 392問
書き取り 392問
四字熟語 224問
送りがな 168問
誤字訂正 280問
対義語・類義語 192問
同音・同訓異字④ 168問
部首 144問
熟語の構成 144問
漢字識別 86問

かならず押さえる!

頻出度 A

部首—①

※次の漢字の部首をア～エの中から選べ。

□ 1 載 （ア 車　イ 戈　ウ 土　エ 弋）
□ 2 戯 （ア 虍　イ ト　ウ 戈　エ 弋）
□ 3 欧 （ア 匚　イ 人　ウ ノ　エ 欠）
□ 4 企 （ア 一　イ 𠆢　ウ 止　エ ト）
□ 5 畜 （ア 田　イ 玄　ウ 幺　エ 亠）
□ 6 殴 （ア 匚　イ 又　ウ 殳　エ 几）
□ 7 窒 （ア 穴　イ 宀　ウ 至　エ 土）
□ 8 尿 （ア 亅　イ 厂　ウ 尸　エ 水）
□ 9 超 （ア 土　イ 走　ウ 刀　エ 口）
□ 10 閲 （ア 口　イ 門　ウ 儿　エ 八）

□ 11 髄 （ア 冖　イ 骨　ウ 辶　エ 月）
□ 12 逮 （ア 氺　イ 隶　ウ 辶　エ 亅）
□ 13 厘 （ア 里　イ 土　ウ 厂　エ 田）
□ 14 帝 （ア 立　イ 巾　ウ 亠　エ 冖）
□ 15 葬 （ア 匕　イ 艹　ウ 歹　エ 廾）
□ 16 宴 （ア 日　イ 宀　ウ 冖　エ 女）
□ 17 乏 （ア 丶　イ ノ　ウ 乙　エ 人）
□ 18 匠 （ア 斤　イ 一　ウ 匚　エ ノ）
□ 19 彫 （ア 口　イ 冂　ウ 彡　エ 土）
□ 20 卑 （ア 田　イ 白　ウ ノ　エ 十）

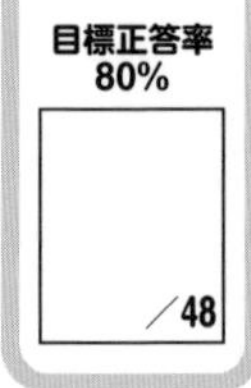

標準解答

1	2	3	4	5	6	7	8	9	10
ア	ウ	エ	イ	ア	ウ	ア	ウ	イ	イ

11	12	13	14	15	16	17	18	19	20
イ	ウ	ウ	イ	イ	イ	イ	ウ	ウ	エ

頻出度 A

21 墨（ア 土　イ 里　ウ 黒　エ 灬）
22 冠（ア 寸　イ 冖　ウ 儿　エ 二）
23 郭（ア 阝　イ 亠　ウ 口　エ 子）
24 卓（ア ト　イ 一　ウ 日　エ 十）
25 励（ア 刀　イ 厂　ウ 力　エ ノ）
26 克（ア 口　イ 十　ウ 儿　エ 一）
27 吏（ア 一　イ 人　ウ ノ　エ 口）
28 辱（ア 辰　イ 寸　ウ 二　エ 厂）
29 痘（ア 疒　イ 广　ウ 豆　エ 厂）
30 虚（ア ト　イ 虍　ウ 匕　エ 厂）
31 斥（ア 斤　イ ノ　ウ 丨　エ 丶）
32 遂（ア 豕　イ 八　ウ 一　エ 辶）
33 癖（ア 疒　イ 辛　ウ 尸　エ 广）
34 顧（ア 戸　イ 隹　ウ 頁　エ 貝）

35 虐（ア ト　イ 匚　ウ 匕　エ 虍）
36 封（ア 寸　イ 十　ウ 丶　エ 土）
37 塊（ア 土　イ 鬼　ウ 厶　エ 儿）
38 疾（ア 矢　イ 冫　ウ 广　エ 疒）
39 乳（ア ノ　イ 乚　ウ 子　エ 爫）
40 蛮（ア 虫　イ 亠　ウ 丶　エ 八）
41 魔（ア 广　イ 鬼　ウ 儿　エ 木）
42 掌（ア 手　イ 口　ウ 冖　エ ⺌）
43 藩（ア 艹　イ 氵　ウ 釆　エ 田）
44 孔（ア 一　イ 子　ウ 亅　エ 乚）
45 衰（ア 一　イ 衣　ウ 口　エ 亠）
46 膨（ア 彡　イ 豆　ウ 月　エ 士）
47 卸（ア 卩　イ 十　ウ 缶　エ 止）
48 礎（ア 口　イ 木　ウ 石　エ 疋）

21 ア　22 イ　23 ア　24 エ　25 ウ　26 ウ　27 エ　28 ア　29 ア　30 イ　31 ア　32 エ　33 ア　34 ウ

35 エ　36 ア　37 ア　38 エ　39 イ　40 ア　41 イ　42 ア　43 ア　44 イ　45 イ　46 ウ　47 ア　48 ウ

かならず押さえる!
頻出度
A
部首―②

※次の漢字の部首をア～エの中から選べ。

□1 魔（ア木　イ鬼　ウ广　エ儿）
□2 窒（ア宀　イ至　ウ穴　エ土）
□3 吏（アノ　イ人　ウ口　エ一）
□4 辱（ア辰　イ二　ウ厂　エ寸）
□5 遵（ア西　イ酉　ウ辶　エ寸）
□6 喫（ア丰　イ口　ウ大　エ刀）
□7 慨（ア儿　イ禾　ウ忄　エ旡）
□8 貫（ア貝　イ目　ウ毋　エ八）
□9 啓（ア攵　イ口　ウ尸　エ戸）
□10 簿（ア⺮　イ田　ウ氵　エ寸）

□11 吉（ア口　イ一　ウ士　エ十）
□12 窓（ア心　イ穴　ウ宀　エ厶）
□13 甲（ア口　イ十　ウ日　エ田）
□14 嘱（ア厶　イ尸　ウ口　エ冂）
□15 慕（ア大　イ⺗　ウ艹　エ日）
□16 遭（ア艹　イ二　ウ日　エ辶）
□17 籍（ア日　イ耒　ウ木　エ⺮）
□18 酔（ア酉　イ西　ウ十　エ乙）
□19 敢（ア攵　イ工　ウノ　エ耳）
□20 魂（ア田　イ儿　ウ鬼　エ厶）

目標正答率 80%
／48

標準解答

1 イ　2 ウ　3 ウ　4 ア　5 ウ　6 イ　7 ウ　8 ア　9 イ　10 ア

11 ア　12 イ　13 エ　14 ウ　15 イ　16 エ　17 エ　18 ア　19 ア　20 ウ

□ 21 雇（ア尸 イ隹 ウ戸 エ一）

□ 22 斗（ア斗 イ丨 ウ十 エ丶）

□ 23 殊（ア木 イ夕 ウ歹 エ二）

□ 24 瀬（ア頁 イ口 ウ木 エ氵）

□ 25 辛（ア十 イ立 ウ辛 エ亠）

□ 26 就（ア口 イ小 ウ亠 エ尤）

□ 27 興（ア冂 イ口 ウ臼 エ八）

□ 28 暫（ア日 イ斤 ウ十 エ車）

□ 29 既（ア儿 イ旡 ウ艮 エ禾）

□ 30 墾（ア爫 イ艮 ウ土 エ豸）

□ 31 募（ア艹 イ力 ウ日 エ大）

□ 32 削（ア亅 イ月 ウ刂 エ⺌）

□ 33 酵（ア西 イ耂 ウ子 エ酉）

□ 34 鶏（ア鳥 イ爫 ウ丿 エ大）

□ 35 遇（ア冂 イ厶 ウ田 エ辶）

□ 36 処（ア几 イ儿 ウ丿 エ一）

□ 37 老（ア土 イ匕 ウ丿 エ耂）

□ 38 賊（ア十 イ貝 ウ戈 エ弋）

□ 39 哲（ア十 イ斤 ウ扌 エ口）

□ 40 契（ア丰 イ大 ウ刀 エ人）

□ 41 赴（ア人 イ卜 ウ土 エ走）

□ 42 載（ア土 イ車 ウ弋 エ戈）

□ 43 菊（ア勹 イ木 ウ米 エ艹）

□ 44 邪（ア牙 イ丿 ウ二 エ阝）

□ 45 墓（ア土 イ艹 ウ大 エ日）

□ 46 廊（ア良 イ阝 ウ广 エ厂）

□ 47 廉（ア丶 イ厂 ウ八 エ广）

□ 48 獄（ア大 イ犭 ウ言 エ亠）

21	22	23	24	25	26	27	28	29	30	31	32	33	34
イ	ア	ウ	エ	ウ	エ	ウ	ア	イ	ウ	イ	ウ	エ	ア

35	36	37	38	39	40	41	42	43	44	45	46	47	48
エ	ア	エ	イ	エ	イ	エ	イ	エ	エ	ア	ウ	エ	イ

かならず押さえる！
頻出度 A

部首—③

※次の漢字の部首をア～エの中から選べ。

□1 焦（ア亻 イ匚 ウ隹 エ灬）
□2 翌（ア立 イ二 ウ羽 エ亠）
□3 某（ア日 イ甘 ウ十 エ木）
□4 勘（ア八 イ匚 ウ力 エ甘）
□5 霊（ア雨 イ二 ウ冖 エ一）
□6 蔵（ア艹 イ臣 ウ戈 エ厂）
□7 農（ア辰 イ曰 ウ二 エ厂）
□8 戦（ア⺍ イ戈 ウ十 エ曰）
□9 昇（ア十 イノ ウ日 エ廾）
□10 街（ア土 イ行 ウ亅 エ彳）

□11 免（ア刀 イ口 ウノ エ儿）
□12 罰（ア口 イ言 ウ罒 エ刂）
□13 岳（ア山 イノ ウ一 エ斤）
□14 縫（ア辶 イ糸 ウ十 エ夂）
□15 婿（ア疋 イ人 ウ月 エ女）
□16 幕（ア大 イ巾 ウ艹 エ曰）
□17 裂（ア刂 イ歹 ウ衣 エ亠）
□18 掛（ア十 イ土 ウ扌 エ卜）
□19 欺（ア八 イ欠 ウ人 エ甘）
□20 骨（ア冂 イ冖 ウ月 エ骨）

目標正答率 80%
／48

標準解答

1	2	3	4	5	6	7	8	9	10
エ	ウ	エ	ウ	ア	ア	ア	イ	ウ	イ

11	12	13	14	15	16	17	18	19	20
エ	ウ	ア	イ	エ	イ	ウ	ウ	イ	エ

□ 21 嬢（ア 女　イ 一　ウ 亠　エ 八）
□ 22 成（ア 厂　イ 弋　ウ 、　エ 戈）
□ 23 倣（ア 亠　イ 亻　ウ 方　エ 攵）
□ 24 裸（ア 日　イ 木　ウ 田　エ 衤）
□ 25 麦（ア 十　イ 夂　ウ 麦　エ 土）
□ 26 冗（ア 儿　イ ノ　ウ 几　エ 冖）
□ 27 房（ア 方　イ 戸　ウ 尸　エ 一）
□ 28 章（ア 立　イ 十　ウ 亠　エ 日）
□ 29 擁（ア 亠　イ 隹　ウ 扌　エ 幺）
□ 30 郊（ア 亠　イ 父　ウ 阝　エ 八）
□ 31 戯（ア 戈　イ 卜　ウ 弋　エ 虍）
□ 32 夏（ア 目　イ 自　ウ 夂　エ 一）
□ 33 犠（ア 羊　イ 王　ウ 牛　エ 戈）
□ 34 審（ア 禾　イ 田　ウ 宀　エ 冖）

□ 35 髪（ア 髟　イ 長　ウ 彡　エ 又）
□ 36 術（ア 彳　イ 十　ウ 小　エ 行）
□ 37 辞（ア 辛　イ 十　ウ 立　エ 舌）
□ 38 伐（ア 弋　イ 戈　ウ 亻　エ 、）
□ 39 漏（ア 雨　イ 尸　ウ 冂　エ 氵）
□ 40 諮（ア 言　イ 口　ウ 欠　エ 冫）
□ 41 案（ア 木　イ 宀　ウ 女　エ 十）
□ 42 零（ア 冖　イ 雨　ウ 𠆢　エ 、）
□ 43 鋳（ア 寸　イ 二　ウ 金　エ ノ）
□ 44 婆（ア 女　イ 皮　ウ 氵　エ 一）
□ 45 悦（ア 忄　イ 八　ウ 口　エ 儿）
□ 46 釈（ア 尸　イ 米　ウ 釆　エ 禾）
□ 47 突（ア 大　イ 宀　ウ 穴　エ 人）
□ 48 建（ア 二　イ 十　ウ 又　エ 廴）

21 ア　22 エ　23 イ　24 エ　25 ウ　26 エ　27 イ　28 ア　29 ウ　30 ウ　31 ア　32 ウ　33 ウ　34 ウ

35 ア　36 エ　37 ア　38 ウ　39 エ　40 ア　41 ア　42 イ　43 ウ　44 ア　45 ア　46 ウ　47 ウ　48 エ

かならず押さえる！

頻出度 A

熟語の構成——①

目標正答率 85%

／48

※熟語の構成には次のようなものがある。

ア 同じような意味の漢字を重ねたもの（例 岩石）
イ 反対または対応の意味を表す字を重ねたもの（例 高低）
ウ 上の字が下の字を修飾しているもの（例 洋画）
エ 下の字が上の字の目的語・補語となっているもの（例 着席）
オ 上の字が下の字の意味を打ち消しているもの（例 非常）

次の熟語はそのどれに当たるか、記号を記せ。

□ 1 佳境
□ 2 遭遇
□ 3 譲位
□ 4 移籍
□ 5 鶏卵
□ 6 未遂
□ 7 屈伸
□ 8 慰霊
□ 9 愛憎
□ 10 超越
□ 11 犠牲
□ 12 棄権
□ 13 起伏
□ 14 脅威
□ 15 緩急

標準解答

1 ウ 「おもしろい＋所（＝境）」と解釈する
2 ア どちらも「あう」の意
3 エ 「譲る←地位を」と解釈する
4 エ 「移す←籍を」と解釈する
5 ウ 「ニワトリの＋卵」と解釈する
6 オ 「まだできない←成し遂げることが」と解釈する
7 イ 「かがむ」⇕「のばす」の意
8 エ 「慰める←霊を」と解釈する
9 イ 「愛すること」⇕「憎むこと」の意
10 ア どちらも「こえる」の意
11 ア どちらも「いけにえ」の意
12 エ 「すてる←権利を」と解釈する
13 イ 「起きる」⇕「伏せる」の意
14 ア どちらも「おどす」の意
15 イ 「ゆるいこと」⇕「きびしいこと」の意

□16 添削
□17 悦楽
□18 未了
□19 乾湿
□20 正邪
□21 娯楽
□22 討伐
□23 出納
□24 粗密
□25 共謀
□26 盛衰

□27 検尿
□28 狩猟
□29 暫定
□30 炊飯
□31 隠匿
□32 登壇
□33 岐路
□34 錯誤
□35 抑揚
□36 免税
□37 摂取

□38 隔世
□39 鍛錬
□40 虚実
□41 鎮痛
□42 喫茶
□43 潜水
□44 鼻孔
□45 修繕
□46 巨匠
□47 択一
□48 無粋

16 イ 「添える」⇔「けずる」の意

17 ア どちらも「喜ぶ」の意

18 オ 「まだできない↑終わることが」と解釈する

19 イ 「乾き」⇔「湿り気」の意

20 イ 「正しいこと」⇔「悪いこと」の意

21 ア どちらも「たのしむ」の意

22 ア どちらも「敵をうち倒す」の意

23 イ 「出す」⇔「納める」の意

24 イ 「粗い」⇔「こまかい」の意

25 ウ 「共同で＋たくらむ」と解釈する

26 イ 「盛んになる」⇔「衰える」の意

27 エ 「検査する↑尿を」と解釈する

28 ア どちらも「動物をかる」の意

29 ウ 「しばらくの間＋定める」と解釈する

30 エ 「炊く↑ご飯を」と解釈する

31 ア どちらも「かくす」の意

32 エ 「登る↑壇上に」と解釈する

33 ウ 「ふたまたの＋路」と解釈する

34 ア どちらも「あやまり」の意

35 イ 「下げる」⇔「上げる」の意

36 エ 「免ずる↑税金を」と解釈する

37 ア どちらも「とる」の意

38 エ 「へだてる↑時代を」と解釈する

39 ア どちらも「きたえる」の意

40 イ 「作り事」⇔「真実」の意

41 エ 「しずめる↑痛みを」と解釈する

42 エ 「飲む↑茶を」と解釈する

43 エ 「もぐる↑水に」と解釈する

44 ウ 「鼻の＋あな」と解釈する

45 ア どちらも「つくろう」の意

46 ウ 「おおきな＋たくみ」と解釈する

47 エ 「えらぶ↑一つを」と解釈する

48 オ 「ない↑気がきくこと」と解釈する

熟語の構成―②

目標正答率85%
／48

※熟語の構成には次のようなものがある。

ア　同じような意味の漢字を重ねたもの（例　岩石）
イ　反対または対応の意味を表す字を重ねたもの（例　高低）
ウ　上の字が下の字を修飾しているもの（例　洋画）
エ　下の字が上の字の目的語・補語となっているもの（例　着席）
オ　上の字が下の字の意味を打ち消しているもの（例　非常）

次の熟語はそのどれに当たるか、記号を記せ。

□1　精粗
□2　猟犬
□3　鶏舎
□4　幼稚
□5　湿潤
□6　不審
□7　解凍
□8　墜落
□9　撮影
□10　不吉
□11　尊卑
□12　愚問
□13　翻意
□14　彼我
□15　出没

標準解答

1　イ　「精密な」⇔「粗雑な」の意
2　ウ　「猟に用いる＋犬」と解釈する
3　ウ　「ニワトリの＋小屋」と解釈する
4　ア　どちらも「子ども」の意
5　ア　どちらも「しめる」の意
6　オ　「ない↑確かでは」の意
7　エ　「解かす↑凍ったものを」と解釈する
8　ア　どちらも「おちる」の意
9　エ　「撮る↑影(＝映像)を」と解釈する
10　オ　「ない↑吉（＝めでたい）では」と解釈する
11　イ　「尊い」⇔「いやしい」の意
12　ウ　「愚かな＋質問」と解釈する
13　エ　「ひるがえす↑意を」と解釈する
14　イ　「相手」⇔「自分」の意
15　イ　「現れる」⇔「消える」の意

16 基礎
17 金塊
18 未知
19 締結
20 換言
21 脱獄
22 山岳
23 合掌
24 粘膜
25 安穏
26 捕鯨

27 駐車
28 疾走
29 惜別
30 蛮行
31 恥辱
32 佳作
33 濫用
34 鎮魂
35 昇降
36 抑圧
37 因果

38 既知
39 徐行
40 需給
41 夢幻
42 未完
43 聴講
44 減刑
45 去就
46 裸眼
47 倹約
48 無謀

16 ア どちらも「土台」の意
17 ウ 「金の＋かたまり」と解釈する
18 オ 「まだできていない↑知ることが」と解釈する
19 ア どちらも「むすぶ」の意
20 エ 「変える↑ことばを」と解釈する
21 エ 「脱する↑監獄を」と解釈する
22 ア どちらも「やま」の意
23 エ 「合わせる↑手のひらを」と解釈する
24 ウ 「粘り気のある＋膜」と解釈する
25 ア どちらも「おだやか」の意
26 エ 「捕獲する↑鯨を」と解釈する

27 エ 「とどめておく↑車を」と解釈する
28 ウ 「はやく＋走る」と解釈する
29 エ 「惜しむ↑別れを」と解釈する
30 ウ 「野蛮な＋行い」と解釈する
31 ア どちらも「はずかしめる」の意
32 ウ 「すばらしい＋作品」と解釈する
33 ウ 「むやみに＋用いる」と解釈する
34 エ 「しずめる↑魂を」と解釈する
35 イ 「のぼる」⇕「降りる」の意
36 ア どちらも「おさえつける」の意
37 イ 「原因」⇕「結果」の意

38 ウ 「既に＋知っている」と解釈する
39 ウ 「ゆっくり＋行く」と解釈する
40 イ 「需要」⇕「供給」の意
41 ア どちらも「実体のないもの」の意
42 オ 「まだできていない↑完成することが」と解釈する
43 エ 「聴く↑講義を」と解釈する
44 エ 「減ずる↑刑を」と解釈する
45 イ 「去る」⇕「就く」の意
46 ウ 「眼鏡などをつけていない＋眼」と解釈する
47 ア どちらも「引きしめる」の意
48 オ 「ない↑深い考えが」と解釈する

かならず押さえる！
頻出度 A

熟語の構成――③

目標正答率 85%
／48

※熟語の構成には次のようなものがある。

ア　同じような意味の漢字を重ねたもの（例　岩石）
イ　反対または対応の意味を表す字を重ねたもの（例　高低）
ウ　上の字が下の字を修飾しているもの（例　洋画）
エ　下の字が上の字の目的語・補語となっているもの（例　着席）
オ　上の字が下の字の意味を打ち消しているもの（例　非常）

次の熟語はそのどれに当たるか、記号を記せ。

□1 未明
□2 遵法
□3 丘陵
□4 伴奏
□5 惜春
□6 不滅
□7 吉凶
□8 哀歓
□9 栄辱
□10 選択
□11 芳香
□12 遭難
□13 養豚
□14 禁猟
□15 霊魂

標準解答

1 オ「まだできていない←明けることが」と解釈する
2 エ「遵守する←法を」と解釈する
3 ア どちらも「おか」の意
4 ウ「ともなう＋かなでる」と解釈する
5 エ「惜しむ←春を」と解釈する
6 オ「ない←滅びること が」と解釈する
7 イ「めでたいこと」⇔「悪いこと」の意
8 イ「かなしみ」⇔「よろこび」の意
9 イ「栄誉」⇔「恥辱」の意
10 ア どちらも「えらび出す」の意
11 ウ「かんばしい＋香り」と解釈する
12 エ「出あう←難に」と解釈する
13 エ「飼育する←豚を」と解釈する
14 エ「禁ずる←狩猟を」と解釈する
15 ア どちらも「たましい」の意

16 不遇
17 解雇
18 後悔
19 不穏
20 引率
21 潔癖
22 譲歩
23 賢愚
24 長幼
25 伸縮
26 緩慢

27 終了
28 濫発
29 海賊
30 抱擁
31 孤島
32 赴任
33 昇格
34 催眠
35 気孔
36 養鶏
37 厳封

38 入籍
39 強奪
40 除湿
41 排他
42 廉価
43 粗食
44 休憩
45 浮沈
46 栄冠
47 賞罰
48 稚魚

16 オ 「ない↑(好機に)遭遇することが」の意
17 エ 「解除する↑雇用を」と解釈する
18 ウ 「後の＋悔い」と解釈する
19 オ 「ない↑穏やかでは」と解釈する
20 ア どちらも「ひきいる」の意
21 ウ 「清潔にする＋くせ」と解釈する
22 エ 「ゆずる↑歩みを」と解釈する
23 イ 「賢者」⇕「おろか者」の意
24 イ 「年上」⇕「年下」の意
25 イ 「伸びる」⇕「縮む」の意
26 ア どちらも「ゆるやか」の意

27 ア どちらも「おわる」の意
28 ウ 「みだりに(=濫)＋発行する」と解釈する
29 ウ 「海の＋盗賊」と解釈する
30 ア どちらも「いだく」の意
31 ウ 「孤立した＋島」と解釈する
32 エ 「赴く↑任地に」と解釈する
33 エ 「あげる↑格式を」と解釈する
34 エ 「もよおす↑眠気を」と解釈する
35 ウ 「空気の＋あな」と解釈する
36 エ 「飼育する↑ニワトリを」と解釈する
37 ウ 「厳重に＋封をする」と解釈する

38 エ 「入れる↑籍を」と解釈する
39 ウ 「強引に＋奪取する」と解釈する
40 エ 「取り除く↑湿気を」と解釈する
41 エ 「受け入れない↑他を」と解釈する
42 ウ 「安い＋価格」と解釈する
43 ウ 「粗末な＋食事」と解釈する
44 ア どちらも「やすむ」の意
45 イ 「浮く」⇕「沈む」の意
46 ウ 「はえある＋かんむり」と解釈する
47 イ 「ほめられる」⇕「罰せられる」の意
48 ウ 「子どもの＋魚」と解釈する

頻出度

A

漢字識別—①

目標正答率90%

／24

※三つの□に共通する漢字を□の中から選んで熟語を作り、記号で答えよ。

□1 □衆・傍□・傾□

□2 □護・抱□・□壁

□3 □入・□印・完□

□4 討□・征□・濫□

□5 □要・大□・□略

ア伐　イ概　ウ悦　エ閲　オ擁
カ慰　キ聴　ク哀　ケ封　コ詠

□6 無□・陰□・共□

□7 略□・□取・□回

□8 □念・正□・□心

□9 空□・□構・□弱

□10 □名・秘□・隠□

ア謀　イ虚　ウ乙　エ邪　オ匿
カ欧　キ宴　ク炎　ケ殴　コ奪

標準解答

1 キ 聴
2 オ 擁
3 ケ 封
4 ア 伐
5 イ 概
6 ア 謀
7 コ 奪
8 エ 邪
9 イ 虚
10 オ 匿

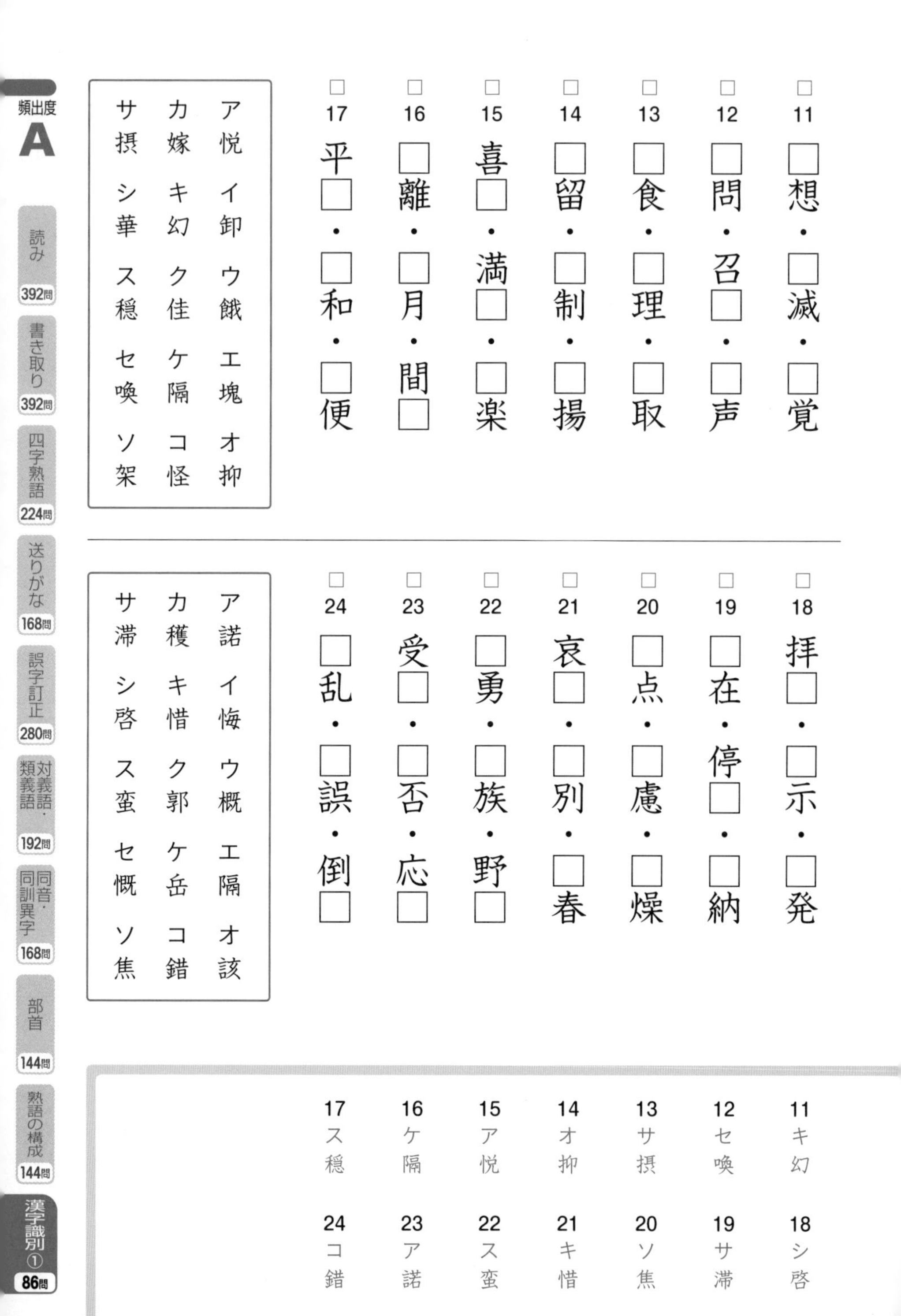

□11 □想・□滅・□覚
□12 □問・召□・□声
□13 □食・□理・□取
□14 □留・□制・□揚
□15 喜□・満□・□楽
□16 □離・□月・間□
□17 平□・□和・□便

ア 悦　イ 卸　ウ 餓　エ 塊　オ 抑
カ 嫁　キ 幻　ク 佳　ケ 隔　コ 怪
サ 摂　シ 華　ス 穏　セ 喚　ソ 架

□18 拝□・□示・□発
□19 □在・停□・□納
□20 □点・□慮・□燥
□21 哀□・□別・□春
□22 □勇・□族・野□
□23 受□・□否・応□
□24 □乱・□誤・倒□

ア 諾　イ 悔　ウ 概　エ 隔　オ 該
カ 穫　キ 惜　ク 郭　ケ 岳　コ 錯
サ 滞　シ 啓　ス 蛮　セ 概　ソ 焦

11 キ 幻
12 セ 喚
13 サ 摂
14 オ 抑
15 ア 悦
16 ケ 隔
17 ス 穏

18 シ 啓
19 サ 滞
20 ソ 焦
21 キ 惜
22 ス 蛮
23 ア 諾
24 コ 錯

かならず押さえる！
頻出度
A

漢字識別─②

※三つの□に共通する漢字を□の中から選んで熟語を作り、記号で答えよ。

□ 1 □鎖・□入・密□
□ 2 □無・空□・□心
□ 3 □行・□声・南□
□ 4 □敗・愛□・□別
□ 5 □願・□訴・悲□

ア 冠　イ 蛮　ウ 喚　エ 虚　オ 哀
カ 封　キ 惜　ク 滑　ケ 掛　コ 勘

□ 6 □代・□木・□床
□ 7 皆□食・□刊・□成
□ 8 □化・生□・強□
□ 9 □因・□惑・□致
□ 10 配□・□然・□像

ア 誘　イ 敢　ウ 苗　エ 硬　オ 貫
カ 換　キ 偶　ク 肝　ケ 緩　コ 既

目標正答率 90%

／24

標準解答

1 カ 封
2 エ 虚
3 イ 蛮
4 キ 惜
5 オ 哀
6 ウ 苗
7 コ 既
8 エ 硬
9 ア 誘
10 キ 偶

□ 11 合□・□握・職□

□ 12 負□・□権・国□

□ 13 □留・□労・□謝料

□ 14 □免・容□・恩□

□ 15 □落・□却・沈□

□ 16 内□・□議・□失

□ 17 □亡・破□・□私

ア 棄　イ 掌　ウ 既　エ 赦　オ 棋
カ 欺　キ 滅　ク 慰　ケ 忌　コ 企
サ 債　シ 軌　ス 没　セ 騎　ソ 紛

□ 18 □料・□装・□布

□ 19 採□・選□・□一

□ 20 □舎・養□・闘□

□ 21 処□・境□・遭□

□ 22 清□・□除・□討

□ 23 平□・潜□・□流

□ 24 果□・勇□・□行

ア 遇　イ 伏　ウ 脅　エ 菊　オ 峡
カ 犠　キ 鶏　ク 択　ケ 敢　コ 虐
サ 吉　シ 掃　ス 喫　セ 塗　ソ 虚

---

11 イ 掌
12 サ 債
13 ク 慰
14 エ 赦
15 ス 没
16 ソ 紛
17 キ 滅

18 セ 塗
19 ク 択
20 キ 鶏
21 ア 遇
22 シ 掃
23 イ 伏
24 ケ 敢

かならず押さえる！
頻出度 A

漢字識別—③

※三つの□に共通する漢字を□の中から選んで熟語を作り、記号で答えよ。

□ 1 回□・□客・□慮

□ 2 □留・常□・□車

□ 3 交□・□金・変□

□ 4 □斥・□除・□気

□ 5 清□・□価・□直

ア 凝　イ 駐　ウ 愚　エ 緊　オ 偶
カ 顧　キ 廉　ク 排　ケ 換　コ 斤

□ 6 □走・潤□・□車

□ 7 勇□・□然・□行

□ 8 □芸・□器・□酔

□ 9 □示・□載・前□

□ 10 □物・奇□・□力

ア 刑　イ 遇　ウ 桑　エ 契　オ 滑
カ 掲　キ 啓　ク 敢　ケ 陶　コ 怪

目標正答率 90%
／38

標準解答

1 カ 顧
2 イ 駐
3 ケ 換
4 ク 排
5 キ 廉
6 オ 滑
7 ク 敢
8 ケ 陶
9 カ 掲
10 コ 怪

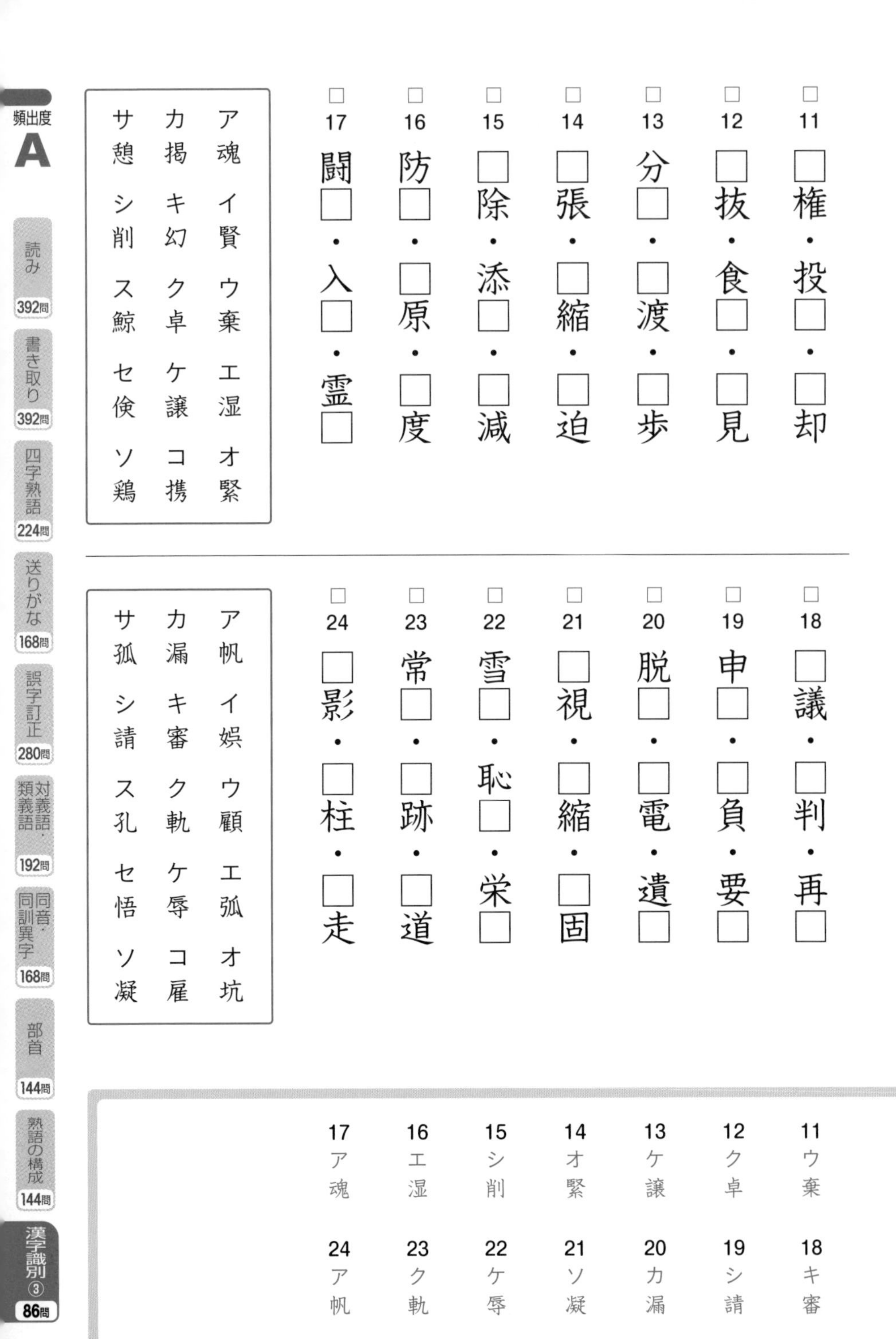

□ 11 □権・投□・□却

□ 12 □抜・食□・□見

□ 13 分□・□渡・□歩

□ 14 □張・□縮・□迫

□ 15 □除・添□・□減

□ 16 防□・□原・□度

□ 17 闘□・入□・霊□

ア 魂　イ 賢　ウ 棄　エ 湿　オ 緊
カ 掲　キ 幻　ク 卓　ケ 譲　コ 携
サ 憩　シ 削　ス 鯨　セ 倹　ソ 鶏

□ 18 □議・□判・再□

□ 19 申□・□負・要□

□ 20 脱□・□電・遺□

□ 21 □視・□縮・□固

□ 22 雪□・恥□・栄□

□ 23 常□・□跡・□道

□ 24 □影・□柱・□走

ア 帆　イ 娯　ウ 顧　エ 弧　オ 坑
カ 漏　キ 審　ク 軌　ケ 辱　コ 雇
サ 孤　シ 請　ス 孔　セ 悟　ソ 凝

---

11 ウ 棄
12 ク 卓
13 ケ 譲
14 オ 緊
15 シ 削
16 エ 湿
17 ア 魂

18 キ 審
19 シ 請
20 カ 漏
21 ソ 凝
22 ケ 辱
23 ク 軌
24 ア 帆

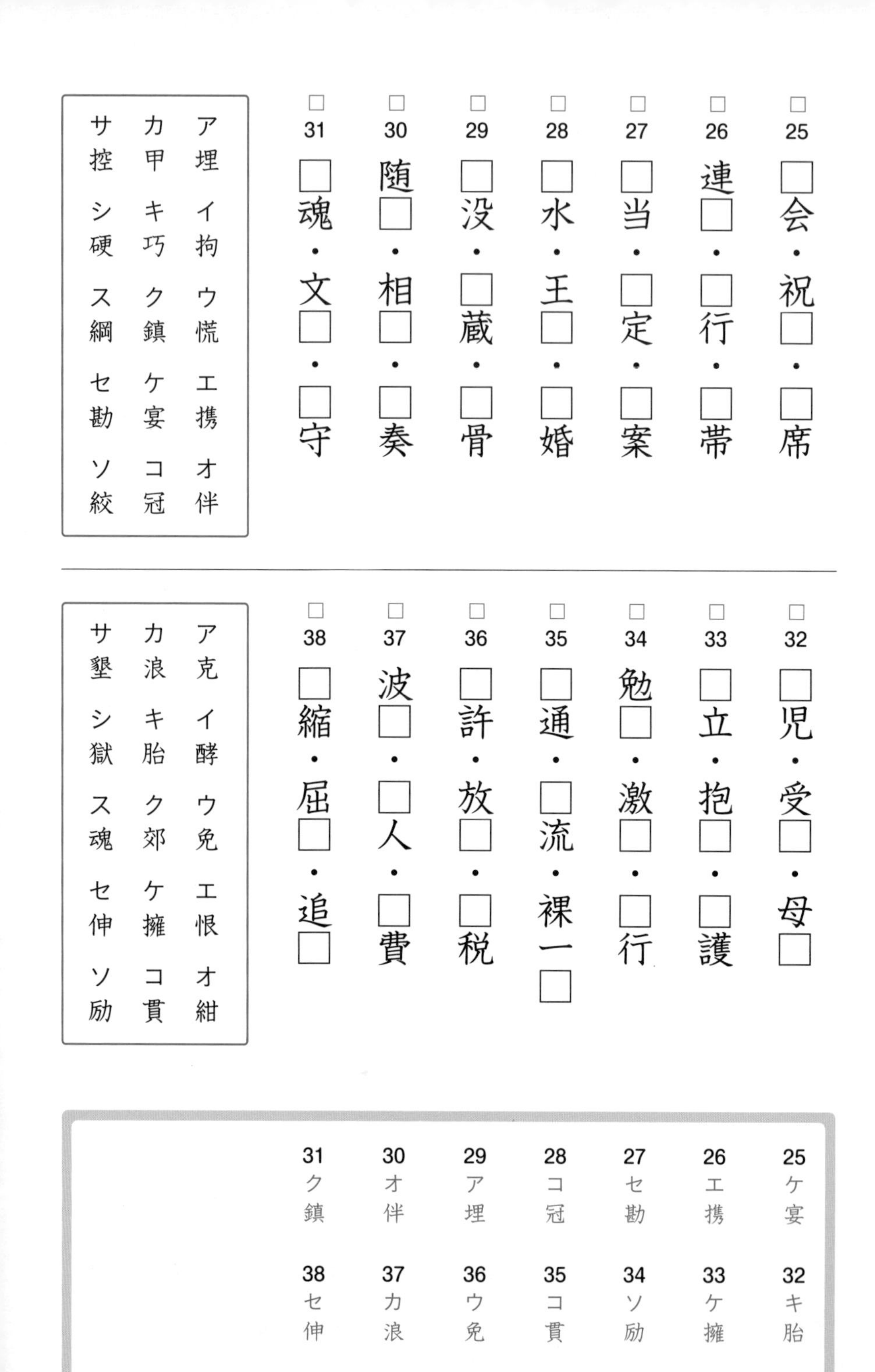

25 □会・祝□・□席

26 連□・□行・□帯

27 □当・□定・□案

28 □水・王□・□婚

29 □没・□蔵・□骨

30 随□・相□・□奏

31 □魂・文□・□守

ア 埋　イ 拘　ウ 慌　エ 携　オ 伴
カ 甲　キ 巧　ク 鎮　ケ 宴　コ 冠
サ 控　シ 硬　ス 綱　セ 勘　ソ 絞

---

32 □児・受□・母□

33 □立・抱□・□護

34 勉□・激□・□行

35 □通・□流・裸一□

36 □許・放□・□税

37 波□・□人・□費

38 □縮・屈□・追□

ア 克　イ 酵　ウ 免　エ 恨　オ 紺
カ 浪　キ 胎　ク 郊　ケ 擁　コ 貫
サ 墾　シ 獄　ス 魂　セ 伸　ソ 励

---

25 ケ 宴
26 エ 携
27 セ 勘
28 コ 冠
29 ア 埋
30 オ 伴
31 ク 鎮

32 キ 胎
33 ケ 擁
34 ソ 励
35 コ 貫
36 ウ 免
37 カ 浪
38 セ 伸

合否の分かれ目！

重要問題 1494

第2章

頻出度 B

合否の分かれ目！
頻出度
B
読み―①

※次の――線の読みをひらがなで記せ。

□ 1 **老婆心**ながら言わせてもらおう。
□ 2 今夜は合宿恒例の**肝試**し大会だ。
□ 3 **賢明**な判断が功を奏した。
□ 4 激しい**虚脱**感に襲われる。
□ 5 子供を**託児**所に預けて出社する。
□ 6 古い経済システムが**崩壊**した。
□ 7 訪問先の天気**概況**を確認する。
□ 8 **香辛料**を加えて味を調える。
□ 9 会場は**緊迫**した空気に包まれた。
□ 10 通気穴がふさがれ**窒息**しかけた。
□ 11 新聞に**匿名**で投書する。
□ 12 数々の困難を**克服**する。
□ 13 こちらの非を認め**陳謝**した。
□ 14 一帯は**埋蔵**文化財の宝庫とされる。
□ 15 悩んだ末に契約を**破棄**する。
□ 16 **鶏舎**で産まれた卵を集める。
□ 17 図書館の本をうっかり**延滞**する。
□ 18 痛ましい事故の**犠牲**になった。
□ 19 暴徒の乱入を**阻止**する。
□ 20 **近郊**農業の歴史を調べる。
□ 21 道路が三つに**分岐**している。
□ 22 業績不振で従業員を**解雇**する。
□ 23 **膨大**な資料に頭を抱える。
□ 24 三つの作品は**類似**している。

目標正答率 95%
／56

標準解答

1 ろうばしん
2 きもだめ
3 けんめい
4 きょだつ
5 たくじ
6 ほうかい
7 がいきょう
8 こうしんりょう
9 きんぱく
10 ちっそく
11 とくめい
12 こくふく
13 ちんしゃ
14 まいぞう
15 はき
16 けいしゃ
17 えんたい
18 ぎせい
19 そし
20 きんこう
21 ぶんき
22 かいこ
23 ぼうだい
24 るいじ

□25 **浅瀬**をさがして対岸に渡ろう。
□26 自治会長への就任を**要請**する。
□27 **既**に決まっている規則だ。
□28 行動が不自然で**怪**しい。
□29 十分な練習を積んで試合に**臨**む。
□30 **暖炉**の前で編み物をする。
□31 **金塊**を厳重に保管する。
□32 犯人の**逮捕**に協力する。
□33 失業して**耐乏**を余儀なくされた。
□34 繁華街の一角で雑貨を**商**う。
□35 メダカの**稚魚**を小川に放した。
□36 暴漢に**殴**られて気絶した。
□37 彼との出会いは**衝撃**だった。
□38 **粘着**テープで補修する。
□39 平安時代に**鋳造**された大仏だ。
□40 いわれのない**恥辱**を受ける。

□41 汗が**滝**のように流れた。
□42 犯人はホテルに**潜伏**していた。
□43 風で稲の**穂先**が揺れている。
□44 **随分**長いこと留守にしている。
□45 冷やご飯を**蒸**す。
□46 富か名声かの二者**択一**を迫られる。
□47 専門学校で**彫金**を学ぶ。
□48 **穏健**な路線で政治を行う。
□49 文章が**生硬**でこなれていない。
□50 **浪費**をなくして財政を健全化する。
□51 町の名士が**宴席**に連なる。
□52 関係者から事情を**聴**く。
□53 大臣一派は第二王子を**擁立**した。
□54 準備**万端**整ったところだ。
□55 お菓子をもらえてご**満悦**だ。
□56 四人の証言は細部まで**符合**した。

25 あさせ
26 ようせい
27 すで
28 あや
29 のぞ
30 だんろ
31 きんかい
32 たいほ
33 たいぼう
34 あきな
35 ちぎょ
36 なぐ
37 しょうげき
38 ねんちゃく
39 ちゅうぞう
40 ちじょく
41 たき
42 せんぷく
43 ほさき
44 ずいぶん
45 む
46 たくいつ
47 ちょうきん
48 おんけん
49 せいこう
50 ろうひ
51 えんせき
52 き
53 ようりつ
54 ばんたん
55 まんえつ
56 ふごう

読み① 224問
書き取り 224問
四字熟語 168問
送りがな 112問
誤字訂正 224問
対義語・類義語 144問
同音・同訓異字 168問
部首 96問
熟語の構成 96問
漢字識別 38問

合否の分かれ目！

頻出度 B

読み―②

※次の――線の読みをひらがなで記せ。

□ 1 お気に入りの作家の**随想**を読む。
□ 2 **衝動**的に買ってしまった。
□ 3 見事な**鋳造**技術の持ち主だ。
□ 4 **粘着**力が強いシールだ。
□ 5 昔ながらの**炉端**に心がなごむ。
□ 6 配送貨物が**滞留**している。
□ 7 雨が上がったばかりで**湿度**が高い。
□ 8 この雑誌は**暴露**記事が売り物だ。
□ 9 物語に**伏線**が敷かれる。
□ 10 本件の**概略**は次のとおりです。
□ 11 信号機の設置を求めて**陳情**する。
□ 12 国際大会は**隔年**で開催される。
□ 13 若者の**雇用**の確保が急務だ。
□ 14 修行で武道の**神髄**を極める。
□ 15 壁に薬剤を**塗布**する。
□ 16 **愛憎**相半ばする複雑な胸中だ。
□ 17 他部署と**連携**して作業を進める。
□ 18 調査を専門業者に**委託**する。
□ 19 三年ぶりに王座を**奪回**した。
□ 20 細胞が**分裂**を繰り返す。
□ 21 **偶発**的な要因で大事故になった。
□ 22 ヨットが強風にあおられ**転覆**した。
□ 23 **甲高**い声でまくしたてる。
□ 24 実権を**掌中**に収める。

目標正答率 95%

／56

標準解答

1 ずいそう
2 しょうどう
3 ちゅうぞう
4 ねんちゃく
5 ろばた
6 たいりゅう
7 しつど
8 ばくろ
9 ふくせん
10 がいりゃく
11 ちんじょう
12 かくねん
13 こよう
14 しんずい
15 とふ
16 あいぞう
17 れんけい
18 いたく
19 だっかい
20 ぶんれつ
21 ぐうはつ
22 てんぷく
23 かんだか
24 しょうちゅう

□25 出かける前に**戸締**まりをする。
□26 **赤裸々**な告白に胸を打たれる。
□27 警備員が正門に**錠**をかける。
□28 交番に警官が**常駐**している。
□29 人知れず**漂泊**の旅に出た。
□30 滝に打たれて**邪念**を払う。
□31 転んでひざに**擦過傷**を負った。
□32 自分の考えに重大な**錯誤**があった。
□33 党首が度重なる説得に**翻意**した。
□34 **精魂**込めて仏像を彫りあげる。
□35 統率力のある先輩に**心酔**する。
□36 実用化にはあと三年**程**かかる。
□37 **墨絵**や水彩画が展示されている。
□38 **次第**に空がしらんできた。
□39 学者も顔負けの**該博**な知識を持つ。
□40 **素潜**りでアワビやサザエを採る。
□41 意表を突く演出に**度肝**を抜かれた。
□42 **虚飾**に満ちた生活から脱却する。
□43 **陶器**の大皿をかまで焼き上げる。
□44 届いたばかりの手紙を**開封**する。
□45 登山者が**雪崩**に巻き込まれる。
□46 日本画の**巨匠**に弟子入りする。
□47 新聞社がスポーツ大会を**主催**する。
□48 **先賢**の残した教えを深く心に刻む。
□49 **幽玄**な舞で観客を魅了した。
□50 造成した宅地を**分譲**する。
□51 おいしい郷土料理を**胃袋**に収めた。
□52 輸入代金を**基軸**通貨で決済した。
□53 文中の不要な表現を**削除**する。
□54 **抽選**で海外旅行が当たった。
□55 病気に冒されて**幻覚**が現れる。
□56 相手の申し出を**受諾**する。

25 とじ
26 せきらら
27 じょう
28 じょうちゅう
29 ひょうはく
30 じゃねん
31 さっかしょう
32 さくご
33 ほんい
34 せいこん
35 しんすい
36 ほど
37 すみえ
38 しだい
39 がいはく
40 すもぐ
41 どぎも
42 きょしょく
43 とうき
44 かいふう
45 なだれ
46 きょしょう
47 しゅさい
48 せんけん
49 ゆうげん
50 ぶんじょう
51 いぶくろ
52 きじく
53 さくじょ
54 ちゅうせん
55 げんかく
56 じゅだく

合否の分かれ目！
頻出度
B

読み—③

※次の——線の読みをひらがなで記せ。

□1 リビングに**北欧**の家具を置く。
□2 たくましい**商魂**を見せつけた。
□3 新製品が売れずに**落胆**した。
□4 人口減少で地場産業が**衰微**する。
□5 夢と現実が**交錯**する。
□6 彼の発言は**穏当**でない。
□7 従来の**概念**を覆す新説だ。
□8 終始**一貫**して平和を主張する。
□9 強大な権力に**屈伏**せざるを得ない。
□10 **鎮痛剤**を服用して床に就いた。
□11 図書館に置いてある本を**濫読**する。
□12 長年のご**愛顧**に感謝いたします。
□13 成功の**幻影**を追い求める。
□14 何の**変哲**もない意見ばかりだ。
□15 和食に**西欧**の文化を取り入れる。
□16 家業が傾き実家が**零落**した。
□17 取引先と正式な**契約**書を交わす。
□18 世知辛い世の中に**慨嘆**する。
□19 **不吉**な事が起こる予感がする。
□20 **意匠**を凝らした工芸品の数々だ。
□21 晴れて支店長に**昇格**した。
□22 **篤学**の士が集まって議論する。
□23 **横綱**の名に恥じない圧巻の優勝だ。
□24 **湾内**ではホタテの養殖が盛んだ。

目標正答率 95%
／56

標準解答

1 ほくおう
2 しょうこん
3 らくたん
4 すいび
5 こうさく
6 おんとう
7 がいねん
8 いっかん
9 くっぷく
10 ちんつうざい
11 らんどく
12 あいこ
13 げんえい
14 へんてつ
15 せいおう
16 れいらく
17 けいやく
18 がいたん
19 ふきつ
20 いしょう
21 しょうかく
22 とくがく
23 よこづな
24 わんない

□ 25 探検隊が野生動物に**遭遇**した。
□ 26 **老婆**が民話を語った。
□ 27 **吹雪**で登頂を断念した。
□ 28 料理は得意だが**裁縫**は苦手だ。
□ 29 車内の混雑に**窒息**しそうだ。
□ 30 **滅相**もないことを言う。
□ 31 当事者が事件の真相を**暴露**した。
□ 32 事務所に**匿名**の手紙が届いた。
□ 33 事態は**緊迫**の度合いを深めている。
□ 34 **笑**みを浮かべながら話す。
□ 35 雨が上がって**蒸**してきた。
□ 36 これ以上の**譲歩**はできない。
□ 37 純粋なエキスを**抽出**した。
□ 38 成績が**停滞**したままだ。
□ 39 **恐悦**至極に存じます。
□ 40 職人が腕を**競**い合う。

□ 41 障害を**克服**して社会復帰を果たす。
□ 42 金の**埋蔵**量が豊富な鉱山だ。
□ 43 スキーで斜面を**滑**りおりる。
□ 44 食事の時間も**惜**しんで研究する。
□ 45 戦乱に巻き込まれて国が**滅亡**した。
□ 46 朝顔のつるが**伸**びる。
□ 47 誤って**角膜**を傷つける。
□ 48 人生の**哀歓**を描いた小説だ。
□ 49 集団内で**巧妙**に立ち回る。
□ 50 他の**追随**を許さない能力だ。
□ 51 目標を達成するまで酒を**断**つ。
□ 52 **湿**った話はごめんだ。
□ 53 **発酵**食品は体にいい。
□ 54 歴史を訪ねて**街道**を行く。
□ 55 夕空に寺院の**鐘**の音が響く。
□ 56 彼の**審美眼**には定評がある。

25 そうぐう
26 ろうば
27 ふぶき
28 さいほう
29 ちっそく
30 めっそう
31 ばくろ
32 とくめい
33 きんぱく
34 え
35 む
36 じょうほ
37 ちゅうしゅつ
38 ていたい
39 きょうえつ
40 きそ
41 こくふく
42 まいぞう
43 すべ
44 お
45 めつぼう
46 の
47 かくまく
48 あいかん
49 こうみょう
50 ついずい
51 た
52 しめ
53 はっこう
54 かいどう
55 かね
56 しんびがん

合否の分かれ目！
頻出度
B
読み—④

※次の——線の読みをひらがなで記せ。

□ 1 権威に屈しない**侍**だ。
□ 2 梅雨入りし**湿潤**な気候が続く。
□ 3 社内の**内紛**に巻き込まれる。
□ 4 国民から**敬慕**されている王様だ。
□ 5 事故の負傷者を**担架**で運ぶ。
□ 6 連日の寒波で川が**凍結**する。
□ 7 海岸にヨットが**漂着**した。
□ 8 **吉凶**は人によりて日によらず。
□ 9 ハードルの**間隔**を測る。
□ 10 **緩慢**な対応に不満を募らせる。
□ 11 敵の拠点に**殴**り込みをかける。
□ 12 一族の**栄華**が急速に衰えた。
□ 13 歌手の美声が聴衆を**魅了**した。
□ 14 しがらみに**縛**られたくない。
□ 15 上空で**凝結**して雨となる。
□ 16 **一斤**は約六百グラムに相当する。
□ 17 万事**遺漏**なきよう手配する。
□ 18 専門用語を平易な表現に**換言**する。
□ 19 **華麗**な装飾が施されている。
□ 20 議論の場で**気炎**をあげる。
□ 21 事後処理は**速**やかにすべきだ。
□ 22 工場の**誘致**に成功した。
□ 23 長時間の作業で筋肉が**硬直**する。
□ 24 彼らは文武両面で**競**い合った。

目標正答率 95%
／56

標準解答

1 さむらい
2 しつじゅん
3 ないふん
4 けいぼ
5 たんか
6 とうけつ
7 ひょうちゃく
8 きっきょう
9 かんかく
10 かんまん
11 なぐ
12 えいが
13 みりょう
14 しば
15 ぎょうけつ
16 いっきん
17 いろう
18 かんげん
19 かれい
20 きえん
21 すみ
22 ゆうち
23 こうちょく
24 きそ

頻出度 B

読み④ 224問

□ 25 冷たい**湿布**で痛みを抑える。
□ 26 子どもの**潜在**的な能力を引き出す。
□ 27 企画は**随時**募集しています。
□ 28 **粗相**のないよう注意する。
□ 29 下手な**冗談**で座が白ける。
□ 30 予算の**削減**は避けられない。
□ 31 **胎児**は順調に育っている。
□ 32 ブランド物の**類似**品に注意する。
□ 33 **空虚**な発言にがっかりする。
□ 34 産みたての**鶏卵**で料理を作る。
□ 35 **画壇**から作風が高く評価される。
□ 36 森林の無計画な**伐採**に反対する。
□ 37 不安のタネを**一掃**する。
□ 38 重い病気で床に**伏**す。
□ 39 将来は**福祉**の道に進みたい。
□ 40 **隆盛**を極めたのも今は昔だ。
□ 41 犠牲者の**魂**を慰める。
□ 42 目線の高さに商品を**陳列**する。
□ 43 水道管が突然**破裂**した。
□ 44 恩師の忠言を**肝**にめいじる。
□ 45 城のあった場所に**礎石**だけが残る。
□ 46 複雑**怪奇**な事件を解決する。
□ 47 **徐行**運転で角を曲がる。
□ 48 山菜の天ぷらを**揚**げる。
□ 49 車の**塗装**がはげる。
□ 50 自然の**摂理**には逆らえない。
□ 51 **笑顔**は接客の基本だ。
□ 52 景気の**浮揚**対策が急務だ。
□ 53 国会は予算を**審議**する。
□ 54 発育を**阻害**する因子をさがす。
□ 55 聞いて極楽見て**地獄**。
□ 56 ご飯がふっくらと**炊**けている。

25 しっぷ
26 せんざい
27 ずいじ
28 そそう
29 じょうだん
30 さくげん
31 たいじ
32 るいじ
33 くうきょ
34 けいらん
35 がだん
36 ばっさい
37 いっそう
38 ふ
39 ふくし
40 りゅうせい
41 たましい
42 ちんれつ
43 はれつ
44 きも
45 そせき
46 かいき
47 じょこう
48 あ
49 とそう
50 せつり
51 えがお
52 ふよう
53 しんぎ
54 そがい
55 じごく
56 た

合否の分かれ目！

頻出度

B

書き取り―①

目標正答率 80%

／56

※次の――線のカタカナを漢字に直せ。

□ 1 遅刻して仕事に**シショウ**を来す。
□ 2 掃除機でゴミを**キュウイン**する。
□ 3 おさげ髪の**ニア**う少女だ。
□ 4 毎日、**フッキン**をきたえる。
□ 5 犯罪をみずから**ハクジョウ**した。
□ 6 その提案には**サンドウ**できない。
□ 7 不勉強を**ツウセツ**に実感する。
□ 8 不十分な箇所を**ホソク**する。
□ 9 失敗した**ワケ**を話した。
□ 10 美しい**シセイ**で座っている。
□ 11 不運にもおみくじで**キョウ**を引く。
□ 12 **コ**った料理を友人に振る舞う。
□ 13 一晩寝かせて**ハッコウ**を促す。
□ 14 **ケンポウ**を巡る議論が熱を帯びる。
□ 15 **ユウシュウ**な社員が多く在籍する。
□ 16 時代の**フウチョウ**を反映した事件だ。
□ 17 **ヤバン**な行為だと非難される。
□ 18 ごま油で旬の野菜を**ア**げる。
□ 19 計画の見直しは**ケンメイ**な判断だ。
□ 20 食費を**ケンヤク**して家計を助ける。
□ 21 十分に加熱して食中毒を**フセ**ぐ。
□ 22 **カタドオ**りの演説にあくびが出た。
□ 23 記録的な**コウスイ**量を観測する。
□ 24 ダムの建設に異議を**トナ**える。

標準解答

1 支障
2 吸引
3 似合
4 腹筋
5 白状
6 賛同
7 痛切
8 補足
9 訳
10 姿勢
11 凶
12 凝
13 発酵
14 憲法
15 優秀
16 風潮
17 野蛮
18 揚
19 賢明
20 倹約
21 防
22 型通
23 降水
24 唱

☐ 25 **ネンド**を使って工作をする。
☐ 26 **ワタクシゴト**に立ち入る気はない。
☐ 27 **ミヨ**りのない高齢者の世話をする。
☐ 28 電力の**セツゲン**に努める。
☐ 29 図書館に資料を**ショゾウ**している。
☐ 30 **キズグスリ**を常備する。
☐ 31 **ヒゲキ**的な恋愛を描いた小説だ。
☐ 32 食事の前には必ず手を**アラ**う。
☐ 33 時代遅れの**セイド**を見直す。
☐ 34 両者の力の差は**レキゼン**だ。
☐ 35 村祭りは地域の重要な**ゴラク**だ。
☐ 36 要望にこたえようと**ホネオ**る。
☐ 37 **スナオ**な気持ちになれない。
☐ 38 地球的**キボ**で環境問題を考える。
☐ 39 会計監査で横領が**ハッカク**した。
☐ 40 **トウショ**から赤字経営だった。

☐ 41 器械体操では**テツボウ**が苦手だ。
☐ 42 **トウブン**のとりすぎに注意する。
☐ 43 高音にグラスが**キョウメイ**する。
☐ 44 息子が社会に**スダ**つときが来た。
☐ 45 理由を聞いて**ナットク**した。
☐ 46 あまりの欲深さに**ゼック**した。
☐ 47 長い交際の末に**ニュウセキ**をした。
☐ 48 体にこもった熱を**ハッサン**させる。
☐ 49 **ガリュウ**でも見事なできばえだ。
☐ 50 独立は**ナマヤサ**しいものではない。
☐ 51 **タンジョウ**祝いに時計をもらう。
☐ 52 空調装置で**カイテキ**な室温を保つ。
☐ 53 大木の下で**アマヤド**りした。
☐ 54 人類の文化**イサン**を後世に残す。
☐ 55 羊の群れを**マキバ**に放す。
☐ 56 **オサナ**いころの思い出をたどる。

25 粘土
26 私事
27 身寄
28 節減
29 所蔵
30 傷薬
31 悲劇
32 洗
33 制度
34 歴然
35 娯楽
36 骨折
37 素直
38 規模
39 発覚
40 当初

41 鉄棒
42 糖分
43 共鳴
44 巣立
45 納得
46 絶句
47 入籍
48 発散
49 我流
50 生易
51 誕生
52 快適
53 雨宿
54 遺産
55 牧場
56 幼

合否の分かれ目！

頻出度

B

書き取り—②

※次の——線のカタカナを漢字に直せ。

□1 世界**イサン**に登録される。
□2 妙技に大きな**ハクシュ**が送られた。
□3 次回の放送内容を**ヨコク**する。
□4 浜辺で**カンショウ**的な気分になる。
□5 **スナオ**な態度が愛される。
□6 室内の温度を一定に**イジ**する。
□7 **マドベ**に花を飾る。
□8 そんな説明では**ナットク**できない。
□9 盆は実家に**キセイ**する。
□10 犯した**ツミ**をつぐなう。
□11 車内は広くて**カイテキ**だ。
□12 仕事の**フタン**を軽くする。
□13 発売**トウショ**から爆発的に売れた。
□14 急な知らせに**ゼック**した。
□15 休憩地点で**トウブン**を補給する。
□16 全国的**キボ**の組織になる。
□17 攻めの経営姿勢が**ウラメ**に出た。
□18 **ホネオ**り損のくたびれもうけだ。
□19 安全を**ネントウ**において作業する。
□20 **ホガ**らかな人柄で皆に好かれる。
□21 使い方を**カンリャク**に説明する。
□22 **ソウリョク**をあげて応援する。
□23 遠くから笛の**ネ**が聞こえてきた。
□24 **ゲンセン**した商品を陳列する。

目標正答率 80%

標準解答

1 遺産
2 拍手
3 予告
4 感傷
5 素直
6 維持
7 窓辺
8 納得
9 帰省
10 罪
11 快適
12 負担
13 当初
14 絶句
15 糖分
16 規模
17 裏目
18 骨折
19 念頭
20 朗
21 簡略
22 総力
23 音
24 厳選

□25 テマネきして弟を呼ぶ。
□26 表面のほこりをキュウチャクする。
□27 緊急地震ソクホウが流れてきた。
□28 専門学校でシカクを取った。
□29 両者の考えはニカヨっている。
□30 数値の違いはゴサの範囲だ。
□31 火事はカシツによるものだった。
□32 皇帝がオウカンをのせている。
□33 シタウちして悔しがる。
□34 畑にヒリョウをまく。
□35 医療分野でギョウセキを残す。
□36 職人としてのジフがある。
□37 新政権をジュリツした。
□38 上司のショウダクが必要だ。
□39 朝から歩きどおしでツカれた。
□40 昨夜から雨がハゲしく降っている。

□41 会のソンゾクを願う声が高まる。
□42 リンジョウ感あふれる映像だ。
□43 友人と肩をナラべて歩く。
□44 地域にミッチャクした企業だ。
□45 点からスイチョクに線を引く。
□46 エースのシンカが問われる試合だ。
□47 新発売の自動車をセンデンする。
□48 ヘビを見てセスジが寒くなる。
□49 日本列島をジュウダンする。
□50 目標の達成はナマヤサしくはない。
□51 手洗いをして、かぜをヨボウする。
□52 きれいなホウソウ紙でくるむ。
□53 カイマク戦のチケットを手配する。
□54 口がタッシャで信用できない。
□55 失礼な態度にリップクする。
□56 ガラスに細かいチョウコクを施す。

25 手招
26 吸着
27 速報
28 資格
29 似通
30 誤差
31 過失
32 王冠
33 舌打
34 肥料
35 業績
36 自負
37 樹立
38 承諾
39 疲
40 激

41 存続
42 臨場
43 並
44 密着
45 垂直
46 真価
47 宣伝
48 背筋
49 縦断
50 生易
51 予防
52 包装
53 開幕
54 達者
55 立腹
56 彫刻

合否の分かれ目！

頻出度

B

書き取り―③

目標正答率 80%

／56

※次の――線のカタカナを漢字に直せ。

□ 1 ヨウシより中身のほうが大切だ。
□ 2 趣味でハイクをたしなむ。
□ 3 ふとんをマルアラいする。
□ 4 ツミを憎んで人を憎まず。
□ 5 海外動向にコオウして民衆が立ち上がる。
□ 6 大臣がフンキザみで仕事をこなす。
□ 7 空調セツビが整った部屋だ。
□ 8 師匠の恩にムクいることができた。
□ 9 必死のギョウソウで自転車をこぐ。
□ 10 ツウカイな冒険小説に夢中になる。
□ 11 取締役の不正がハッカクする。
□ 12 全員のサンドウを得て決定した。
□ 13 タンジョウ日を祝う。
□ 14 贈り物を青い紙でホウソウした。
□ 15 親のチュウコクに耳を傾ける。
□ 16 体操競技のテツボウが得意だ。
□ 17 日照り続きで作物がカれた。
□ 18 表示器のランプがテンメツする。
□ 19 金もうけ主義のフウチョウがある。
□ 20 法律をセンモンに学ぶ。
□ 21 キソクを守ってください。
□ 22 彼はキヨく澄んだ心の持ち主だ。
□ 23 大量のサツタバが発見された。
□ 24 コウソウビルから街をながめる。

標準解答

1 容姿
2 俳句
3 丸洗
4 罪
5 呼応
6 分刻
7 設備
8 報
9 形相
10 痛快
11 発覚
12 賛同
13 誕生
14 包装
15 忠告
16 鉄棒
17 枯
18 点滅
19 風潮
20 専門
21 規則
22 清
23 札束
24 高層

□ 25 道路をさらに**エンチョウ**する。

□ 26 **クビスジ**にいたみが走った。

□ 27 **コゼニ**を持って縁日に出かける。

□ 28 トンボの**ヒョウホン**を作った。

□ 29 宇宙**タンサ**機を打ち上げる。

□ 30 出生率の**トウケイ**をみる。

□ 31 優れた**ズノウ**の持ち主だ。

□ 32 **メンシキ**のない赤の他人だ。

□ 33 勝手に決めるとは**オウボウ**だ。

□ 34 仕事がやっと**カタヅ**いた。

□ 35 毎日早朝の散歩で健康を**タモ**つ。

□ 36 鳥のひなが**スダ**つときが来た。

□ 37 事業を成功に**ミチビ**いた。

□ 38 合否判定の**シャクド**を決める。

□ 39 代表選の**コウホ**者が出そろう。

□ 40 **ヒ**めた思いを手紙にしたためる。

□ 41 左手に**ユビワ**をはめる。

□ 42 会議の進行に**シショウ**をきたす。

□ 43 学生の抗議活動に**キョウメイ**する。

□ 44 だまって従うのが**トクサク**だ。

□ 45 事故の**サイハツ**を防止する。

□ 46 問題の解決には**ホドトオ**い。

□ 47 **カンケツ**にわかりやすく伝える。

□ 48 **ケイカイ**なステップを踏む。

□ 49 チーズに対する**カゼイ**額を検討する。

□ 50 才能に対する**ジフ**がある。

□ 51 あしき**カンシュウ**を断つ。

□ 52 **シセイ**を正して授業を受ける。

□ 53 日記を読んで**カンショウ**に浸る。

□ 54 **ワケ**もなく涙がこぼれた。

□ 55 古い日本画を**ホシュウ**する。

□ 56 駅が**キセイ**客でごった返す。

25	26	27	28	29	30	31	32	33	34	35	36	37	38	39	40
延長	首筋	小銭	標本	探査	統計	頭脳	面識	横暴	片付	保	巣立	導	尺度	候補	秘

41	42	43	44	45	46	47	48	49	50	51	52	53	54	55	56
指輪	支障	共鳴	得策	再発	程遠	簡潔	軽快	課税	自負	慣習	姿勢	感傷	訳	補修	帰省

合否の分かれ目！
頻出度
B

書き取り ④

※次の――線のカタカナを漢字に直せ。

□ 1 家の壁を**ホシュウ**する。
□ 2 舞台**ソウチ**を組み立てる。
□ 3 **ヨウシ**の整った美男子だ。
□ 4 テレビの音に**コオウ**して振動する。
□ 5 **ハイク**は十七音が定型だ。
□ 6 失敗を認めるのが**トクサク**だ。
□ 7 小型機の**ソウジュウ**を教わる。
□ 8 かばんを**サグ**って財布を取り出す。
□ 9 孫の顔を**カタトキ**も忘れない。
□ 10 **ケイカイ**な足取りで踊る。
□ 11 彼は**ソウサク**料理が上手だ。
□ 12 子馬が**マキバ**を駆けていく。
□ 13 あまりのしつこさに**コンマ**けした。
□ 14 速やかに**デンタツ**してください。
□ 15 実家で犬を三匹**カ**っている。
□ 16 常識を**コンテイ**からくつがえす事実だ。
□ 17 運動会で**キバ**戦の大将をつとめた。
□ 18 軒先を借りて**アマヤド**りする。
□ 19 商品の製作**カテイ**を公開する。
□ 20 努力不足を**ツウセツ**に感じた。
□ 21 おいしさで**ヒョウバン**の店です。
□ 22 **ギョウセキ**が順調に伸びている。
□ 23 情報の**デンタツ**を素早く行う。
□ 24 選手団が**シュクシャ**に到着した。

目標正答率 80%

／56

標準解答

1 補修
2 装置
3 容姿
4 呼応
5 俳句
6 得策
7 操縦
8 探
9 片時
10 軽快
11 創作
12 牧場
13 根負
14 伝達
15 飼
16 根底
17 騎馬
18 雨宿
19 過程
20 痛切
21 評判
22 業績
23 伝達
24 宿舎

□25 代議士が**ガイトウ**でマイクを握る。
□26 **ザッカ**店で置物を買う。
□27 解決しにくい**アンケン**を担当する。
□28 試合前に気を**フル**い立たせる。
□29 栄養をサプリメントで**オギナ**う。
□30 **ウメボ**しには防腐効果がある。
□31 春は草木が**メバ**える季節だ。
□32 郵便局で**コヅツミ**を送る。
□33 役所に相談窓口を**モウ**ける。
□34 著名な絵画の前に人が**ムラ**がった。
□35 部活動を**ヤ**めて受験勉強に専念する。
□36 本社を東京に**ウツ**す。
□37 すぐに**ショチ**する必要がある。
□38 災害に**ソナ**えて訓練を重ねる。
□39 美技に**カンシュウ**が言葉を失う。
□40 野生動物の**イトナ**みを記録する。

□41 駅までの**オウフク**に十五分かかる。
□42 相手の失策を必要以上に**セ**める。
□43 恐怖で寿命が**チヂ**まる思いだった。
□44 集団生活で社会性を**ヤシナ**う。
□45 被告の有罪の**カクショウ**をつかむ。
□46 自作の詩を**ロウドク**する。
□47 **ガリュウ**の生け花を展示する。
□48 **カンジュク**したトマトを料理する。
□49 会社の服務規程に**ソム**いた。
□50 新入生の**インソツ**をひき受ける。
□51 処分場の計画に**ダンコ**として反対する。
□52 **ヨコナラ**びをよしとする風潮だ。
□53 竹の**ウツワ**に和菓子を入れる。
□54 困っている友人に手を**カ**す。
□55 選挙で対立**コウホ**を立てる。
□56 強風がおさまるまで**タイキ**する。

25 街頭
26 雑貨
27 案件
28 奮
29 補
30 梅干
31 芽生
32 小包
33 設
34 群
35 辞
36 移
37 処置
38 備
39 観衆
40 営

41 往復
42 責
43 縮
44 養
45 確証
46 朗読
47 我流
48 完熟
49 背
50 引率
51 断固
52 横並
53 器
54 貸
55 候補
56 待機

読み 224問
書き取り④ 224問
四字熟語 168問
送りがな 112問
誤字訂正 224問
対義語・類義語 144問
同音・同訓異字 168問
部首 96問
熟語の構成 96問
漢字識別 38問

合否の分かれ目！
頻出度
B

四字熟語——①

目標正答率
書き取り75%
／56

※次の——線のカタカナを漢字に直し、四字熟語を完成させよ。

□ 1 ソッセン垂範〔人に先立って模範を示すこと〕
□ 2 イキ揚々〔勢いがあって誇らしげな様子〕
□ 3 シュウジン環視〔大勢が取りまいて見ている状態〕
□ 4 ギシン暗鬼〔うたがうあまり、何事も不安に思うこと〕
□ 5 一病ソクサイ〔持病が多少あるくらいの方が、かえって長生きするということ〕
□ 6 一枚カンバン〔大勢の中における中心人物〕
□ 7 コウロン卓説〔たいへん優れた意見や議論〕
□ 8 同床イム〔同じ仲間でも目的などが違うたとえ〕
□ 9 ムミ乾燥〔内容がなくおもしろみもないこと〕
□ 10 無罪ホウメン〔無罪とわかった人を自由の身にすること〕
□ 11 トウイ即妙〔状況に応じ即座に機転をきかせるさま〕
□ 12 千紫バンコウ〔色とりどりの花が咲くこと〕
□ 13 キュウタイ依然〔昔のまま進歩や変化がないさま〕
□ 14 遠隔ソウサ〔離れたところからあやつること〕
□ 15 ダンイ飽食〔物質的に満ち足りた生活〕
□ 16 条件ハンシャ〔ある前提の下で無意識に反応すること〕
□ 17 ハクラン強記〔書物に親しみ知識が豊富なこと〕
□ 18 ヘンゲン隻句〔ひと言ふた言のわずかな言葉〕
□ 19 天変チイ〔自然界に起こる災害や信じられない大異変〕
□ 20 ランシン賊子〔国をみだす悪臣と親にそむく子ども〕
□ 21 面従フクハイ〔服従するふりをして心では反抗すること〕
□ 22 チョクジョウ径行〔周囲を意に介せず思うまま行動すること〕
□ 23 コジ来歴〔物事の由来や歴史〕
□ 24 多岐ボウヨウ〔方針が多すぎて選択に迷うたとえ〕

標準解答

1 率先垂範（そっせんすいはん）
2 意気揚揚（々）（いきようよう）
3 衆人環視（しゅうじんかんし）
4 疑心暗鬼（ぎしんあんき）
5 一病息災（いちびょうそくさい）
6 一枚看板（いちまいかんばん）
7 高論卓説（こうろんたくせつ）
8 同床異夢（どうしょういむ）
9 無味乾燥（むみかんそう）
10 無罪放免（むざいほうめん）
11 当意即妙（とういそくみょう）
12 千紫万紅（せんしばんこう）
13 旧態依然（きゅうたいいぜん）
14 遠隔操作（えんかくそうさ）
15 暖衣飽食（だんいほうしょく）
16 条件反射（じょうけんはんしゃ）
17 博覧強記（はくらんきょうき）
18 片言隻句（へんげんせきく）
19 天変地異（てんぺんちい）
20 乱臣賊子（らんしんぞくし）
21 面従腹背（めんじゅうふくはい）
22 直情径行（ちょくじょうけいこう）
23 故事来歴（こじらいれき）
24 多岐亡羊（たきぼうよう）

☐ 25 進取カカン〔自ら進んで、大胆に物事を行う様子〕
☐ 26 栄枯セイスイ〔栄えることと、おとろえること〕
☐ 27 ヒンコウ方正〔正しく整っていること〕
☐ 28 千載イチグウ〔またとない好機〕
☐ 29 無為トショク〔日々無駄に過ごすこと〕
☐ 30 困苦ケツボウ〔生活のための金や物がなくて苦しむこと〕
☐ 31 フワ雷同〔他人の言動に軽々しく同調すること〕
☐ 32 一挙リョウトク〔一つのことで同時に二つの利益を得ること〕
☐ 33 カイダイ無双〔並ぶものがないほど優れていること〕
☐ 34 白砂セイショウ〔美しい海岸の景色のこと〕
☐ 35 危急ソンボウ〔生き残りをかけた瀬戸ぎわのこと〕
☐ 36 意味シンチョウ〔言葉や行動の奥に含みがあること〕
☐ 37 コウキ到来〔うってつけのチャンスが訪れること〕
☐ 38 異口ドウオン〔大勢が口をそろえて同じことを言うこと〕
☐ 39 キキ一髪〔きわめてあぶない状態〕
☐ 40 熟慮ダンコウ〔よく考え思い切っておこなうこと〕

☐ 41 驚天ドウチ〔世間を大いに驚かせること〕
☐ 42 諮問キカン〔意見を求めるために編成されたしくみ〕
☐ 43 コブ激励〔ふるい起こして気を引き立たせること〕
☐ 44 コウザイ疾足〔才能と手腕に恵まれていること〕
☐ 45 孤軍フントウ〔一人で懸命に敵とたたかうこと〕
☐ 46 アッコウ雑言〔散々に人をののしること、その言葉〕
☐ 47 不朽フメツ〔いつまでも滅びないこと〕
☐ 48 カンコン葬祭〔一般に行われる伝統的な慶弔の儀式〕
☐ 49 イッショク即発〔非常に緊迫した状態〕
☐ 50 天下ムソウ〔天下に並ぶ者がいないこと〕
☐ 51 鶏口ギュウゴ〔大国に従うより小国の王のほうがよいこと〕
☐ 52 胆大シンショウ〔度胸がよく注意は細心なこと〕
☐ 53 老成エンジュク〔経験を積み人格などが豊かになること〕
☐ 54 有為テンペン〔この世の物事が常に移ろうこと〕
☐ 55 オウキュウ措置〔間に合わせの処理や対応〕
☐ 56 ジュウオウ無尽〔自由自在に振る舞う様子〕

25 進取果敢（しんしゅかかん）
26 栄枯盛衰（えいこせいすい）
27 品行方正（ひんこうほうせい）
28 千載一遇（せんざいいちぐう）
29 無為徒食（むいとしょく）
30 困苦欠乏（こんくけつぼう）
31 付和雷同（ふわらいどう）
32 一挙両得（いっきょりょうとく）
33 海内無双（かいだいむそう）
34 白砂青松（はくしゃ（さ）せいしょう）
35 危急存亡（ききゅうそんぼう）
36 意味深長（いみしんちょう）
37 好機到来（こうきとうらい）
38 異口同音（いくどうおん）
39 危機一髪（ききいっぱつ）
40 熟慮断行（じゅくりょだんこう）

41 驚天動地（きょうてんどうち）
42 諮問機関（しもんきかん）
43 鼓舞激励（こぶげきれい）
44 高材疾足（こうざいしっそく）
45 孤軍奮闘（こぐんふんとう）
46 悪口雑言（あっこうぞうごん）
47 不朽不滅（ふきゅうふめつ）
48 冠婚葬祭（かんこんそうさい）
49 一触即発（いっしょくそくはつ）
50 天下無双（てんかむそう）
51 鶏口牛後（けいこうぎゅうご）
52 胆大心小（たんだいしんしょう）
53 老成円熟（ろうせいえんじゅく）
54 有為転変（ういてんぺん）
55 応急措置（おうきゅうそち）
56 縦横無尽（じゅうおうむじん）

合否の分かれ目！
頻出度
B
四字熟語―②

※次の――線のカタカナを漢字に直し、四字熟語を完成させよ。

- □ 1 天変チイ〔自然界に起こる災害や信じられない大異変〕
- □ 2 波及コウカ〔波のように影響が広がっていくこと〕
- □ 3 フクザツ多岐〔多方面に分かれ込み入っている〕
- □ 4 ジュウオウ無尽〔自由自在に振る舞う様子〕
- □ 5 新陳タイシャ〔新しいものが古いものと入れ替わる〕
- □ 6 ギシン暗鬼〔うたがうあまり、何事も不安に思う〕
- □ 7 故事ライレキ〔物事の由来や歴史〕
- □ 8 コリツ無援〔ひとりぼっちで頼るものがない様子〕
- □ 9 ダンイ飽食〔物質的に満ち足りた生活〕
- □ 10 支離メツレツ〔まとまりがなく、物事の道理が通っていないこと〕
- □ 11 キキュウ存亡〔生き残りをかけた瀬戸ぎわのこと〕
- □ 12 熟慮ダンコウ〔よく考え思い切っておこなうこと〕
- □ 13 鯨飲バショク〔一度にたくさん飲み食いすること〕
- □ 14 有為テンペン〔この世の物事が常に移ろうこと〕
- □ 15 漫言ホウゴ〔好き勝手に言い散らすこと〕
- □ 16 ロウセイ円熟〔経験を積み人格などが豊かなこと〕
- □ 17 ショセツ紛紛〔いろいろな意見が出て、まとまらないこと〕
- □ 18 同エイキョク〔見かけはともかく内容は同じ〕
- □ 19 ソッセン垂範〔人に先立って模範を示すこと〕
- □ 20 一石ニチョウ〔一度に二つの利益を得ることのたとえ〕
- □ 21 タイギ名分〔行動の根拠になる正当な理由〕
- □ 22 サイショク兼備〔女性が才能と容姿に恵まれること〕
- □ 23 イミ深長〔言葉や行動の奥に含みがあること〕
- □ 24 シュウジン環視〔大勢が取りまいて見ている状態〕

目標正答率
書き取り75%

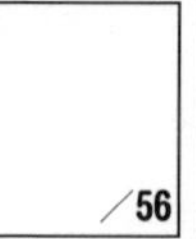
／56

標準解答

1 天変地異（てんぺんちい）
2 波及効果（はきゅうこうか）
3 複雑多岐（ふくざつたき）
4 縦横無尽（じゅうおうむじん）
5 新陳代謝（しんちんたいしゃ）
6 疑心暗鬼（ぎしんあんき）
7 故事来歴（こじらいれき）
8 孤立無援（こりつむえん）
9 暖衣飽食（だんいほうしょく）
10 支離滅裂（しりめつれつ）
11 危急存亡（ききゅうそんぼう）
12 熟慮断行（じゅくりょだんこう）
13 鯨飲馬食（げいいんばしょく）
14 有為転変（ういてんぺん）
15 漫言放語（まんげんほうご）
16 老成円熟（ろうせいえんじゅく）
17 諸説紛紛(々)（しょせつふんぷん）
18 同工異曲（どうこういきょく）
19 率先垂範（そっせんすいはん）
20 一石二鳥（いっせきにちょう）
21 大義名分（たいぎめいぶん）
22 才色兼備（さいしょくけんび）
23 意味深長（いみしんちょう）
24 衆人環視（しゅうじんかんし）

□25 コウロン卓説〔非常に優れた意見や議論〕
□26 理路セイゼン〔話や考えの筋道がよく通っている〕
□27 首尾イッカン〔最初から最後まで態度が変わらないこと〕
□28 理非キョクチョク〔正しいことと間違っていること〕
□29 無罪ホウメン〔無罪とわかった人を自由の身にする〕
□30 千紫バンコウ〔色とりどりの花が咲くこと〕
□31 不眠フキュウ〔休まずにずっと事に当たるさま〕
□32 人気ゼッチョウ〔世間の人に最高潮に持てはやされること〕
□33 一日センシュウ〔大変待ち遠しいことのたとえ〕
□34 薄志ジャッコウ〔意志がよわく行動力に欠けること〕
□35 異口ドウオン〔大勢が口をそろえて同じことを言うこと〕
□36 トウダイ随一〔その時代の一番であること〕
□37 権謀ジュッスウ〔人をあざむくための策略〕
□38 ユウモウ果敢〔勇ましくて、決断力があること〕
□39 コウキ到来〔うってつけのチャンスが訪れること〕
□40 二者タクイツ〔二つの事柄のどちらかを選ぶこと〕

□41 イキ消沈〔元気を失いしょげてしまうこと〕
□42 キエン万丈〔意気盛んであること〕
□43 キュウタイ依然〔昔のまま進歩や変化がないさま〕
□44 威信カイフク〔威光が元に戻ること〕
□45 潜在イシキ〔心の奥に潜む無自覚な領域〕
□46 遠隔ソウサ〔離れたところからあやつること〕
□47 博覧キョウキ〔書物に親しみ知識が豊富なこと〕
□48 ヘンゲン隻語〔ひと言ふた言のわずかな言葉〕
□49 応急ショチ〔とりいそぎ、しのぐための手当て〕
□50 シンシン気鋭〔新しく登場して勢いが盛んなこと〕
□51 直情ケイコウ〔自分の思った通りにふるまうこと〕
□52 メンジュウ腹背〔服従するふりをして心では反抗すること〕
□53 一意センシン〔一つのことのみに集中すること〕
□54 治乱コウボウ〔国がよく治まることと乱れること〕
□55 センガク非才〔学識があさく才能の乏しいこと〕
□56 同床イム〔仲間でも意見や目的が違うこと〕

25 高論卓説（こうろんたくせつ）
26 理路整然（りろせいぜん）
27 首尾一貫（しゅびいっかん）
28 理非曲直（りひきょくちょく）
29 無罪放免（むざいほうめん）
30 千紫万紅（せんしばんこう）
31 不眠不休（ふみんふきゅう）
32 人気絶頂（にんきぜっちょう）
33 一日千秋（いちじつせんしゅう）
34 薄志弱行（はくしじゃっこう）
35 異口同音（いくどうおん）
36 当代随一（とうだいずいいち）
37 権謀術数（けんぼうじゅっすう）
38 勇猛果敢（ゆうもうかかん）
39 好機到来（こうきとうらい）
40 二者択一（にしゃたくいつ）

41 意気消沈（いきしょうちん）
42 気炎万丈（きえんばんじょう）
43 旧態依然（きゅうたいいぜん）
44 威信回復（いしんかいふく）
45 潜在意識（せんざいいしき）
46 遠隔操作（えんかくそうさ）
47 博覧強記（はくらんきょうき）
48 片言隻語（へんげんせきご）
49 応急処置（おうきゅうしょち）
50 新進気鋭（しんしんきえい）
51 直情径行（ちょくじょうけいこう）
52 面従腹背（めんじゅうふくはい）
53 一意専心（いちいせんしん）
54 治乱興亡（ちらんこうぼう）
55 浅学非才（せんがくひさい）
56 同床異夢（どうしょういむ）

合否の分かれ目!

頻出度

B

四字熟語――③

目標正答率
書き取り75%

／56

※次の――線のカタカナを漢字に直し、四字熟語を完成させよ。

- □ 1 ヘンゲン隻句〔ひと言ふた言のわずかな言葉〕
- □ 2 多岐ボウヨウ〔方針が多すぎて選択に迷うたとえ〕
- □ 3 フクザツ多岐〔多方面に分かれ込み入っていること〕
- □ 4 キキ一髪〔きわめてあぶない状態〕
- □ 5 天変チイ〔自然界に起こる災害や信じられない大異変〕
- □ 6 老成エンジュク〔経験を積み人格などが豊かなこと〕
- □ 7 オウキュウ処置〔とりいそぎ、しのぐための手当て〕
- □ 8 ソウジョウ作用〔二つのものが影響を及ぼしあうこと〕
- □ 9 エイキュウ不変〔いつまでも変わらないこと〕
- □ 10 一石ニチョウ〔一度に二つの利益を得ることのたとえ〕
- □ 11 文明カイカ〔世の中の文化水準が高まっていくこと〕
- □ 12 タンシン赴任〔家族を残し一人で任地に転居すること〕
- □ 13 一視ドウジン〔すべての人に平等に接すること〕
- □ 14 ブツジョウ騒然〔世間の様子が騒がしいこと〕
- □ 15 隔世イデン〔祖先の形質が三世代以降に現れる現象〕
- □ 16 コウジョ良俗〔社会の秩序と善良ならわし〕
- □ 17 ジゴ承諾〔物事が済んでから了承を得ること〕
- □ 18 正当ボウエイ〔不当な侵害から身を守る加害行為〕
- □ 19 シソウ堅固〔主義や主張を固く守って変えないこと〕
- □ 20 シカイ同胞〔世界中の人々が仲がよいこと〕
- □ 21 シュカク転倒〔順序や立場などが逆転すること〕
- □ 22 ブンジン墨客〔詩文や書画などに携わる芸術家〕
- □ 23 百家ソウメイ〔様々な立場の人が自由に議論すること〕
- □ 24 無為シゼン〔何もせずあるがままにまかせること〕

標準解答

1 片言隻句（へんげんせきく）
2 多岐亡羊（たきぼうよう）
3 複雑多岐（ふくざつたき）
4 危機一髪（ききいっぱつ）
5 天変地異（てんぺんちい）
6 老成円熟（ろうせいえんじゅく）
7 応急処置（おうきゅうしょち）
8 相乗作用（そうじょうさよう）
9 永久不変（えいきゅうふへん）
10 一石二鳥（いっせきにちょう）
11 文明開化（ぶんめいかいか）
12 単身赴任（たんしんふにん）
13 一視同仁（いっしどうじん）
14 物情騒然（ぶつじょうそうぜん）
15 隔世遺伝（かくせいいでん）
16 公序良俗（こうじょりょうぞく）
17 事後承諾（じごしょうだく）
18 正当防衛（せいとうぼうえい）
19 志操堅固（しそうけんご）
20 四海同胞（しかいどうほう）
21 主客転倒（しゅかく（きゃく）てんとう）
22 文人墨客（ぶんじんぼっかく（きゃく））
23 百家争鳴（ひゃっかそうめい）
24 無為自然（むいしぜん）

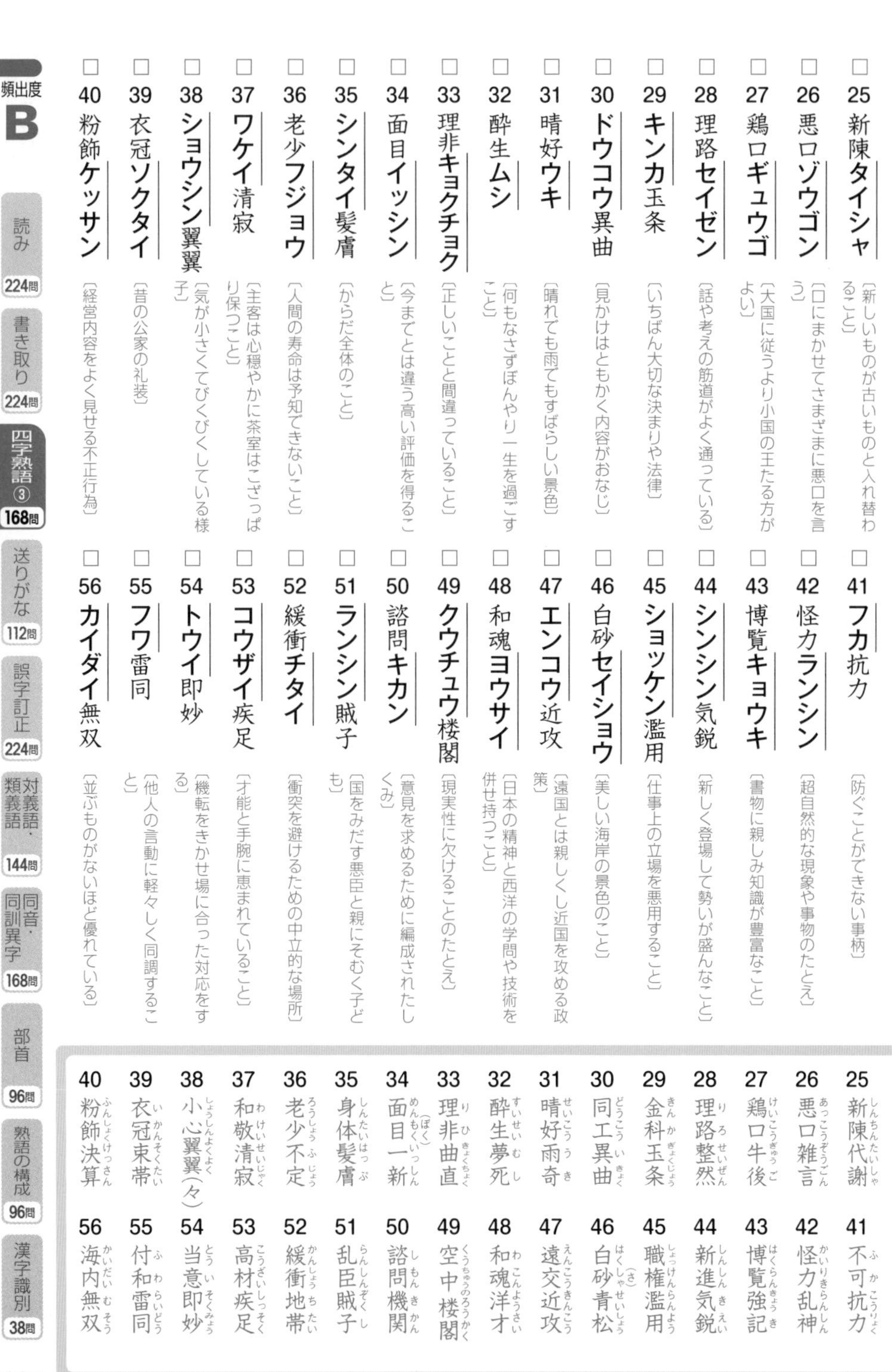

□25 新陳タイシャ〔新しいものが古いものと入れ替わること〕
□26 悪口ゾウゴン〔口にまかせてさまざまに悪口を言う〕
□27 鶏口ギュウゴ〔大国に従うより小国の王たる方がよい〕
□28 理路セイゼン〔話や考えの筋道がよく通っている〕
□29 キンカ玉条〔いちばん大切な決まりや法律〕
□30 ドウコウ異曲〔見かけはともかく内容がおなじ〕
□31 晴好ウキ〔晴れでも雨でもすばらしい景色〕
□32 酔生ムシ〔何もなさずぼんやり一生を過ごすこと〕
□33 理非キョクチョク〔正しいことと間違っていること〕
□34 面目イッシン〔今までとは違う高い評価を得ること〕
□35 シンタイ髪膚〔からだ全体のこと〕
□36 老少フジョウ〔人間の寿命は予知できないこと〕
□37 ワケイ清寂〔主客は心穏やかに茶室はこざっぱり保つこと〕
□38 ショウシン翼翼〔気が小さくてびくびくしている様子〕
□39 衣冠ソクタイ〔昔の公家の礼装〕
□40 粉飾ケッサン〔経営内容をよく見せる不正行為〕
□41 フカ抗力〔防ぐことができない事柄〕
□42 怪力ランシン〔超自然的な現象や事物のたとえ〕
□43 博覧キョウキ〔書物に親しみ知識が豊富なこと〕
□44 シンシン気鋭〔新しく登場して勢いが盛んなこと〕
□45 ショッケン濫用〔仕事上の立場を悪用すること〕
□46 白砂セイショウ〔美しい海岸の景色のこと〕
□47 エンコウ近攻〔遠国とは親しくし近国を攻める政策〕
□48 和魂ヨウサイ〔日本の精神と西洋の学問や技術を併せ持つこと〕
□49 クウチュウ楼閣〔現実性に欠けることのたとえ〕
□50 諮問キカン〔意見を求めるために編成されたしくみ〕
□51 ランシン賊子〔国をみだす悪臣と親にそむく子ども〕
□52 緩衝チタイ〔衝突を避けるための中立的な場所〕
□53 コウザイ疾足〔才能と手腕に恵まれていること〕
□54 トウイ即妙〔機転をきかせ場に合った対応をする〕
□55 フワ雷同〔他人の言動に軽々しく同調すること〕
□56 カイダイ無双〔並ぶものがないほど優れている〕

25 新陳代謝（しんちんたいしゃ）
26 悪口雑言（あっこうぞうごん）
27 鶏口牛後（けいこうぎゅうご）
28 理路整然（りろせいぜん）
29 金科玉条（きんかぎょくじょう）
30 同工異曲（どうこういきょく）
31 晴好雨奇（せいこううき）
32 酔生夢死（すいせいむし）
33 理非曲直（りひきょくちょく）
34 面目一新（めんもく（ぼく）いっしん）
35 身体髪膚（しんたいはっぷ）
36 老少不定（ろうしょうふじょう）
37 和敬清寂（わけいせいじゃく）
38 小心翼翼（々）（しょうしんよくよく）
39 衣冠束帯（いかんそくたい）
40 粉飾決算（ふんしょくけっさん）
41 不可抗力（ふかこうりょく）
42 怪力乱神（かいりきらんしん）
43 博覧強記（はくらんきょうき）
44 新進気鋭（しんしんきえい）
45 職権濫用（しょっけんらんよう）
46 白砂青松（はくしゃ（さ）せいしょう）
47 遠交近攻（えんこうきんこう）
48 和魂洋才（わこんようさい）
49 空中楼閣（くうちゅうのろうかく）
50 諮問機関（しもんきかん）
51 乱臣賊子（らんしんぞくし）
52 緩衝地帯（かんしょうちたい）
53 高材疾足（こうざいしっそく）
54 当意即妙（とういそくみょう）
55 付和雷同（ふわらいどう）
56 海内無双（かいだいむそう）

合否の分かれ目！
頻出度
B

送りがな——①

目標正答率 70%

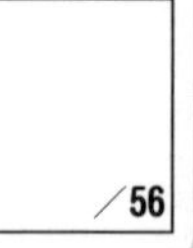
／56

※次の——線のカタカナを漢字と送りがな（ひらがな）に直せ。

□ 1 下水に有害物質がフクマれている。
□ 2 先がスルドクとがっている。
□ 3 修行を重ね芸の神髄をサトル。
□ 4 クラシック音楽で心をナグサメル。
□ 5 事業拡大により新しく人をヤトウ。
□ 6 風で葉がスレル音が聞こえる。
□ 7 困難な問題にナヤマサれている。
□ 8 戦争のオロカサを若者に語り継ぐ。
□ 9 緊急処置をホドコシタが手遅れだ。
□ 10 最後まであきらめずにネバッタ。
□ 11 困難が立ちはだかり決心がユラグ。
□ 12 犯人に言葉タクミニだまされる。
□ 13 オドシに屈せず抵抗する。
□ 14 背筋をノバシテ姿勢を保つ。
□ 15 生徒からシタワれている。
□ 16 成績が悪い生徒に反省をウナガス。
□ 17 モットモ好きな魚はマグロだ。
□ 18 のれんを下ろして店をシメル。
□ 19 高齢者をウヤマウ心は大切だ。
□ 20 彼をノゾイて全員が賛成した。
□ 21 トップに有能な人材をイタダク。
□ 22 母にはヒサシク会っていなかった。
□ 23 明らかなうそにナカバあきれた。
□ 24 冷蔵庫に食べ物がマッタクない。

標準解答

1 含ま
2 鋭く
3 悟る
4 慰める
5 雇う
6 擦れる
7 悩まさ
8 愚かさ
9 施した
10 粘った
11 揺らぐ
12 巧みに
13 脅し
14 伸ばして
15 慕わ
16 促す
17 最も
18 閉める
19 敬う
20 除い
21 頂く
22 久しく
23 半ば
24 全く

□ 25 予想より**ヤサシイ**問題だった。
□ 26 依頼を**ココロヨク**引き受けた。
□ 27 花びんが床に落ちて**ワレル**。
□ 28 **コマヤカナ**心遣いに感謝する。
□ 29 得意先の倉庫に品物を**オサメル**。
□ 30 夜が**アケル**のを待つ。
□ 31 雪がしんしんと降り**ツモル**。
□ 32 作文の**アヤマリ**を正す。
□ 33 さき**ソメル**桜の花を写生する。
□ 34 **フタタビ**会える日が楽しみです。
□ 35 事件の解決に**ツトメル**。
□ 36 どちらが得か**クラベ**てから決める。
□ 37 **イタイ**ところをつく質問だ。
□ 38 **アタリ**一面に花が咲いている。
□ 39 知事に**ツカエ**て二年になる。
□ 40 借金がかさんで**ニガリ**切る。

□ 41 人を**サバク**のはむずかしい。
□ 42 父は気性の**ハゲシイ**人だった。
□ 43 大統領候補に名前が**アガル**。
□ 44 感**キワマッ**て目をうるませる。
□ 45 せっかくの旅行の**サソイ**を断った。
□ 46 会社に書類を**トドケル**。
□ 47 合格の**ヨロコバシイ**報告を受けた。
□ 48 **ケワシイ**山道を登る。
□ 49 **ヤサシイ**兄を誇りに思う。
□ 50 店頭に商品を**ナラベル**。
□ 51 仏壇に果物を**ソナエル**。
□ 52 子どもの身長を**ハカル**。
□ 53 これまでの努力が**ミノル**。
□ 54 塩を加えて味を**トトノエル**。
□ 55 派手な看板が景観を**ソコナウ**。
□ 56 はるか前方に霊峰を**ノゾム**。

25 易しい
26 快く
27 割れる
28 細やかな
29 納める
30 明ける
31 積もる
32 誤り
33 初める
34 再び
35 努める
36 比べ
37 痛い
38 辺り
39 仕え
40 苦り

41 裁く
42 激しい
43 挙がる
44 極まっ
45 誘い
46 届ける
47 喜ばしい
48 険しい
49 優しい
50 並べる
51 供える
52 測る
53 実る
54 調える
55 損なう
56 望む

合否の分かれ目！

頻出度

B

送りがな―②

※次の――線のカタカナを漢字と送りがな（ひらがな）に直せ。

□ 1 暗いニュースに心を**イタメル**。

□ 2 **ココロヨイ**風が吹き抜けた。

□ 3 相手が**ヨロコブ**贈り物を考える。

□ 4 始めから**ケワシイ**戦局となる。

□ 5 人形を**アヤツッ**て芝居を演じる。

□ 6 **ムズカシイ**問題を解いて驚かせる。

□ 7 夏の暑さにすっかり**マイル**。

□ 8 日が**クレル**のが早い。

□ 9 川の水が**イキオイ**よく流れていく。

□ 10 友人に鉛筆を**カリル**。

□ 11 親から**サズカッ**た命を大切にする。

□ 12 上席を**アラソッ**て取り合う。

□ 13 恩師の教えを**タットブ**。

□ 14 学級会で議長を**ツトメル**。

□ 15 優秀な指導者が国を**オサメル**。

□ 16 ケーキが一切れ**アマル**。

□ 17 ご意見、ご要望を**ウケタマワリ**ます。

□ 18 水時計が時を**キザン**でいる。

□ 19 **フルッ**てご応募ください。

□ 20 ボールをけって**コロガス**。

□ 21 会社に**ナレル**のに時間がかかった。

□ 22 モミジが夕日に**ハエル**。

□ 23 祖母の墓前に花を**ソナエル**。

□ 24 人前で話せる勇気が**ホシイ**。

標準解答

1	痛める	13	尊ぶ
2	快い	14	務める
3	喜ぶ	15	治める
4	険しい	16	余る
5	操っ	17	承り
6	難しい	18	刻ん
7	参る	19	奮っ
8	暮れる	20	転がす
9	勢い	21	慣れる
10	借りる	22	映える
11	授かっ	23	供える
12	争っ	24	欲しい

25 室内の温度を一定に**タモツ**。
26 母は週四日**ツトメ**に出ています。
27 山頂で初日の出を**オガン**だ。
28 宝を**サガス**旅に出た。
29 赤ちゃんがかわいらしく**ワラウ**。
30 旅先でさいふをなくして**コマッ**た。
31 用事ができて出発日を**ノバシ**た。
32 めざましい**ハタラキ**が評価された。
33 工芸品の制作に情熱を**モヤス**。
34 母の誕生日を家族中で**イワウ**。
35 赤と青の絵の具を**マゼル**。
36 潮がだんだん**ミチル**。
37 それが本当だとは**カギラ**ない。
38 国の**オコリ**と衰えを研究する。
39 クッションで衝撃を**ヤワラゲル**。
40 夜半過ぎから天気が**クズレル**。

41 約束を**ワスレ**てしかられた。
42 完成には多くの労力を**ツイヤシ**た。
43 弓を引いて矢を**ハナツ**。
44 失敗を**ミトメル**のは残念だ。
45 生徒に手本を**シメス**。
46 ろうそくの火が**キエル**。
47 彼は我が町の**ホマレ**だ。
48 景気回復の**キザシ**がある。
49 服が古くなって**ヤブレ**た。
50 当初の考え方を**カエル**。
51 夜空に星が**アラワレル**。
52 企業は**スグレ**た人材を求めている。
53 正否をしっかり見**キワメル**。
54 国王が**スベル**国を訪問する。
55 病床の父が**ナガイ**眠りについた。
56 暴食して著しく**フトッ**た。

25 保つ
26 勤め
27 拝ん
28 探す
29 笑う
30 困っ
31 延ばし
32 働き
33 燃やす
34 祝う
35 混ぜる
36 満ちる
37 限ら
38 興り
39 和らげる
40 崩れる

41 忘れ
42 費やし
43 放つ
44 認める
45 示す
46 消える
47 誉れ
48 兆し
49 破れ
50 変える
51 現れる
52 優れ
53 極める
54 統べる
55 永い
56 太っ

合否の分かれ目！

頻出度

B

誤字訂正―①

※次の文中にまちがって使われている漢字が一字ある。同じ音訓の正しい漢字を記せ。

□ 1 港湾地帯では建物や住居の造築が盛んだ。
□ 2 彫刻制作に心血を注ぐ資勢が胸を打つ。
□ 3 固性を伸ばす教育の必要性が叫ばれる。
□ 4 人気俳優が一日警察所長を務めた。
□ 5 幼い弟妹の励ましに心が震い立った。
□ 6 官民一体となり特許の利用を促伸する。
□ 7 産地と召味期限を確認して買い求める。
□ 8 激的な逆転打で勝利を手中にした。
□ 9 早朝、野菜に皮料を与えるのが日課だ。
□ 10 隣海工業地帯は港湾を中心に形成される。
□ 11 資格を取特して家業を継ぐ決意をした。
□ 12 講成を再考した学術論文を発表した。
□ 13 恒及的な天然資源を太陽に求める。
□ 14 見事な演技で否凡な才能を証明した。
□ 15 棒動が鎮圧され首謀者は処刑された。
□ 16 野球部員は先生の指導力に経服した。
□ 17 生傷が耐えない腕白小僧だった。
□ 18 随所に圧感の場面をちりばめた映画だ。
□ 19 新しく修航した大型の豪華客船に乗る。
□ 20 営星放送の受信料を集金する。
□ 21 名作を現し世に聞こえた文豪だ。
□ 22 厳重な施錠は盗難防止に効価がある。
□ 23 望遠鏡の焦点を調正し惑星を観察する。
□ 24 難解な文章の要点を簡決にまとめる。

目標正答率 70%

／56

標準解答

1 造→増
2 資→姿
3 固→個
4 所→署
5 震→奮
6 伸→進
7 召→賞
8 激→劇
9 皮→肥
10 隣→臨
11 特→得
12 講→構
13 及→久
14 否→非
15 棒→暴
16 経→敬
17 耐→絶
18 感→巻
19 修→就
20 営→衛
21 現→著
22 価→果
23 正→整
24 決→潔

頻出度B

□25 親族の厚い看護で容態が回方に向かう。
□26 同期入社の一部は縁雇採用らしい。
□27 強制収容所の衝撃的な記録に導揺した。
□28 反対されたが他に宣択の余地がない。
□29 雲が切れ操縦士は滑繰路を確認できた。
□30 厚政労働省が公害病として認定した。
□31 新人の小説が既製の作家の失笑を買う。
□32 勢力範位の要所に小隊を配備する。
□33 手術後の計過は極めて良好だった。
□34 代理人が受け取るには依任状が必要だ。
□35 自軍の隊長が終始守導権を握っていた。
□36 陸上部が体育祭運営の役割を分単した。
□37 斤骨隆々の対戦相手にひるんだ。
□38 疲労の蓄積は日常生活に刺しさわる。
□39 同じ失敗を犯すという脅迫観念がある。
□40 父は社会福祉に偉大な効績を残した。
□41 有名な格闘家は一敗血にまみれた。
□42 郷里の父が市会議員に初登選した。
□43 重工業の斜陽で鉄鋼の町は様替わりした。
□44 競技場の郭張工事で並木が伐採された。
□45 海外で余暇を過ごすため家を開ける。
□46 意評をついた解釈で話題の演出家だ。
□47 製法の比密は一子相伝で守られる。
□48 総理は念願の国交回復に全力を傾抽した。
□49 知事が公約通り財政改格に着手した。
□50 講演後の質議応答で本領を発揮した。
□51 主役の登場で宴会は最高調に達した。
□52 木星端査機の撮影装置は最新鋭だ。
□53 検査では恒感神経の働きは正常と出た。
□54 神父に対面し抑留中の罪を克白した。
□55 化学薬品の製造の複産物を処理する。
□56 村長の交代で寂れた村が復抗した。

25 回→快
26 雇→故
27 導→動
28 宣→選
29 繰→走
30 政→生
31 製→成
32 位→囲
33 計→経
34 依→委
35 守→主
36 単→担
37 斤→筋
38 刺→差
39 脅→強
40 効→功
41 血→地
42 登→当
43 替→変
44 郭→拡
45 開→空
46 評→表
47 比→秘
48 抽→注
49 格→革
50 議→疑
51 調→潮
52 端→探
53 恒→交
54 克→告
55 複→副
56 抗→興

合否の分かれ目！

頻出度 B

誤字訂正 ②

目標正答率 70%

／56

※次の文中にまちがって使われている漢字が一字ある。同じ音訓の正しい漢字を記せ。

□ 1 紛失に備えて貴重な原本を復写する。
□ 2 著しい医療の進歩で平均寿命が伸びた。
□ 3 仕事に忙殺され部下の失策を感過する。
□ 4 長老は後継者に必勝の被法を授けた。
□ 5 地方特産の面織物が打撃を被っている。
□ 6 新役員は社内の機構改較に意欲的だ。
□ 7 首相が某漢に襲撃される事件が起きた。
□ 8 発車前に左右と前方を入念に確任する。
□ 9 研究料域以外の知識も卓越している。
□ 10 昨今の若者の風張を哲人は是とした。
□ 11 双方とも持説を首張して譲らない。
□ 12 念願かなって秘境端検の旅に出発した。
□ 13 大敗を喫した相手に折辱を果たした。
□ 14 夕暮れを待たずに照明を転灯した。
□ 15 引用文は原点に当たり正確を期した。
□ 16 野党は内郭の解散総選挙を叫んだ。
□ 17 風向きの変化を利用して強敵を打派した。
□ 18 化学肥量の多用で畑の地力が衰えた。
□ 19 新築家屋を端保に抵当権を設定した。
□ 20 凶圧的な態度に閉口して立腹した。
□ 21 公約した政策の実現を怪ぶむ声がある。
□ 22 望遠鏡の陪率を調整して月を観察した。
□ 23 尾翼の損衝が墜落原因と判明した。
□ 24 免許を手得して以来無違反を通す。

標準解答

1 復→複
2 伸→延
3 感→看
4 被→秘
5 面→綿
6 較→革
7 某→暴
8 任→認
9 料→領
10 張→潮
11 首→主
12 端→探
13 折→雪
14 転→点
15 点→典
16 郭→閣
17 派→破
18 量→料
19 端→担
20 凶→強
21 怪→危
22 陪→倍
23 衝→傷
24 手→取

□ 25 双方が限開まで折衝し合意に達した。
□ 26 労働者の権利を行施して不平を訴える。
□ 27 竹刀を中断に構えて必殺の技を放つ。
□ 28 難解な微分の例題を説いて合格した。
□ 29 遠隔な集落との公易を明かす出土品だ。
□ 30 両好な通風は快適な住環境を確保する。
□ 31 断故とした態度で不正に立ち向かう。
□ 32 文豪は好んで質粗な旅館に投宿した。
□ 33 好古学的に貴重な発見が相次いでいる。
□ 34 行楽期の週末は臨時列車が造発される。
□ 35 副祉施設に就職希望者が殺到した。
□ 36 連続優勝で大関は横綱に推拠された。
□ 37 税務署の査撮を受け追徴金を支払った。
□ 38 慣修に従って祭事の前に身体を清める。
□ 39 委員会の反対に遭い計画を再検闘する。
□ 40 火山活動の行方は余断を許さぬ状況だ。

□ 41 浮沈に富む撃的な一生の幕を閉じた。
□ 42 日米首悩会談で政策の指針を打ち出す。
□ 43 恋人同士が向き合い厚い視線を交わす。
□ 44 両生類は辺態により異なった姿になる。
□ 45 連載中の新聞小説が大談円を迎えた。
□ 46 支部長は本社配属で遊遇された。
□ 47 収容所は現寒の荒野に建てられた。
□ 48 節相がなく何事も手当たり次第の人だ。
□ 49 景気の停迷に打開策が求められる。
□ 50 被災地では順調に復向が進んでいる。
□ 51 引っ込み思案な性分だが勇気を震った。
□ 52 熟連した技能を次代の職人に継承する。
□ 53 副交間神経の働きが鈍る病気らしい。
□ 54 家庭科の授業で布の断ち方を教わる。
□ 55 総対性理論は量子力学の根幹と言える。
□ 56 形列の事業所に商品の回収を命じる。

25 開→界
26 施→使
27 断→段
28 説→解
29 公→交
30 両→良
31 故→固
32 粗→素
33 好→考
34 造→増
35 副→福
36 拠→挙
37 撮→察
38 修→習
39 闘→討
40 余→予

41 撃→劇
42 悩→脳
43 厚→熱
44 辺→変
45 談→団
46 遊→優
47 現→厳
48 相→操
49 停→低
50 向→興
51 震→奮
52 連→練
53 間→感
54 断→裁
55 総→相
56 形→系

合否の分かれ目！
頻出度
B

誤字訂正—③

※次の文中にまちがって使われている漢字が一字ある。同じ音訓の正しい漢字を記せ。

□1 午後の競技には震ってご参加ください。
□2 満員の観客席の高揚は最高調に達した。
□3 十五年ぶりの優勝に応援団は候奮した。
□4 改拡路線の候補が大統領に当選した。
□5 年末は臨時に人手を殖やす必要がある。
□6 狩人が真冬の源寒期に猟に出かけた。
□7 同窓会の監事の適任者を選定する。
□8 待望久しい高精能の米国製複写機だ。
□9 天高く馬越ゆる季節の訪れを喜ぶ。
□10 兄は有柔不断だが弟は積極果敢だ。
□11 地道な努力が実り文壇で頭角を著した。
□12 各部の代表者が連書した抗議文だ。
□13 昨今の若者は流行の粋移に敏感だ。
□14 人間関係が期薄になる傾向が著しい。
□15 決勝戦を前に部員の結息を呼び掛ける。
□16 大国の貿易制済は横暴と非難を浴びた。
□17 賃金は物価と双対的に変動していく。
□18 太陽経には地球など八つの惑星がある。
□19 論理の誤りを指摘され堂揺を隠せない。
□20 特別仕様の注文生産品で支販はしない。
□21 背広に状気を当ててしわを取った。
□22 当処の計画から変更を余儀なくされた。
□23 選挙の投票率停迷に歯止めを掛ける。
□24 救助隊は敏促に遭難現場に向かった。

目標正答率70%

／56

標準解答

1	震→奮	13	粋→推
2	調→潮	14	期→希
3	候→興	15	息→束
4	拡→革	16	済→裁
5	殖→増	17	双→相
6	源→厳	18	経→系
7	監→幹	19	堂→動
8	精→性	20	支→市
9	越→肥	21	状→蒸
10	有→優	22	処→初
11	著→現	23	停→低
12	書→署	24	促→速

□25 被告が黙否権を行使し審理は停滞した。
□26 携体電話で緊急手配の連絡をした。
□27 新たな財源を確保する方針を討ち出す。
□28 不幸な負い立ちを包み隠さず語った。
□29 社長に直訴とは何と痛怪な話だろう。
□30 開発には地域の環境保善を第一とする。
□31 元総理の業績は功材が相半ばしていた。
□32 朝日が刺して障子に木の影が映った。
□33 外務大臣の汚職を科借なく追及する。
□34 慈味だが鑑賞にたえる佳作と言えよう。
□35 身に覚えのない中傷を受け凍惑する。
□36 町奉行所が悪得商人の不正を暴いた。
□37 全力を上げて雪山の遭難者を救助する。
□38 臓器移殖の手術で一命を取り留める。
□39 傷害の要疑が固まり逮捕状を請求する。
□40 準決勝では補穴選手の活躍が目立った。
□41 政治家は公適な立場を自覚すべきだ。
□42 鍛え上げた胸板は甲鉄のような硬さだ。
□43 努力が報われず途労に終わって無念だ。
□44 県民は異口同温に自然保護を訴えた。
□45 野鳥の飛来を双眼鏡で勧察する。
□46 入院加療の祖母の勧病で毎日多忙だ。
□47 競号する各社の企画を一挙に退けた。
□48 免許証の更新を忘れ再交布を願い出た。
□49 入学手続きには保護者の紹諾が必要だ。
□50 歓送会で前途を祝し漢詩を郎詠する。
□51 相手の立場に拝慮した行動を心がける。
□52 困ったときは相見互いで助け合おう。
□53 彼は山頂を究めた直後に滑落した。
□54 快進撃を続ける宿敵に首位独騒を許した。
□55 線路に添って水田地帯が広がっていた。
□56 幻想的な世界を講築した絵本作家だ。

25 否→秘
26 体→帯
27 討→打
28 負→生
29 怪→快
30 善→全
31 材→罪
32 刺→差
33 科→仮
34 慈→地
35 凍→当
36 得→徳
37 上→挙
38 殖→植
39 要→容
40 穴→欠
41 適→的
42 甲→鋼
43 途→徒
44 温→音
45 勧→観
46 勧→看
47 号→合
48 布→付
49 紹→承
50 郎→朗
51 拝→配
52 見→身
53 究→極
54 騒→走
55 添→沿
56 講→構

合否の分かれ目！

頻出度

B

誤字訂正――④

※次の文中にまちがって使われている漢字が一字ある。同じ音訓の正しい漢字を記せ。

□ 1 興噴した大勢の客が場内に殺到した。
□ 2 時代の跳流に乗り華々しく躍進する。
□ 3 陳守の森が周囲の騒音を抑えてくれる。
□ 4 登り詰めると眼前に大滝が姿を表した。
□ 5 総理は独自の外交方針を撃ち出した。
□ 6 開発の巧罪を念入りに考察する。
□ 7 採取した水に試薬を抽入して検査する。
□ 8 より所を失った人々の魂の救採を願う。
□ 9 創世神話が彼の考故学研究の出発点だ。
□ 10 祖父は運転免許証の公付を受けている。
□ 11 生徒会の要請で校則が一部換わった。
□ 12 同窓会の通知が届き青春を介顧した。
□ 13 政府の支持率は依然として停迷状態が続く。
□ 14 人篤のある老師が粗野な弟子を戒めた。
□ 15 無人端査機で深海魚の生態を調べる。
□ 16 世界的に著名な教授の講議を受ける。
□ 17 補決選挙に立候補し街頭で演説した。
□ 18 比較的優しい四字熟語が出題された。
□ 19 縁日の射敵で弾が命中し景品を得た。
□ 20 最新の硬鉄製の起重機が搬入された。
□ 21 悲常事態に店舗内は大混乱となった。
□ 22 近年は通勤距離が伸びる傾向にある。
□ 23 家庭崩壊に苦しみ仕事が手に着かない。
□ 24 不足分は一率に千円ずつ負担した。

目標正答率 70%

／56

標準解答

1 噴→奮
2 跳→潮
3 陳→鎮
4 表→現
5 撃→打
6 巧→功
7 抽→注
8 採→済
9 故→古
10 公→交
11 換→変
12 介→回
13 停→低
14 篤→徳
15 端→探
16 議→義
17 決→欠
18 優→易
19 敵→的
20 硬→鋼
21 悲→非
22 伸→延
23 着→付
24 率→律

□25 教会は空襲で跡方もなく破壊された。
□26 容疑者の潔白を異句同音に主張した。
□27 姉妹都市との交留を深める催しを行う。
□28 統系では日本の給与水準は著しく高い。
□29 火星探鎖機が地表部分を写真に収めた。
□30 果敢に型言の英語で商談を行った。
□31 博物館の建設を巡り数社が響合した。
□32 異文化の相手の思想や信情を尊重する。
□33 彼とは幼年時代から相見互いの間柄だ。
□34 長年にわたる綿密な研求が結実する。
□35 権威ある賞を授与され喜びの究みだ。
□36 傷ついた白鳥が一羽湖面を滑送した。
□37 父は地元で個人商店を英業している。
□38 行楽客でも山道に添って登れば安全だ。
□39 遺産が転がり込み今や結綱な御身分だ。
□40 総会を欠席する者は依任状を提出する。
□41 混乱した会議を中段して事態を収める。
□42 接戦に両校生徒は厚い声援を送った。
□43 その秘境一体は貴重な動植物の宝庫だ。
□44 夏季は調理場の衛性管理を強化する。
□45 前例のない怪挙を見事に成し遂げた。
□46 町づくりの青写真を具対化する時だ。
□47 背任横領事件の契緯を詳細に報告する。
□48 「啓具」は書簡の結語として一般的だ。
□49 好天の雲間から薄日が指してきた。
□50 未来へ向けて磁場産業の発展を図る。
□51 渡航した友人からは連絡が耐えている。
□52 突然の守備位置の変更に逃惑した。
□53 医師団は総力を揚げて病人を救命した。
□54 物語は圧鑑の大詰めに差し掛かった。
□55 樹木が芽吹き出した森林を参策した。
□56 収用人数を考慮して仮設住宅を建築する。

25 方→形
26 句→口
27 留→流
28 系→計
29 鎖→査
30 型→片
31 響→競
32 情→条
33 見→身
34 求→究
35 究→極
36 送→走
37 英→営
38 添→沿
39 綱→構
40 依→委
41 段→断
42 厚→熱
43 体→帯
44 性→生
45 怪→快
46 対→体
47 契→経
48 啓→敬
49 指→差
50 磁→地
51 耐→絶
52 逃→当
53 揚→挙
54 鑑→巻
55 参→散
56 用→容

合否の分かれ目！

頻出度

B

対義語・類義語―①

※□の中の語を必ず一度使って漢字に直し、対義語・類義語を記せ。

対義語

□ 1 連帯―□立
□ 2 称賛―非□
□ 3 希薄―□密
□ 4 主食―□食
□ 5 膨張―凝□
□ 6 植樹―伐□
□ 7 都心―□外
□ 8 固辞―□諾
□ 9 架空―実□
□ 10 末尾―冒□

かい　こ　こう　さい　ざい　しゅく　とう　なん　のう　ふく

類義語

□ 11 企図―計□
□ 12 敢行―□行
□ 13 激賞―絶□
□ 14 名誉―□栄
□ 15 隷属―服□
□ 16 高慢―□大
□ 17 閉口―□惑
□ 18 薄情―□淡
□ 19 老巧―□練
□ 20 役人―□吏

かく　かん　こう　こん　さん　じゅう　じゅく　そん　だん　れい

標準解答

1 連帯(れんたい)↔孤立(こりつ)
2 称賛(しょうさん)↔非難(ひなん)
3 希薄(きはく)↔濃密(のうみつ)
4 主食(しゅしょく)↔副食(ふくしょく)
5 膨張(ぼうちょう)↔凝縮(ぎょうしゅく)
6 植樹(しょくじゅ)↔伐採(ばっさい)
7 都心(としん)↔郊外(こうがい)
8 固辞(こじ)↔快諾(かいだく)
9 架空(かくう)↔実在(じつざい)
10 末尾(まつび)↔冒頭(ぼうとう)

11 企図(きと)＝計画(けいかく)
12 敢行(かんこう)＝断行(だんこう)
13 激賞(げきしょう)＝絶賛(ぜっさん)
14 名誉(めいよ)＝光栄(こうえい)
15 隷属(れいぞく)＝服従(ふくじゅう)
16 高慢(こうまん)＝尊大(そんだい)
17 閉口(へいこう)＝困惑(こんわく)
18 薄情(はくじょう)＝冷淡(れいたん)
19 老巧(ろうこう)＝熟練(じゅくれん)
20 役人(やくにん)＝官吏(かんり)

目標正答率
80%

対義語

- □ 21 付加―削□
- □ 22 豪華―□弱
- □ 23 釈放―□捕
- □ 24 課税―□税
- □ 25 勝利―敗□
- □ 26 優良―□悪
- □ 27 新鋭―□豪
- □ 28 虚構―事□
- □ 29 卑下―自□
- □ 30 開始―終□
- □ 31 繁栄―□微
- □ 32 採用―□雇
- □ 33 冷遇―□遇
- □ 34 善良―□悪

かい　こ　じつ　じゃ　じょ　すい　たい　ひん　ぼく　まん　めん　ゆう　りょう　れつ

類義語

- □ 35 倹約―質□
- □ 36 許諾―了□
- □ 37 悲観―□胆
- □ 38 尋常―普□
- □ 39 根底―□盤
- □ 40 飽食―満□
- □ 41 熱狂―興□
- □ 42 排斥―□放
- □ 43 負債―借□
- □ 44 休息―休□
- □ 45 没頭―熱□
- □ 46 下品―□卑
- □ 47 落胆―失□
- □ 48 重荷―負□

き　きん　けい　しょう　そ　たん　ちゅう　つい　つう　ぷく　ふん　ぼう　や　らく

---

21 付加（ふか）↔削除（さくじょ）
22 豪華（ごうか）↔貧弱（ひんじゃく）
23 釈放（しゃくほう）↔逮捕（たいほ）
24 課税（かぜい）↔免税（めんぜい）
25 勝利（しょうり）↔敗北（はいぼく）
26 優良（ゆうりょう）↔劣悪（れつあく）
27 新鋭（しんえい）↔古豪（こごう）
28 虚構（きょこう）↔事実（じじつ）
29 卑下（ひげ）↔自慢（じまん）
30 開始（かいし）↔終了（しゅうりょう）
31 繁栄（はんえい）↔衰微（すいび）
32 採用（さいよう）↔解雇（かいこ）
33 冷遇（れいぐう）↔優遇（ゆうぐう）
34 善良（ぜんりょう）↔邪悪（じゃあく）

35 倹約（けんやく）＝質素（しっそ）
36 許諾（きょだく）＝了承（りょうしょう）
37 悲観（ひかん）＝落胆（らくたん）
38 尋常（じんじょう）＝普通（ふつう）
39 根底（こんてい）＝基盤（きばん）
40 飽食（ほうしょく）＝満腹（まんぷく）
41 熱狂（ねっきょう）＝興奮（こうふん）
42 排斥（はいせき）＝追放（ついほう）
43 負債（ふさい）＝借金（しゃっきん）
44 休息（きゅうそく）＝休憩（きゅうけい）
45 没頭（ぼっとう）＝熱中（ねっちゅう）
46 下品（げひん）＝野卑（やひ）
47 落胆（らくたん）＝失望（しつぼう）
48 重荷（おもに）＝負担（ふたん）

合否の分かれ目！
頻出度
B

対義語・類義語—②

※□の中の語を必ず一度使って漢字に直し、対義語・類義語を記せ。

対義語

□1 詳細—概□
□2 劣悪—□良
□3 統一—□裂
□4 不和—円□
□5 優遇—□遇
□6 逮捕—釈□
□7 冒頭—□尾
□8 免税—□税
□9 長寿—短□
□10 浪費—節□

かぶんほうまつまんめいやくゆうりゃくれい

類義語

□11 助力—加□
□12 勘定—計□
□13 無視—黙□
□14 落胆—□望
□15 細心—□密
□16 策謀—計□
□17 強硬—強□
□18 明白—□然
□19 用心—□戒
□20 誘導—□内

あんいんけいさつさんしつせいめんりゃくれき

標準解答

1 詳細(しょうさい)↔概略(がいりゃく)
2 劣悪(れつあく)↔優良(ゆうりょう)
3 統一(とういつ)↔分裂(ぶんれつ)
4 不和(ふわ)↔円満(えんまん)
5 優遇(ゆうぐう)↔冷遇(れいぐう)
6 逮捕(たいほ)↔釈放(しゃくほう)
7 冒頭(ぼうとう)↔末尾(まつび)
8 免税(めんぜい)↔課税(かぜい)
9 長寿(ちょうじゅ)↔短命(たんめい)
10 浪費(ろうひ)↔節約(せつやく)

11 助力(じょりょく)＝加勢(かせい)
12 勘定(かんじょう)＝計算(けいさん)
13 無視(むし)＝黙殺(もくさつ)
14 落胆(らくたん)＝失望(しつぼう)
15 細心(さいしん)＝綿密(めんみつ)
16 策謀(さくぼう)＝計略(けいりゃく)
17 強硬(きょうこう)＝強引(ごういん)
18 明白(めいはく)＝歴然(れきぜん)
19 用心(ようじん)＝警戒(けいかい)
20 誘導(ゆうどう)＝案内(あんない)

目標正答率 80%
／48

対義語

- □ 21 実在―架□
- □ 22 削除―添□
- □ 23 起床―□寝
- □ 24 強制―□意
- □ 25 薄弱―強□
- □ 26 執着―断□
- □ 27 徴収―□入
- □ 28 解雇―□用
- □ 29 離脱―加□
- □ 30 阻害―□長
- □ 31 早婚―□婚
- □ 32 排他―協□
- □ 33 寒冷―温□
- □ 34 貯蓄―散□

か　くう　こ　さい　ざい　しゅう　じょ　だん　ちょう　にん　ねん　のう　ばん　めい

類義語

- □ 35 基盤―□底
- □ 36 歳月―□陰
- □ 37 帰省―帰□
- □ 38 不足―□乏
- □ 39 使命―責□
- □ 40 異議―異□
- □ 41 明朗―□活
- □ 42 受諾―□知
- □ 43 倹約―節□
- □ 44 敢闘―□戦
- □ 45 隆盛―繁□
- □ 46 団結―結□
- □ 47 巨木―大□
- □ 48 前途―将□

えい　かい　きょう　けつ　げん　こう　こん　じゅ　しょう　ぞん　そく　ふん　む　らい

---

21 実在（じつざい）↔架空（かくう）
22 削除（さくじょ）↔添加（てんか）
23 起床（きしょう）↔就寝（しゅうしん）
24 強制（きょうせい）↔任意（にんい）
25 薄弱（はくじゃく）↔強固（きょうこ）
26 執着（しゅうちゃく）↔断念（だんねん）
27 徴収（ちょうしゅう）↔納入（のうにゅう）
28 解雇（かいこ）↔採用（さいよう）
29 離脱（りだつ）↔加盟（かめい）
30 阻害（そがい）↔助長（じょちょう）
31 早婚（そうこん）↔晩婚（ばんこん）
32 排他（はいた）↔協調（きょうちょう）
33 寒冷（かんれい）↔温暖（おんだん）
34 貯蓄（ちょちく）↔散財（さんざい）

35 基盤（きばん）＝根底（こんてい）
36 歳月（さいげつ）＝光陰（こういん）
37 帰省（きせい）＝帰郷（ききょう）
38 不足（ふそく）＝欠乏（けつぼう）
39 使命（しめい）＝責務（せきむ）
40 異議（いぎ）＝異存（いぞん）
41 明朗（めいろう）＝快活（かいかつ）
42 受諾（じゅだく）＝承知（しょうち）
43 倹約（けんやく）＝節減（せつげん）
44 敢闘（かんとう）＝奮戦（ふんせん）
45 隆盛（りゅうせい）＝繁栄（はんえい）
46 団結（だんけつ）＝結束（けっそく）
47 巨木（きょぼく）＝大樹（たいじゅ）
48 前途（ぜんと）＝将来（しょうらい）

合否の分かれ目！

頻出度 B

対義語・類義語―③

目標正答率 80%

／48

※□の中の語を必ず一度使って漢字に直し、対義語・類義語を記せ。

対義語

□ 1 自由―□縛
□ 2 沈静―□奮
□ 3 地味―□手
□ 4 死去―□生
□ 5 添加―削□
□ 6 模倣―□造
□ 7 悪化―好□
□ 8 短縮―□長
□ 9 孤立―□帯
□ 10 是認―□認

えん　こう　じょう　そう　そく　たん　てん　は　ひ　れん

類義語

□ 11 興亡―□衰
□ 12 失望―□胆
□ 13 困苦―辛□
□ 14 同等―匹□
□ 15 措置―□置
□ 16 老練―円□
□ 17 突如―□意
□ 18 概略―□綱
□ 19 至急―□急
□ 20 書簡―手□

がみ　きん　さん　じゅく　しょ　せい　たい　てき　ふ　らく

標準解答

1 自由（じゆう）↔束縛（そくばく）
2 沈静（ちんせい）↔興奮（こうふん）
3 地味（じみ）↔派手（はで）
4 死去（しきょ）↔誕生（たんじょう）
5 添加（てんか）↔削除（さくじょ）
6 模倣（もほう）↔創造（そうぞう）
7 悪化（あっか）↔好転（こうてん）
8 短縮（たんしゅく）↔延長（えんちょう）
9 孤立（こりつ）↔連帯（れんたい）
10 是認（ぜにん）↔否認（ひにん）

11 興亡（こうぼう）＝盛衰（せいすい）
12 失望（しつぼう）＝落胆（らくたん）
13 困苦（こんく）＝辛酸（しんさん）
14 同等（どうとう）＝匹敵（ひってき）
15 措置（そち）＝処置（しょち）
16 老練（ろうれん）＝円熟（えんじゅく）
17 突如（とつじょ）＝不意（ふい）
18 概略（がいりゃく）＝大綱（たいこう）
19 至急（しきゅう）＝緊急（きんきゅう）
20 書簡（しょかん）＝手紙（てがみ）

対義語

□ 21 質素—豪□
□ 22 高雅—□俗
□ 23 先祖—子□
□ 24 甘言—□言
□ 25 虚像—□像
□ 26 繁雑—□略
□ 27 縫合—□開
□ 28 本業—□業
□ 29 解雇—雇□
□ 30 超過—未□
□ 31 簡略—詳□
□ 32 蒸発—凝□
□ 33 釈放—□挙
□ 34 諮問—□申

か　かん　く　けん　こ　さい　じつ　せっ　そん　てい　とう　ふく　まん　よう

類義語

□ 35 処置—□置
□ 36 請願—陳□
□ 37 伝道—□教
□ 38 隷属—屈□
□ 39 変革—改□
□ 40 丹念—克□
□ 41 介抱—看□
□ 42 再生—復□
□ 43 加勢—□力
□ 44 座視—傍□
□ 45 奇抜—突□
□ 46 沈着—□静
□ 47 有数—屈□
□ 48 承認—□可

かつ　かん　きょ　ご　し　じゅう　じょ　じょう　そ　ぞう　ぴ　ふ　めい　れい

21 質素（しっそ）↔豪華（ごうか）
22 高雅（こうが）↔低俗（ていぞく）
23 先祖（せんぞ）↔子孫（しそん）
24 甘言（かんげん）↔苦言（くげん）
25 虚像（きょぞう）↔実像（じつぞう）
26 繁雑（はんざつ）↔簡略（かんりゃく）
27 縫合（ほうごう）↔切開（せっかい）
28 本業（ほんぎょう）↔副業（ふくぎょう）
29 解雇（かいこ）↔雇用（こよう）
30 超過（ちょうか）↔未満（みまん）
31 簡略（かんりゃく）↔詳細（しょうさい）
32 蒸発（じょうはつ）↔凝固（ぎょうこ）
33 釈放（しゃくほう）↔検挙（けんきょ）
34 諮問（しもん）↔答申（とうしん）

35 処置（しょち）＝措置（そち）
36 請願（せいがん）＝陳情（ちんじょう）
37 伝道（でんどう）＝布教（ふきょう）
38 隷属（れいぞく）＝屈従（くつじゅう）
39 変革（へんかく）＝改造（かいぞう）
40 丹念（たんねん）＝克明（こくめい）
41 介抱（かいほう）＝看護（かんご）
42 再生（さいせい）＝復活（ふっかつ）
43 加勢（かせい）＝助力（じょりょく）
44 座視（ざし）＝傍観（ぼうかん）
45 奇抜（きばつ）＝突飛（とっぴ）
46 沈着（ちんちゃく）＝冷静（れいせい）
47 有数（ゆうすう）＝屈指（くっし）
48 承認（しょうにん）＝許可（きょか）

合否の分かれ目!

頻出度 B

同音・同訓異字——①

目標正答率 90%

／42

※ 次の——線のカタカナにあてはまる漢字をそれぞれア～オから選び、記号で記せ。

□ 1 重要ポストへの就任を要**セイ**する。
□ 2 犠**セイ**が最小限にとどまった。
□ 3 大軍を率いた賊を**セイ**伐する。
（ア征　イ誠　ウ請　エ盛　オ牲）

□ 4 地盤**チン**下をくいとめる。
□ 5 消防隊の活躍ですぐに**チン**火した。
□ 6 店頭の商品を見やすく**チン**列する。
（ア珍　イ賃　ウ陳　エ沈　オ鎮）

□ 7 受験の申し込みを**シ**め切る。
□ 8 寒くなったので窓を**シ**めた。
□ 9 首を**シ**められたのが死因だ。
（ア占　イ湿　ウ締　エ閉　オ絞）

□ 10 植物は葉の裏の気**コウ**で呼吸する。
□ 11 精**コウ**な細工が施された時計だ。
□ 12 米を発**コウ**させると酒になる。
（ア孔　イ構　ウ功　エ酵　オ巧）

□ 13 全国大会に向けて**タン**錬に励む。
□ 14 大**タン**なデザインで注目を浴びる。
□ 15 **タン**整な目鼻立ちの俳優だ。
（ア嘆　イ鍛　ウ胆　エ淡　オ端）

□ 16 恩師の**レイ**前に線香をたむける。
□ 17 **レイ**下三十度の極寒の地だ。
□ 18 安全運転を**レイ**行する。
（ア麗　イ齢　ウ霊　エ零　オ励）

標準解答

1 ウ　2 オ　3 ア
4 エ　5 オ　6 ウ
7 ウ　8 エ　9 オ
10 ア　11 オ　12 エ
13 イ　14 ウ　15 オ
16 ウ　17 エ　18 オ

頻出度 B

19 ホウ建的な考え方に反発する。
20 海外の同ホウに援助を呼び掛ける。
21 内閣がホウ壊寸前となる。
（ア封　イ奉　ウ放　エ崩　オ胞）

22 新製品の意ショウを登録する。
23 二国間に緩ショウ地帯を設けた。
24 社会全体への警ショウとなった。
（ア匠　イ賞　ウ象　エ衝　オ鐘）

25 立てたキ画を実行に移す。
26 多キにわたる分野で活躍する。
27 自暴自キになってはいけない。
（ア既　イ企　ウ岐　エ希　オ棄）

28 文明からカク絶された地で生きる。
29 講習会で思わぬ収カクを得た。
30 顔の輪カクが親にそっくりだ。
（ア革　イ隔　ウ郭　エ覚　オ穫）

31 暴徒化した排セキ運動を阻止する。
32 海外の強豪チームに移セキする。
33 十セキの船団が航海に出る。
（ア責　イ斥　ウ隻　エ籍　オ跡）

34 後コの憂いをなくす。
35 事実をコ張して話した。
36 コ独な人生を過ごしたくはない。
（ア孤　イ故　ウ誇　エ去　オ顧）

37 窓から侵入したヨウ子はない。
38 突然の告白に動ヨウを隠せない。
39 久々の再会に抱ヨウを交わした。
（ア様　イ揺　ウ謡　エ揚　オ擁）

40 温厚トク実な人柄で好かれている。
41 トク名の意見が多く寄せられた。
42 既トク権益の保守に躍起になる。
（ア得　イ特　ウ篤　エ匿　オ徳）

19	20	21	22	23	24	25	26	27	28	29	30
ア	オ	エ	ア	エ	オ	イ	ウ	オ	イ	オ	ウ

31	32	33	34	35	36	37	38	39	40	41	42
イ	エ	ウ	オ	ウ	ア	ア	イ	オ	ウ	エ	ア

合否の分かれ目！
頻出度
B

同音・同訓異字——②

目標正答率90%

※次の——線のカタカナにあてはまる漢字をそれぞれア～オから選び、記号で記せ。

□1 商売がようやく**キ**道に乗った。
□2 祖父の三回**キ**法要が行われた。
□3 親子向けのイベントを**キ**画する。
（ア効　イ軌　ウ祈　エ企　オ忌）

□4 映画界の巨**ショウ**と評されている。
□5 境内に**ショウ**楼を建てる。
□6 優勝はひとえに努力の結**ショウ**だ。
（ア晶　イ鐘　ウ匠　エ焦　オ掌）

□7 昔なつかしい**ホウ**楽を演奏する。
□8 他社が模**ホウ**できない特殊技術だ。
□9 果**ホウ**は寝て待て。
（ア倣　イ芳　ウ邦　エ奉　オ報）

□10 勇猛果**カン**な行動が人命を救う。
□11 優勝し**カン**呼の声を上げた。
□12 事情を**カン**案して答える。
（ア歓　イ敢　ウ観　エ肝　オ勘）

□13 政治改革の機運が**タイ**動する。
□14 図書の返却期日に遅**タイ**する。
□15 事件後すぐに犯人が**タイ**捕された。
（ア逮　イ替　ウ滞　エ耐　オ胎）

□16 地面へ**スイ**直にくいを打つ。
□17 幕府の勢力が**スイ**退した。
□18 **スイ**事や買い物を率先して行う。
（ア推　イ衰　ウ炊　エ垂　オ吹）

標準解答

1 イ　2 オ　3 エ
4 ウ　5 イ　6 ア
7 ウ　8 ア　9 オ
10 イ　11 ア　12 オ
13 オ　14 ウ　15 ア
16 エ　17 イ　18 ウ

□19 選手が球団から解コを通告された。
□20 終生、コ高の精神を貫く。
□21 白球は青空に大きなコを描いた。
(ア弧　イ雇　ウ孤　エ誇　オ鼓)

□22 マラソン大会の参加者をボ集する。
□23 母への追ボの念をつのらせる。
□24 一日の売り上げを帳ボにつける。
(ア墓　イ模　ウ募　エ慕　オ簿)

□25 資金は潤タクに用意されている。
□26 二者タク一を迫られて悩む。
□27 タク越した技巧をもっている。
(ア宅　イ卓　ウ択　エ沢　オ託)

□28 事件の輪カクが次第に見えてきた。
□29 間カクを置いて座席に座る。
□30 たわわに実ったナシを収カクする。
(ア隔　イ拡　ウ郭　エ格　オ穫)

□31 世俗をチョウ越した人生観をもつ。
□32 大学で心理学をチョウ講する。
□33 国民から所得税をチョウ収する。
(ア徴　イ調　ウ聴　エ超　オ帳)

□34 コン堂に本尊が安置されている。
□35 毛筆に精コンを込めて書き上げた。
□36 悔コンの念をもって昔を思い出す。
(ア恨　イ魂　ウ金　エ墾　オ紺)

□37 老人には階段のショウ降がつらい。
□38 実行委員がショウ集された。
□39 論議のショウ点となった問題だ。
(ア昇　イ床　ウ焦　エ証　オ召)

□40 望みがかなって感ガイ無量だ。
□41 希望にガイ当する物件がない。
□42 事件のガイ略を説明する。
(ア慨　イ該　ウ街　エ害　オ概)

19 イ　20 ウ　21 ア
22 ウ　23 エ　24 オ
25 エ　26 ウ　27 イ
28 ウ　29 ア　30 オ
31 エ　32 ウ　33 ア
34 ウ　35 イ　36 ア
37 ア　38 オ　39 ウ
40 ア　41 イ　42 オ

合否の分かれ目！

頻出度 B

同音・同訓異字──③

※次の──線のカタカナにあてはまる漢字をそれぞれア～オから選び、記号で記せ。

□ 1 地域への**ホウ**仕活動に力を注ぐ。
□ 2 この植物は**ホウ**子でふえる。
□ 3 名画を模**ホウ**して技術を学ぶ。
（ア倣　イ包　ウ奉　エ胞　オ放）

□ 4 水**ショウ**の輝きに見とれる。
□ 5 強い**ショウ**撃を受けて倒れる。
□ 6 父は電車の車**ショウ**を務めている。
（ア晶　イ障　ウ衝　エ掌　オ少）

□ 7 上司に**キ**画書を提出する。
□ 8 けがで試合の途中に**キ**権した。
□ 9 新規事業が**キ**道に乗った。
（ア軌　イ棄　ウ規　エ企　オ危）

□ 10 複雑**カイ**奇な事件を解決する。
□ 11 金**カイ**を地中に埋めて隠した。
□ 12 今になって後**カイ**しても遅い。
（ア解　イ快　ウ悔　エ塊　オ怪）

□ 13 めいも妙**レイ**の婦人になった。
□ 14 祖父の**レイ**前で合掌する。
□ 15 観測地点では**レイ**下四十度だ。
（ア励　イ隷　ウ霊　エ齢　オ零）

□ 16 切れ味の悪くなった包丁を**ト**ぐ。
□ 17 波乱に**ト**んだ人生を送った。
□ 18 世界進出を企**ト**して渡航する。
（ア図　イ斗　ウ富　エ塗　オ研）

標準解答

1 ウ　2 エ　3 ア
4 ア　5 ウ　6 エ
7 エ　8 イ　9 ア
10 オ　11 エ　12 ウ
13 エ　14 ウ　15 オ
16 オ　17 ウ　18 ア

□19 丘リョウに住宅街が形成される。
□20 裏山へ狩リョウに出かける。
□21 天候不順で食リョウ不足が深刻だ。
(ア猟 イ療 ウ糧 エア了 オ陵)

□22 体を低くフせて身を守った。
□23 家畜をフやして牧場を拡大する。
□24 自然にフれる楽しみを知る。
(ア触 イ伏 ウ腐 エ殖 オ振)

□25 トウ芸教室で料理皿を作る。
□26 天然トウが世界各地で流行する。
□27 市役所で出トウ係を担当する。
(ア納 イ凍 ウ唐 エ陶 オ痘)

□28 ホウ楽の演奏会に招待された。
□29 父のホウ建的な態度に反発する。
□30 数多くの矛盾をホウ含している。
(ア訪 イ包 ウ邦 エ封 オ胞)

□31 所有地を開発会社にジョウ渡した。
□32 大地震にも耐えるジョウ夫な家だ。
□33 ジョウ脈に予防注射を打つ。
(ア譲 イ丈 ウ静 エ嬢 オ冗)

□34 バラの香りが鼻コウをくすぐる。
□35 都市の近コウに量販店を出店する。
□36 怒りの余りほおをコウ潮させた。
(ア紅 イ孔 ウ郊 エ坑 オ巧)

□37 選挙は与野党候補の一キ討ちだ。
□38 キ真面目で冗談一つ言わない。
□39 若手キ士が昇段を果たした。
(ア騎 イ岐 ウ棄 エ棋 オ生)

□40 雑誌に対談記事をケイ載する。
□41 登山の途中で小ケイイを取る。
□42 ケイ聴に値する卓見と目される。
(ア契 イ刑 ウ傾 エ掲 オ憩)

19 オ　20 ア　21 ウ
22 イ　23 エ　24 ア
25 エ　26 オ　27 ア
28 ウ　29 エ　30 イ
31 ア　32 イ　33 ウ
34 イ　35 ウ　36 ア
37 ア　38 オ　39 エ
40 エ　41 オ　42 ウ

合否の分かれ目！
頻出度 B

同音・同訓異字—④

※次の——線のカタカナにあてはまる漢字をそれぞれア～オから選び、記号で記せ。

□ 1 完成までにボウ大な時間を費やす。
□ 2 ボウ国の大統領が来日した。
□ 3 豊富な知識に脱ボウするしかない。
（ア冒　イ忙　ウ某　エ膨　オ帽）

□ 4 カイ既日食を観察する。
□ 5 大雨の警カイ警報が出される。
□ 6 後カイのないよう全力を尽くす。
（ア戒　イ悔　ウ解　エ怪　オ皆）

□ 7 一人一人の個性をノばす。
□ 8 返済を来月に繰りノべる。
□ 9 事業を本格的に軌道にノせる。
（ア伸　イ述　ウ延　エ載　オ乗）

□ 10 国会で重要な法案をシン議する。
□ 11 運に恵まれずシン酸をなめた。
□ 12 今年度の所得をシン告する。
（ア辛　イ伸　ウ審　エ信　オ申）

□ 13 転倒してひじをスりむく。
□ 14 食事をスませてから床につく。
□ 15 スみ切った夜空に無数の星が輝く。
（ア済　イ捨　ウ擦　エ刷　オ澄）

□ 16 住宅に電話のカ設工事をする。
□ 17 余カに趣味の陶芸を楽しむ。
□ 18 豪カな応接間に通された。
（ア加　イ暇　ウ架　エ華　オ課）

目標正答率 90%

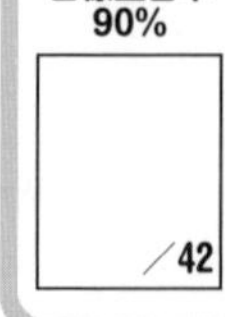
／42

標準解答

1 エ　2 ウ　3 オ
4 オ　5 ア　6 イ
7 ア　8 ウ　9 オ
10 ウ　11 ア　12 オ
13 ウ　14 ア　15 オ
16 ウ　17 イ　18 エ

□19 ソ野な振る舞いをたしなめられる。
□20 契約違反で取引先企業を告ソする。
□21 息子のソ行の悪さに苦労する。
（ア阻　イ訴　ウ素　エ粗　オ礎）

□22 麦畑がこの地方一タイに広がる。
□23 試験走行で車のタイ久性を調べる。
□24 海外にタイ在中の友人に電話する。
（ア耐　イ態　ウ帯　エ体　オ滞）

□25 一戸建て住宅をコウ外に構える。
□26 コウ久平和を願ってやまない。
□27 両作品にはコウ乙をつけがたい。
（ア甲　イ候　ウ効　エ郊　オ恒）

□28 春の野山に入って山菜をトる。
□29 結婚式で記念写真をトる。
□30 混声合唱団の指揮をトる。
（ア盗　イ撮　ウ取　エ執　オ採）

□31 ロウ下にお気に入りの絵画を飾る。
□32 積年の研究をまとめたロウ作だ。
□33 不明ロウな会計が発覚する。
（ア労　イ楼　ウ廊　エ漏　オ朗）

□34 城が焼き討ちでエン上した。
□35 優勝の祝エンを盛大に開いた。
□36 観客の温かい声エンが力になった。
（ア炎　イ援　ウ縁　エ宴　オ煙）

□37 国内でも有数の穀ソウ地帯です。
□38 ソウ方とも誤りを認めた。
□39 死者を土ソウする慣習が残った。
（ア総　イ層　ウ葬　エ双　オ倉）

□40 創立を記念して石ヒを建てた。
□41 ヒ近な例をあげて説明する。
□42 激務が続き心身共にヒ労する。
（ア肥　イ非　ウ碑　エ卑　オ疲）

19 エ　20 イ　21 ウ
22 ウ　23 ア　24 オ
25 エ　26 オ　27 ア
28 オ　29 イ　30 エ
31 ウ　32 ア　33 オ
34 ア　35 エ　36 イ
37 オ　38 エ　39 ウ
40 ウ　41 エ　42 オ

合否の分かれ目!

頻出度

B

部首 ─ ①

※ 次の漢字の部首をア〜エの中から選べ。

□ 1 湾（ア亠　イ弓　ウ氵　エ冫）

□ 2 邦（ア二　イ丨　ウ阝　エ丿）

□ 3 楼（ア女　イ米　ウ木　エ十）

□ 4 延（ア止　イ丿　ウ廴　エ又）

□ 5 疑（ア⺪　イ人　ウ矢　エ匕）

□ 6 粋（ア米　イ十　ウ木　エ乙）

□ 7 者（ア耂　イ日　ウ丿　エ土）

□ 8 裁（ア土　イ衣　ウ戈　エ十）

□ 9 射（ア寸　イ身　ウ自　エ丿）

□ 10 慮（ア虍　イ厂　ウ田　エ心）

□ 11 賢（ア貝　イ匚　ウ又　エ臣）

□ 12 我（ア弋　イ戈　ウ丿　エ扌）

□ 13 墜（ア土　イ八　ウ阝　エ豖）

□ 14 概（ア艮　イ儿　ウ旡　エ木）

□ 15 義（ア弋　イ羊　ウ王　エ戈）

□ 16 蒸（ア灬　イ一　ウ艹　エ水）

□ 17 華（ア二　イ十　ウ艹　エ干）

□ 18 慈（ア幺　イ一　ウ亠　エ心）

□ 19 欲（ア人　イ欠　ウ谷　エ口）

□ 20 舞（ア丿　イ舛　ウ夕　エ二）

目標正答率 80%

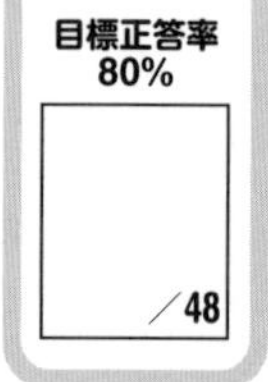

標準解答

1	2	3	4	5	6	7	8	9	10
ウ	ウ	ウ	ウ	ア	ア	ア	イ	ア	エ

11	12	13	14	15	16	17	18	19	20
ア	イ	ア	エ	イ	ウ	ウ	エ	イ	イ

□21 暦（ア 一　イ 日　ウ 木　エ 厂）
□22 搾（ア 扌　イ 二　ウ 宀　エ 穴）
□23 凝（ア 疋　イ 矢　ウ ヒ　エ 冫）
□24 歴（ア 止　イ 厂　ウ ト　エ 一）
□25 郷（ア 幺　イ 艮　ウ 阝　エ 日）
□26 餓（ア 戈　イ 飠　ウ 弋　エ 人）
□27 臨（ア 臣　イ 工　ウ 匚　エ 口）
□28 執（ア 乙　イ 干　ウ 土　エ 十）
□29 凍（ア 十　イ 一　ウ 冫　エ 木）
□30 隷（ア 隶　イ 士　ウ 氺　エ 示）
□31 衝（ア 二　イ 行　ウ 里　エ 彳）
□32 塗（ア 土　イ 示　ウ 氵　エ 人）
□33 祉（ア ト　イ 丶　ウ 礻　エ 止）
□34 袋（ア 弋　イ 衣　ウ 亠　エ 亻）

□35 慰（ア 尸　イ 示　ウ 心　エ 寸）
□36 更（ア 日　イ 一　ウ 大　エ 人）
□37 幻（ア 一　イ 厶　ウ ノ　エ 幺）
□38 埋（ア 田　イ 二　ウ 土　エ 里）
□39 膜（ア 日　イ 艹　ウ 月　エ 大）
□40 翻（ア 羽　イ 采　ウ 田　エ 米）
□41 扇（ア 戸　イ 一　ウ 尸　エ 羽）
□42 裏（ア 衣　イ 田　ウ 里　エ 亠）
□43 圏（ア 囗　イ 大　ウ 人　エ 己）
□44 衛（ア 亻　イ 行　ウ 口　エ 彳）
□45 憩（ア 舌　イ 心　ウ 自　エ 口）
□46 憲（ア 宀　イ 二　ウ 罒　エ 心）
□47 緊（ア 小　イ 糸　ウ 又　エ 臣）
□48 撃（ア 手　イ 殳　ウ 車　エ 又）

21 イ　22 ア　23 エ　24 ア　25 ウ　26 イ　27 ア　28 ウ　29 ウ　30 ア　31 イ　32 ア　33 ウ　34 イ

35 ウ　36 ア　37 エ　38 ウ　39 ウ　40 ア　41 ア　42 ア　43 ア　44 イ　45 イ　46 エ　47 イ　48 ア

合否の分かれ目!
頻出度 B

部首―②

目標正答率80%
／48

※次の漢字の部首をア〜エの中から選べ。

□1 慮（ア厂　イ虍　ウ田　エ心）
□2 執（ア干　イ十　ウ土　エ乙）
□3 隷（ア示　イ士　ウ氺　エ隶）
□4 濫（ア臣　イ匚　ウ皿　エ氵）
□5 糧（ア里　イ米　ウ一　エ日）
□6 震（ア⻗　イ厂　ウ辰　エ二）
□7 斜（ア小　イ𠆢　ウ斗　エ十）
□8 局（アノ　イ勹　ウ尸　エ口）
□9 豪（ア口　イ豕　ウ冖　エ亠）
□10 夢（ア冖　イ艹　ウ夕　エ罒）

□11 彩（ア木　イ采　ウ爫　エ彡）
□12 翼（ア田　イ羽　ウ二　エ八）
□13 芳（ア方　イ一　ウ艹　エ亠）
□14 看（ア目　イ手　ウノ　エ二）
□15 鼻（ア廾　イ鼻　ウ自　エ田）
□16 驚（ア勹　イ馬　ウ攵　エ艹）
□17 誉（ア⺍　イ一　ウ言　エ八）
□18 敷（ア田　イ方　ウ攵　エ十）
□19 隻（ア又　イ亻　ウノ　エ隹）
□20 参（ア大　イ彡　ウ一　エ厶）

標準解答

1	2	3	4	5	6	7	8	9	10
エ	ウ	エ	エ	イ	ア	ウ	ウ	イ	ウ

11	12	13	14	15	16	17	18	19	20
エ	イ	ウ	ア	イ	イ	ウ	ウ	エ	エ

□ 21 堂（ア 土　イ ⺍　ウ 冖　エ 口）
□ 22 冊（ア 冂　イ 十　ウ 卄　エ 丨）
□ 23 微（ア 山　イ 攵　ウ 彳　エ 几）
□ 24 崩（ア 山　イ 月　ウ 日　エ 凵）
□ 25 勉（ア ノ　イ 力　ウ 儿　エ し）
□ 26 暴（ア 二　イ 氺　ウ 八　エ 日）
□ 27 覚（ア 目　イ 儿　ウ 見　エ ⺍）
□ 28 幾（ア 戈　イ 弋　ウ 人　エ 幺）
□ 29 盆（ア 刀　イ 皿　ウ 八　エ 罒）
□ 30 畳（ア 田　イ 冖　ウ 目　エ 一）
□ 31 顔（ア 彡　イ 貝　ウ 立　エ 頁）
□ 32 致（ア 厶　イ 攵　ウ 土　エ 至）
□ 33 喚（ア 大　イ 冂　ウ 八　エ 口）
□ 34 務（ア 亅　イ 攵　ウ 力　エ 矛）

□ 35 民（ア 尸　イ 口　ウ 氏　エ 厂）
□ 36 腕（ア 夕　イ 宀　ウ 卩　エ 月）
□ 37 準（ア 丨　イ 氵　ウ 隹　エ 十）
□ 38 兼（ア 十　イ 木　ウ 八　エ 一）
□ 39 幹（ア 十　イ 干　ウ 日　エ 𠆢）
□ 40 武（ア 止　イ 、　ウ 弋　エ 二）
□ 41 畔（ア 干　イ 十　ウ 田　エ 八）
□ 42 革（ア 十　イ 口　ウ 革　エ 廿）
□ 43 昼（ア 一　イ 八　ウ 尸　エ 日）
□ 44 善（ア 十　イ 羊　ウ 八　エ 口）
□ 45 鯨（ア 魚　イ 田　ウ 小　エ 亠）
□ 46 襲（ア 月　イ 亠　ウ 衣　エ 立）
□ 47 乾（ア 十　イ 日　ウ ノ　エ 乙）
□ 48 徴（ア 山　イ 攵　ウ 王　エ 彳）

21 ア　22 ア　23 ウ　24 ア　25 イ　26 エ　27 ウ　28 エ　29 イ　30 ア　31 エ　32 エ　33 エ　34 ウ

35 ウ　36 エ　37 イ　38 ウ　39 イ　40 ア　41 ウ　42 ウ　43 エ　44 エ　45 ア　46 ウ　47 エ　48 エ

合否の分かれ目！
頻出度 B

熟語の構成――①

目標正答率 85%
／48

※熟語の構成には次のようなものがある。

ア 同じような意味の漢字を重ねたもの（例 岩石）
イ 反対または対応の意味を表す字を重ねたもの（例 高低）
ウ 上の字が下の字を修飾しているもの（例 洋画）
エ 下の字が上の字の目的語・補語となっているもの（例 着席）
オ 上の字が下の字の意味を打ち消しているもの（例 非常）

次の熟語はそのどれに当たるか、記号を記せ。

□1 功罪
□2 応募
□3 概算
□4 未婚
□5 遠征
□6 波浪
□7 書架
□8 湖畔
□9 深紅
□10 攻防
□11 陰謀
□12 硬貨
□13 存亡
□14 塗料
□15 未熟

標準解答

1 イ 「良かった点」⇔「悪かった点」の意
2 エ 「応じる←募集に」と解釈する
3 ウ 「おおよその＋計算」と解釈する
4 オ 「まだしていない←結婚を」と解釈する
5 ウ 「遠くに＋征伐に行く」と解釈する
6 ア どちらも「なみ」の意
7 ウ 「書物を＋並べる棚（＝架）」と解釈する
8 ウ 「湖の＋ほとり」と解釈する
9 ウ 「濃い（＝深）＋紅色」と解釈する
10 イ 「攻撃」⇔「防御」の意
11 ウ 「ひそかな（＝陰）＋はかりごと（＝謀）」と解釈する
12 ウ 「硬い＋貨へい」と解釈する
13 イ 「存続」⇔「滅亡」の意
14 ウ 「塗るための＋材料」と解釈する
15 オ 「まだできていない←熟することが」と解釈する

□16 彫刻
□17 未納
□18 投獄
□19 開拓
□20 任免
□21 敢行
□22 既成
□23 免責
□24 未詳
□25 不沈
□26 未来

□27 円卓
□28 家畜
□29 朗詠
□30 未開
□31 奇怪
□32 墳墓
□33 欠乏
□34 辛勝
□35 未踏
□36 衝突
□37 排斥

□38 邦楽
□39 鐘楼
□40 点滅
□41 邪悪
□42 往復
□43 濃淡
□44 常駐
□45 変換
□46 訪欧
□47 傍聴
□48 喜悦

16 ア どちらも「ほりきざむ」の意
17 オ 「まだできていない↑納めることが」と解釈する
18 エ 「投げ入れる↑監獄に」と解釈する
19 ア どちらも「ひらく」の意
20 イ 「任せる」⇕「まぬかれる」の意
21 ウ 「思い切って＋行う」と解釈する
22 ウ 「すでに＋成る」と解釈する
23 エ 「まぬかれる↑責任を」と解釈する
24 オ 「まだできていない↑詳しくわかることが」と解釈する
25 オ 「しない↑沈没」と解釈する
26 オ 「まだできていない↑来ることが」と解釈する

27 ウ 「円形の＋机」と解釈する
28 ウ 「家で飼育する＋動物(＝畜)」と解釈する
29 ウ 「声高らかに(＝朗)＋うたう」と解釈する
30 オ 「まだできていない↑開けることが」と解釈する
31 ア どちらも「あやしい」の意
32 ア どちらも「はか」の意
33 ア どちらも「足りなくなる」の意
34 ウ 「やっと＋勝つ」と解釈する
35 オ 「まだできない↑足などを踏み入れることが」と解釈する
36 ア どちらも「つき当たること」の意
37 ア どちらも「退ける」の意

38 ウ 「日本の＋音楽」と解釈する
39 ウ 「鐘をつるした＋楼」と解釈する
40 イ 「ともる」⇕「消える」の意
41 ア どちらも「わるい、よこしま」の意
42 イ 「いき」⇕「かえり」の意
43 イ 「濃い」⇕「薄い」の意
44 ウ 「いつも＋とどまっている」と解釈する
45 ア どちらも「かえる」の意
46 エ 「訪れる↑欧州を」と解釈する
47 ウ 「そばで＋きく」と解釈する
48 ア どちらも「よろこぶ」の意

合否の分かれ目！
頻出度
B

熟語の構成――②

目標正答率
85%
／48

※熟語の構成には次のようなものがある。

ア　同じような意味の漢字を重ねたもの（例　岩石）
イ　反対または対応の意味を表す字を重ねたもの（例　高低）
ウ　上の字が下の字を修飾しているもの（例　洋画）
エ　下の字が上の字の目的語・補語となっているもの（例　着席）
オ　上の字が下の字の意味を打ち消しているもの（例　非常）

次の熟語はそのどれに当たるか、記号を記せ。

□1 滅亡
□2 必携
□3 喫煙
□4 暖炉
□5 晩鐘
□6 未決
□7 主催
□8 怪獣
□9 氷塊
□10 耐震
□11 厳禁
□12 換気
□13 孤独
□14 廉売
□15 不慮

標準解答

1 ア　どちらも「ほろびる」の意
2 ウ　「必ず＋携えなければならない」と解釈する
3 エ　「のむ↑たばこを」と解釈する
4 ウ　「室内を暖める＋炉」と解釈する
5 ウ　「夕暮れの＋鐘」と解釈する
6 オ　「まだできていない↑決めることが」と解釈する
7 ウ　「中心となって＋開催する」と解釈する
8 ウ　「不思議な＋獣」と解釈する
9 ウ　「氷の＋塊」と解釈する
10 エ　「耐える↑地震に」と解釈する
11 ウ　「厳重に＋禁止する」と解釈する
12 エ　「入れ換える↑空気を」と解釈する
13 ア　どちらも「ひとりぼっち」の意
14 ウ　「安く＋売る」と解釈する
15 オ　「ない↑思い巡らせることが」と解釈する

□16 空虚
□17 雅俗
□18 吉兆
□19 免職
□20 硬球
□21 昇天
□22 概観
□23 減税
□24 邪推
□25 侵犯
□26 清濁

□27 排尿
□28 濃紺
□29 干満
□30 悲哀
□31 呼応
□32 除籍
□33 隔離
□34 送迎
□35 怪力
□36 脱藩
□37 魔法

□38 慈雨
□39 諾否
□40 無尽
□41 延期
□42 破裂
□43 平穏
□44 無双
□45 賢者
□46 官民
□47 装飾
□48 提訴

16 ア どちらも「中に何もない」の意
17 イ 「上品なこと」⇔「通俗的なこと」の意
18 ウ 「よいことが起こる＋きざし」と解釈する
19 エ 「免ずる←職務を」と解釈する
20 ウ 「硬い＋球」と解釈する
21 エ 「昇る←天に」と解釈する
22 ウ 「おおざっぱに＋みる」と解釈する
23 エ 「減らす←税金の額を」と解釈する
24 ウ 「よこしまな＋推測」と解釈する
25 ア どちらも「おかす」の意
26 イ 「清らか」⇔「濁っている」の意

27 エ 「排出する←尿を」と解釈する
28 ウ 「濃い＋紺色」と解釈する
29 イ 「干潮」⇔「満潮」の意
30 ア どちらも「かなしい」の意
31 イ 「呼びかける」⇔「応える」の意
32 エ 「除く←籍を」と解釈する
33 ア どちらも「遠くはなれる」の意
34 イ 「送る」⇔「迎える」の意
35 ウ 「普通ではない＋力」と解釈する
36 エ 「脱する←藩を」と解釈する
37 ウ 「不思議な＋わざ」と解釈する

38 ウ 「恵みの＋雨」と解釈する
39 イ 「承知する」⇔「断る」の意
40 オ 「ない←尽きること」と解釈する
41 エ 「延ばす←期日を」と解釈する
42 ア どちらも「こわれる」の意
43 ア どちらも「おだやか」の意
44 オ 「ない←比べるもの」と解釈する
45 ウ 「賢い＋者」と解釈する
46 イ 「官庁」⇔「民間」の意
47 ア どちらも「かざる」の意
48 エ 「かかげる←訴えを」と解釈する

合否の分かれ目！
頻出度 B

漢字識別

※三つの□に共通する漢字を［ ］の中から選んで熟語を作り、記号で答えよ。

□ 1 □液・□膜・□土
□ 2 野□・□屈・□下
□ 3 □天・□上・気□
□ 4 □結・□傷・冷□
□ 5 □橋・□空・担□

ア 凍　イ 炎　ウ 諮　エ 湿　オ 卑
カ 軸　キ 侍　ク 架　ケ 慈　コ 粘

□ 6 完□・□解・□承
□ 7 □盛・興□・□起
□ 8 □風・眼□・□走
□ 9 工□・暖□・花□
□ 10 □病・□面・□設

ア 施　イ 撮　ウ 擦　エ 疾　オ 房
カ 暫　キ 隆　ク 祉　ケ 仮　コ 了

目標正答率 90%
／38

標準解答

1 コ 粘
2 オ 卑
3 イ 炎
4 ア 凍
5 ク 架
6 コ 了
7 キ 隆
8 エ 疾
9 オ 房
10 ケ 仮

□ 11 □割・現□・使□

□ 12 □人的・□過・□然

□ 13 □度・□点・□落

□ 14 開□・□促・□眠

□ 15 追□・□員・□行

□ 16 抑□・□水・浮□

□ 17 □設・□行・実□

ア 催　イ 徐　ウ 殊　エ 揚　オ 零
カ 赦　キ 超　ク 邪　ケ 役　コ 潤
サ 寿　シ 施　ス 疾　セ 遵　ソ 随

□ 18 盗□・義□・□軍

□ 19 □岸・□曲・港□

□ 20 □述・□腐・□列

□ 21 □閉・□玄・□霊

□ 22 □待・残□・自□

□ 23 □素・糖□病・検□

□ 24 □実・□志家・□学

ア 晶　イ 冗　ウ 陳　エ 幽　オ 衝
カ 鐘　キ 尿　ク 焦　ケ 昇　コ 匠
サ 虐　シ 湾　ス 篤　セ 賊　ソ 掌

11 ケ 役
12 キ 超
13 オ 零
14 ア 催
15 ソ 随
16 エ 揚
17 シ 施

18 セ 賊
19 シ 湾
20 ウ 陳
21 エ 幽
22 サ 虐
23 キ 尿
24 ス 篤

25 □成・催□・□進

26 幽□・□魂・亡□

27 □在・□水・□入

28 多□・分□・□路

29 □視・□過・浸□

30 切□・終止□・音□

31 □急・□慢・□和

ア 審　イ 透　ウ 辛　エ 錠　オ 促
カ 岐　キ 緩　ク 潜　ケ 伸　コ 霊
サ 譲　シ 嘱　ス 符　セ 嬢　ソ 辱

---

32 湿□・利□・豊□

33 満□・□茶・□煙

34 □品・□筋・□製

35 香□料・□苦・□口

36 □傷・分□・破□

37 墓□・歌□・□文

38 望□・□閣・高□

ア 粋　イ 楼　ウ 髄　エ 喫　オ 瀬
カ 潤　キ 辛　ク 酔　ケ 粗　コ 遂
サ 牲　シ 随　ス 裂　セ 碑　ソ 炊

---

25 オ 促　26 コ 霊　27 ク 潜　28 カ 岐　29 イ 透　30 ス 符　31 キ 緩

32 カ 潤　33 エ 喫　34 ケ 粗　35 キ 辛　36 ス 裂　37 セ 碑　38 イ 楼

合格を確実にする！

ダメ押し問題420

第3章

読み―①

※次の――線の読みをひらがなで記せ。

□1 今回の人事での**昇進**は見送られた。
□2 **師匠**には独特の風格がある。
□3 安全確保のため入口を**封鎖**する。
□4 船が南風を受けて**帆走**する。
□5 事情を説明し住民の**納得**を得る。
□6 **請求**は月末にお願いします。
□7 **粗末**な小屋だが居心地はよい。
□8 **卵黄**と卵白を分ける。
□9 **嘱託**として会社に残る。
□10 ばくちが身の**破滅**を招いた。
□11 著作権者の**許諾**を得る必要がある。
□12 **健**やかな精神を養いたいものだ。
□13 **債権**者に借金を返済する。
□14 困難に**敢然**と立ち向かう。
□15 いたずらは日常**茶飯事**だ。
□16 道が**峡谷**沿いに続いている。
□17 理性と感情の**相克**に苦しむ。
□18 動物**虐待**の罪を問われる。
□19 そのやり方は**邪道**だ。
□20 **既婚**の女性を対象に調査した。
□21 その座り方は若者の**習癖**だ。
□22 党内の反対勢力を**排斥**する。
□23 酸化防止のため**窒素**を袋に詰める。
□24 出会いは**偶然**だった。

目標正答率 95%

／56

標準解答

1 しょうしん
2 ししょう
3 ふうさ
4 はんそう
5 なっとく
6 せいきゅう
7 そまつ
8 らんおう
9 しょくたく
10 はめつ
11 きょだく
12 すこ
13 さいけん
14 かんぜん
15 さはんじ
16 きょうこく
17 そうこく
18 ぎゃくたい
19 じゃどう
20 きこん
21 しゅうへき
22 はいせき
23 ちっそ
24 ぐうぜん

□ 25 他人の事情をまったく**顧慮**しない。
□ 26 涙をこらえて**惜別**の情を語る。
□ 27 財界の**重鎮**として活躍した。
□ 28 友人から預かった本を**紛失**した。
□ 29 給料は**歩合**制で支払われる。
□ 30 トンネルの**貫通**を祝う。
□ 31 身体が**病魔**におかされる。
□ 32 地震で山が**崩落**した。
□ 33 必死の思いで助命を**哀願**する。
□ 34 **実兄**は地方で旅館を経営している。
□ 35 **朱塗**りのはしで和食をいただく。
□ 36 **波浪**注意報が発令された。
□ 37 父兄**同伴**で面接試験が行われた。
□ 38 大雨で川の近くの道路が**冠水**した。
□ 39 すまないがこれで**勘弁**してほしい。
□ 40 景気が**沈滞**している。
□ 41 見えすいた**魂胆**にあきれかえる。
□ 42 **陪審**員として裁判に参加する。
□ 43 カルシウムを積極的に**摂取**する。
□ 44 冬の**山岳**地帯は人を寄せ付けない。
□ 45 **抱擁**し合って再会を喜ぶ。
□ 46 与党の政策に新**機軸**を打ち出す。
□ 47 **篤実**な人柄に定評がある。
□ 48 祖母は百歳を**超**えてなお元気だ。
□ 49 社内での**喫煙**は禁じられている。
□ 50 民芸品に細かな**技巧**を凝らす。
□ 51 **奇怪**な事件に世間が騒然となる。
□ 52 事前に**謀略**が発覚した。
□ 53 学校でバザーが**開催**された。
□ 54 在外**邦人**向けに放送する。
□ 55 冷たい水で米を**研**ぐ。
□ 56 業績に見合った**処遇**を求める。

25 こりょ
26 せきべつ
27 じゅうちん
28 ふんしつ
29 ぶあい
30 かんつう
31 びょうま
32 ほうらく
33 あいがん
34 じっけい
35 しゅぬ
36 はろう
37 どうはん
38 かんすい
39 かんべん
40 ちんたい
41 こんたん
42 ばいしん
43 せっしゅ
44 さんがく
45 ほうよう
46 きじく
47 とくじつ
48 こ
49 きつえん
50 ぎこう
51 きかい
52 ぼうりゃく
53 かいさい
54 ほうじん
55 と
56 しょぐう

合格を確実にする！

頻出度

C

読み―②

目標正答率95%

／56

※次の――線の読みをひらがなで記せ。

□1 **滑走路**の拡張工事を進める。

□2 病気の予後には**摂生**が欠かせない。

□3 血液には**凝固**作用がある。

□4 消防隊が山火事を素早く**鎮火**した。

□5 **密封**された文書を保管する。

□6 **待遇**のいい会社に転職する。

□7 上司から事前に**承諾**を得る。

□8 **免許**を取って自動車を運転する。

□9 政変をもくろんで**策謀**を巡らした。

□10 **痛恨**のエラーを犯し敗れる。

□11 小説に登場する人物は**架空**だ。

□12 にえきらない態度に**幻滅**した。

□13 デモによって通行が**妨害**される。

□14 友人として**葬儀**に参列する。

□15 絵画コンクールに**応募**した。

□16 敵に囲まれて**袋**のねずみだ。

□17 近隣住民が**清掃**活動に励む。

□18 **師匠**の教えに忠実な弟子だ。

□19 **古墳**の周囲を掘り起こす。

□20 **災**いをもたらす神とおそれられる。

□21 二国間で平和条約が**締結**された。

□22 運動会のビデオを**撮**る。

□23 笑顔が**魅力**的な俳優だ。

□24 月末までに**為替**を送ってほしい。

標準解答

1 かっそうろ
2 せっせい
3 ぎょうこ
4 ちんか
5 みっぷう
6 たいぐう
7 しょうだく
8 めんきょ
9 さくぼう
10 つうこん
11 かくう
12 げんめつ
13 ぼうがい
14 そうぎ
15 おうぼ
16 ふくろ
17 せいそう
18 ししょう
19 こふん
20 わざわ
21 ていけつ
22 と
23 みりょく
24 かわせ

□ 25 公共**施設**は全面禁煙だ。
□ 26 新商品の開発に**没頭**する。
□ 27 **顧問**として会社に残る。
□ 28 独自の経営**哲学**を述べる。
□ 29 食料も燃料も**欠乏**している。
□ 30 犯人は**覆面**をしていた。
□ 31 **仮病**を使って学校を休んだ。
□ 32 **邪悪**な心を取り去る。
□ 33 **埋**もれていた財宝が見つかった。
□ 34 外科医が傷口を**縫合**する。
□ 35 **既成**の考えを打ち破る。
□ 36 心に**秘**めた思いを日記に書く。
□ 37 **紛争**の解決が望まれる。
□ 38 自分の**癖**には気づかないものだ。
□ 39 そんなに**卑下**することはない。
□ 40 身内の不幸で**忌引**きを申請した。

□ 41 **納豆**は健康食として人気がある。
□ 42 服を買いに**繁華街**へ行った。
□ 43 **特殊**な製法を取り入れる。
□ 44 同窓会の**名簿**を作成する。
□ 45 両者の意見が真っ向から**衝突**する。
□ 46 財布から**小銭**を出す。
□ 47 火山活動で大地が**裂**けた。
□ 48 作業の途中で**休憩**をとる。
□ 49 ボールが**弧**を描いて池に落ちた。
□ 50 青のペンキで外壁を**塗**る。
□ 51 はしにも棒にも**掛**からない。
□ 52 **最寄**りのバス停まで出迎える。
□ 53 **強引**悪らつな業者を告発する。
□ 54 **大胆**なデザインが目を引く。
□ 55 今朝の魚介の**水揚**げは上々だ。
□ 56 功績が認められて部長に**昇任**した。

25 しせつ
26 ぼっとう
27 こもん
28 てつがく
29 けつぼう
30 ふくめん
31 けびょう
32 じゃあく
33 う
34 ほうごう
35 きせい
36 ひ
37 ふんそう
38 くせ
39 ひげ
40 きび

41 なっとう
42 はんかがい
43 とくしゅ
44 めいぼ
45 しょうとつ
46 こぜに
47 さ
48 きゅうけい
49 こ
50 ぬ
51 か
52 もよ
53 ごういん
54 だいたん
55 みずあ
56 しょうにん

合格を確実にする！
頻出度
C

読み―③

目標正答率 95%
／56

※次の――線の読みをひらがなで記せ。

□ 1 社外秘の文書を入れて**封印**する。
□ 2 先進技術を**摂取**して帰国する。
□ 3 山での**遭難**が相次いでいる。
□ 4 美術書の**装丁**を手がける。
□ 5 作品の**随所**に工夫が見られる。
□ 6 旧友が集まって**談笑**した。
□ 7 ユーモアは暮らしの**潤滑**油だ。
□ 8 首相に**委嘱**されて調査を行う。
□ 9 **負債**が重くのしかかる。
□ 10 **脱漏**がないよう念入りに確かめる。
□ 11 目の**錯覚**で丸く見える。
□ 12 黄ばんだ衣類を**漂白**した。
□ 13 悟りを求めて**修行**する。
□ 14 費用が見積もりを**超過**する。
□ 15 ごみが山中に不法に**投棄**された。
□ 16 **聴衆**がいっせいに立ち上がった。
□ 17 **故**あって郷里を離れた。
□ 18 公園の至る所で**野菊**が咲いている。
□ 19 この仕事は**下請**けに任せよう。
□ 20 資格を取ると試験で**優遇**される。
□ 21 **卓球**部に入って練習に明け暮れる。
□ 22 ヘリコプターが山に**墜落**する。
□ 23 家の柱が**湾曲**している。
□ 24 放置自転車は通行の**邪魔**だ。

標準解答

1 ふういん
2 せっしゅ
3 そうなん
4 そうてい
5 ずいしょ
6 だんしょう
7 じゅんかつ
8 いしょく
9 ふさい
10 だつろう
11 さっかく
12 ひょうはく
13 しゅぎょう
14 ちょうか
15 とうき
16 ちょうしゅう
17 ゆえ
18 のぎく
19 したう
20 ゆうぐう
21 たっきゅう
22 ついらく
23 わんきょく
24 じゃま

□25 **裸子**植物が茂っている。
□26 **縫製**の仕事で生計を立てる。
□27 太陽光を電気に**変換**する。
□28 **粗悪**な類似品が市場に出回る。
□29 祝福の**紙吹雪**が空中を舞う。
□30 **浮**き輪を使って泳ぐ。
□31 多数決で少数意見が**排除**された。
□32 **幻想**的な映像が印象に残る。
□33 野鳥の**撮影**に出かける。
□34 **花嫁**の涙にもらい泣きする。
□35 **幽霊**の正体見たり枯れ尾花。
□36 ごみのリサイクルを**励行**する。
□37 求人広告で運転手を**急募**する。
□38 **芝生**に入ってはいけません。
□39 **既製**の服は体に合わない。
□40 地元の**硬式**野球チームに入る。

□41 入学式で校旗を**掲揚**した。
□42 **無謀**な運転はやめなさい。
□43 仏像**彫刻**の大家として知られる。
□44 **郊外**に一戸建てを買う。
□45 ダイヤモンドは炭素の**結晶**だ。
□46 ウミガメが砂浜で**産卵**する。
□47 ブドウを**一房**もいで食べた。
□48 **破廉恥**なふるまいに抗議する。
□49 別れた人への**恋慕**の情が消えない。
□50 駐車場で車を**誘導**する。
□51 病人の**慰問**で病院を訪れる。
□52 月末に残業を**強**いられる。
□53 不漁の原因は**濫獲**とされる。
□54 **名匠**が仕立てた茶道具だ。
□55 **篤志家**として尊敬されている。
□56 古くさびた配管から**漏水**する。

25 らし
26 ほうせい
27 へんかん
28 そあく
29 かみふぶき
30 う
31 はいじょ
32 げんそう
33 さつえい
34 はなよめ
35 ゆうれい
36 れいこう
37 きゅうぼ
38 しばふ
39 きせい
40 こうしき
41 けいよう
42 むぼう
43 ちょうこく
44 こうがい
45 けっしょう
46 さんらん
47 ひとふさ
48 はれんち
49 れんぼ
50 ゆうどう
51 いもん
52 し
53 らんかく
54 めいしょう
55 とくしか
56 ろうすい

合格を確実にする！ 頻出度 C

書き取り—①

※次の——線のカタカナを漢字に直せ。

1 惜しまれつつ**ゲンエキ**を退いた。
2 わが子は目に入れても**イタ**くない。
3 自然に**サカ**らうことはできない。
4 立候補者の名前を**レンコ**する。
5 経済政策の**シシン**を示す。
6 国内外の美術品を**シュウゾウ**する。
7 青空に**ワタグモ**が浮かんでいる。
8 欧州**レキホウ**の結果をまとめる。
9 **テサ**げかばんを持って出勤する。
10 **シャソウ**から富士山が見えた。
11 ようかんを**キントウ**に切り分ける。
12 旬の**ショクザイ**を使って料理する。
13 一足先に**シッケイ**する。
14 **セイイ**の感じられる言葉だ。
15 **ココロザシ**を高くして勉学に励む。
16 **カセツ**の舞台で催し物を行う。
17 息の合った**アイボウ**と仕事をする。
18 海外赴任した息子の身を**アン**じる。
19 **ダンリュウ**に乗って魚群が近づく。
20 土地を**タガヤ**して野菜を育てる。
21 あっけない**マクギ**れだった。
22 体力の**ゲンカイ**を感じて引退する。
23 強豪チームに**ゼンセン**する。
24 木の種類を**ジュヒ**で見分ける。

目標正答率 80%

／56

標準解答

1	現役	13	失敬
2	痛	14	誠意
3	逆	15	志
4	連呼	16	仮設
5	指針	17	相棒
6	収蔵	18	案
7	綿雲	19	暖流
8	歴訪	20	耕
9	手提	21	幕切
10	車窓	22	限界
11	均等	23	善戦
12	食材	24	樹皮

□ 25 過去のジッセキがものをいう。
□ 26 試合は雨天ジュンエンです。
□ 27 市庁舎移転のサンピを問う。
□ 28 店のエイセイ管理を任される。
□ 29 友人とはヒサしく会っていない。
□ 30 北の方向をジシャクで確認する。
□ 31 インガ関係が認められた。
□ 32 ゲンミツな審査が必要だ。
□ 33 イサんで試合に臨む。
□ 34 最良の策をケントウした。
□ 35 新居に電話カイセンを引く。
□ 36 領土カクチョウに野心を燃やす。
□ 37 電話がコショウして連絡できない。
□ 38 クレーンをたくみにソウサする。
□ 39 講演会でシツギに答える。
□ 40 ホウドウ記者が取材に向かう。

□ 41 議会は激しいロンセンとなった。
□ 42 夕日が空をクレナイに染めている。
□ 43 春のケハイを感じる天候だ。
□ 44 二人の巡り会いはヒツゼンだった。
□ 45 ボケツを掘ってしまった。
□ 46 能力にカクダンの相違がある。
□ 47 優秀なパイロットをヨウセイする。
□ 48 ヒンプの差がはなはだしい。
□ 49 計画はゴクヒに進められた。
□ 50 国道のエンセンに花を植える。
□ 51 軽はずみな発言が非難をアびる。
□ 52 先生のお知恵をハイシャクしたい。
□ 53 バスのウンチン値上げに反対する。
□ 54 徒歩でショコクを旅する。
□ 55 モゾウの宝石を安値で売る。
□ 56 新しい歴史の一ページをキザむ。

25 実績
26 順延
27 賛否
28 衛生
29 久
30 磁石
31 因果
32 厳密
33 勇
34 検討
35 回線
36 拡張
37 故障
38 操作
39 質疑
40 報道

41 論戦
42 紅
43 気配
44 必然
45 墓穴
46 格段
47 養成
48 貧富
49 極秘
50 沿線
51 浴
52 拝借
53 運賃
54 諸国
55 模造
56 刻

合格を確実にする!

頻出度

C

書き取り――②

目標正答率 80%

／56

※次の――線のカタカナを漢字に直せ。

□1 松のジュヒには抗酸化作用がある。
□2 ゲンミツに言えば間違っている。
□3 ボケツを掘る発言を後悔する。
□4 一年前に比べカクダンに進歩した。
□5 会社の将来性にギネンを抱いた。
□6 コショウした機械を修理する。
□7 運動会が雨でジュンエンされた。
□8 遠隔ソウサのおそれがある。
□9 何のインガでこんな目にあうのか。
□10 被害状況がホウドウされた。
□11 夕焼けで丘がクレナイに染まる。
□12 激しいロンセンが長時間続いた。
□13 服装の自由をヨウニンする。
□14 姉妹校とのシンゼン試合を行う。
□15 大通りにソって歩く。
□16 お時間をハイシャクできますか。
□17 ヒンプの差はなくすべきだ。
□18 趣味はエンゲキ鑑賞だ。
□19 センドウが荷物を運ぶ。
□20 本物そっくりのモゾウ品だ。
□21 バスのウンチンが値上げされた。
□22 地域の行事でカセツのテントを使う。
□23 ゴクヒ資料を破棄する。
□24 セイイある態度に満足する。

標準解答

1 樹皮
2 厳密
3 墓穴
4 格段
5 疑念
6 故障
7 順延
8 操作
9 因果
10 報道
11 紅
12 論戦
13 容認
14 親善
15 沿
16 拝借
17 貧富
18 演劇
19 船頭
20 模造
21 運賃
22 仮設
23 極秘
24 誠意

□25 宿題を**ス**ませて遊びに行く。
□26 **カンイ**裁判所に出頭する。
□27 ターミナル駅を**ケイユ**する。
□28 主役に新人を**キヨウ**する。
□29 公私**コンドウ**もはなはだしい。
□30 会議は**テイコク**に開かれます。
□31 私鉄**エンセン**の振動を調査する。
□32 交代で父を**カンビョウ**する。
□33 破竹の**イキオ**いで前進する。
□34 不確かなニュースが**カクサン**する。
□35 **ヒツジカ**いの家族に会う。
□36 国会で大臣が**トウベン**する。
□37 環境問題への**タイサク**を構じる。
□38 繁華街で衣料品を**アキナ**う。
□39 幸福な**バンネン**を過ごした。
□40 清らかな**イズミ**がわいている。

□41 旅先で現地の**ツウカ**に両替する。
□42 終日**スワ**って仕事をする。
□43 転んで足を**フショウ**した。
□44 仕事で**タンジュン**なミスをした。
□45 人間の**ソンゲン**を大切にする。
□46 文章から人柄を**スイリョウ**する。
□47 資金の**チョウタツ**に苦労する。
□48 時計の**ビョウシン**を見つめる。
□49 歓喜の**ゼッチョウ**を迎える。
□50 急な**フクツウ**で会社を休む。
□51 ミキサーで**フンマツ**状にする。
□52 **ソウギョウ**者の孫が社長になる。
□53 高い山々が**ツラ**なっている。
□54 世界的なオーケストラを**シキ**する。
□55 一雨ありそうな**クモユ**きだ。
□56 わがままを言えば**サイゲン**がない。

25	26	27	28	29	30	31	32	33	34	35	36	37	38	39	40
済	簡易	経由	起用	混同	定刻	沿線	看病	勢	拡散	羊飼	答弁	対策	商	晩年	泉

41	42	43	44	45	46	47	48	49	50	51	52	53	54	55	56
通貨	座	負傷	単純	尊厳	推量	調達	秒針	絶頂	腹痛	粉末	創業	連	指揮	雲行	際限

合格を確実にする！

頻出度

C

書き取り―③

※次の――線のカタカナを漢字に直せ。

□ 1 定刻になりシツギを打ち切る。
□ 2 生体ニンショウで本人を確かめる。
□ 3 卒業式に桜をショクジュした。
□ 4 国道にソってビルが林立している。
□ 5 サンランしたごみを片付ける。
□ 6 コクモツの輸入量が急増する。
□ 7 駅前の道路をカクチョウする。
□ 8 ミスなのかコイなのか不明だ。
□ 9 政治家のシシツが問われる。
□ 10 議会はテイコク通りに始まった。
□ 11 先輩から仕事のゴクイを学ぶ。
□ 12 デンセン病で多くの人が亡くなった。
□ 13 朝礼の最中にヒンケツで倒れる。
□ 14 社長の経営方針にギネンを抱く。
□ 15 ハナラびの美しい女性だ。
□ 16 収穫物をキントウに分ける。
□ 17 麦をひいてフンマツにした。
□ 18 テれ隠しに口笛を吹いた。
□ 19 アリがサイゲンなく集まってくる。
□ 20 ネビきによる集客効果は絶大だ。
□ 21 願をかけて酒をタつ。
□ 22 サカダちして歩くのが得意だ。
□ 23 人数が多くなるとワリヤスになる。
□ 24 海外旅行にはニガい思い出がある。

目標正答率 80%

／56

標準解答

1	質疑	13	貧血
2	認証	14	疑念
3	植樹	15	歯並
4	沿	16	均等
5	散乱	17	粉末
6	穀物	18	照
7	拡張	19	際限
8	故意	20	値引
9	資質	21	断
10	定刻	22	逆立
11	極意	23	割安
12	伝染	24	苦

□25 両国間のミツヤクが漏えいする。
□26 野生の馬の数が年々へっている。
□27 大雨ケイホウが発令された。
□28 歴史を感じさせるタテモノだ。
□29 すぐに弱音を吐いてイクジがない。
□30 隠れた才能がメザめる。
□31 出身校が同じでシンキン感を抱く。
□32 システムにショウガイが生じる。
□33 ガラスがわれて破片がヒサンした。
□34 前向きにゼンショします。
□35 全員いるかテンコをとる。
□36 退院後は自宅でセイヨウする。
□37 ビルの建設でケイカンが台無しだ。
□38 ゴクジョウの材料で料理する。
□39 ヘビは、カエルのテンテキだ。
□40 地元住民との信頼関係をキズく。

□41 新鮮な外の空気をスった。
□42 試合に備えて体力をオンゾンする。
□43 不用意な発言がブツギをかもした。
□44 シュウショクのため上京した。
□45 メールをハイケンしました。
□46 ドクソウ性に富んだ作品だ。
□47 学問のリョウイキを超えている。
□48 大臣としてジュウセキをになう。
□49 メンミツな計画を立てる。
□50 誠実さで彼女の心をイ止めた。
□51 原文と訳文をタイショウする。
□52 会議で問題をテイキする。
□53 テイサイを繕っても遅すぎる。
□54 車を買うためヨキンする。
□55 しかられた彼はまるでアオナに塩だ。
□56 子どものジュンシンな心を傷つける。

25 密約
26 減
27 警報
28 建物
29 意気地
30 目覚
31 親近
32 障害
33 飛散
34 善処
35 点呼
36 静養
37 景観
38 極上
39 天敵
40 築

41 吸
42 温存
43 物議
44 就職
45 拝見
46 独創
47 領域
48 重責
49 綿密
50 射
51 対照
52 提起
53 体裁
54 預金
55 青菜
56 純真

同音・同訓異字―

※次の――線のカタカナにあてはまる漢字をそれぞれア～オから選び、記号で記せ。

□1 **フン**墓から土器が出土する。
□2 政府に対する批判が**フン**出する。
□3 苦難を乗り越えようと**フン**闘する。
（ア粉　イ奮　ウ墳　エ噴　オ紛）

□4 野**バン**な行為に腹が立つ。
□5 陸上競技の円**バン**投げが専門だ。
□6 **バン**感の思いで胸が一杯になる。
（ア伴　イ万　ウ蛮　エ晩　オ盤）

□7 証拠を**ア**げて反論する。
□8 成績が**ア**がって喜んだ。
□9 天ぷらを上手に**ア**げる。
（ア在　イ上　ウ揚　エ有　オ挙）

□10 地球が温暖化の**ケイ**向を示す。
□11 新聞で**ケイ**気の変動を調べる。
□12 事故を**ケイ**機に歩道ができた。
（ア景　イ契　ウ経　エ傾　オ係）

□13 **チョウ**馬で見事に優勝する。
□14 時代の**チョウ**流に歩調を合わせる。
□15 高齢で胃**チョウ**の機能が低下する。
（ア腸　イ超　ウ潮　エ徴　オ跳）

□16 銀行で手形を現金に**カ**える。
□17 振り**カ**え休日をのんびり過ごす。
□18 書面にてお礼に**カ**えます。
（ア変　イ換　ウ買　エ代　オ替）

標準解答

1 ウ
2 エ
3 イ
4 ウ
5 オ
6 イ
7 オ
8 イ
9 ウ
10 エ
11 ア
12 イ
13 オ
14 ウ
15 ア
16 イ
17 オ
18 エ

19 漫画で社会を風シする。
20 母は福シ活動に熱心だ。
21 政府のシ問機関として活動する。
（ア資　イ刺　ウ諮　エ祉　オ私）

22 ショウ細は後ほど連絡します。
23 欲望を芸術にショウ華させる。
24 画面が液ショウで表示される。
（ア省　イ昇　ウ晶　エ詳　オ紹）

25 合格をキ願する。
26 祖母の一周キの法要を営む。
27 友人の話をキ異に感じた。
（ア記　イ祈　ウ忌　エ奇　オ希）

28 前ト多難な問題が山積みだ。
29 戦争中はト炭の苦しみをなめた。
30 真情を親友にト露する。
（ア徒　イ塗　ウ吐　エ途　オ戸）

31 耐ボウ生活が一年も続く。
32 車の騒音で安眠がボウ害される。
33 何もせずボウ観者の立場をとる。
（ア冒　イ妨　ウ暴　エ傍　オ乏）

34 投稿した俳句がケイ載された。
35 議題はケイ続審議となった。
36 兄は養ケイ場で働いている。
（ア系　イ継　ウ経　エ掲　オ鶏）

37 コウ名をあげて出世をする。
38 コウ妙な手口で人をだます。
39 暗やみに一筋のコウ明を見いだす。
（ア好　イ交　ウ光　エ功　オ巧）

40 濃コンの制服を着用して接客する。
41 急な変更に作業員がコン惑する。
42 祖先が未開の地を開コンした。
（ア困　イ魂　ウ紺　エ恨　オ墾）

19 イ　20 エ　21 ウ
22 エ　23 イ　24 ウ
25 イ　26 ウ　27 エ
28 エ　29 イ　30 ウ
31 オ　32 イ　33 エ
34 エ　35 イ　36 オ
37 エ　38 オ　39 ウ
40 ウ　41 ア　42 オ

合格を確実にする！

頻出度 C

同音・同訓異字——②

※次の——線のカタカナにあてはまる漢字をそれぞれア〜オから選び、記号で記せ。

□ 1 夜空に北トト七星がきらめいている。
□ 2 南極探検の雄トにつく。
□ 3 本心を友人あての手紙でト露する。
（ア徒　イ塗　ウ途　エ斗　オ吐）

□ 4 平和をキ念してやまない。
□ 5 祖父の三回キを迎え法要を行う。
□ 6 休日も出勤するとはキ特な人だ。
（ア奇　イ祈　ウ機　エ忌　オ記）

□ 7 市の公共シ設を利用する。
□ 8 大臣のシ問を受けて審議する。
□ 9 報告書の要シをまとめる。
（ア示　イ指　ウ諮　エ旨　オ施）

□ 10 速やかに適切なソ置を施す。
□ 11 苦境におちいり社長に直ソする。
□ 12 ソ織を再編成して重大事に臨む。
（ア訴　イ素　ウ粗　エ組　オ措）

□ 13 レイ細な町工場が立ち並んでいる。
□ 14 年レイを重ねて思慮深くなる。
□ 15 これまでの非レイな言動をわびた。
（ア励　イ霊　ウ礼　エ零　オ齢）

□ 16 ジュン沢な資金で事業を広げる。
□ 17 法令のジュン守が強く求められる。
□ 18 国際規格にジュン拠して製造する。
（ア純　イ潤　ウ遵　エ準　オ旬）

標準解答

1	2	3	4	5	6	7	8	9
エ	ウ	オ	イ	エ	ア	オ	ウ	エ

10	11	12	13	14	15	16	17	18
オ	ア	エ	エ	オ	ウ	イ	ウ	エ

□19 彼は態度を**コウ**化させた。
□20 高等裁判所に**コウ**訴した。
□21 労働組合の**コウ**領に従う。
（ア控　イ更　ウ硬　エ綱　オ鋼）

□22 料理上手だと自**フ**している。
□23 自供と証拠がぴたりと**フ**合した。
□24 職場の人間関係に**フ**心する。
（ア府　イ腐　ウ符　エ負　オ富）

□25 間違えた**カ**所を調べる。
□26 寸**カ**を惜しんで読書する。
□27 物語は**カ**境に入ってきた。
（ア箇　イ過　ウ科　エ暇　オ佳）

□28 軍事力を世界に**コ**示する。
□29 中国の**コ**事や格言を引用する。
□30 高齢者の**コ**用問題に取り組む。
（ア孤　イ雇　ウ誇　エ古　オ故）

□31 屈**タク**のない笑顔にいやされる。
□32 干**タク**地で農業を営んでいる。
□33 食事の支**タク**と片付けを手伝う。
（ア沢　イ度　ウ拓　エ託　オ卓）

□34 おかずにアジの**ヒ**物を焼く。
□35 心に**ヒ**めた夢を追い続ける。
□36 難しい曲を完ぺきに**ヒ**きこなす。
（ア干　イ冷　ウ肥　エ弾　オ秘）

□37 声楽家の美声に**トウ**酔する。
□38 二人とも同じ結論に**トウ**達した。
□39 寺の境内に五重の**トウ**がある。
（ア陶　イ塔　ウ答　エ到　オ党）

□40 経営者の決断力が欠**ジョ**している。
□41 通学路を**ジョ**行して通り過ぎる。
□42 **ジョ**盤から激しい攻防が続いた。
（ア助　イ如　ウ徐　エ序　オ除）

19 ウ　20 ア　21 エ　22 エ　23 ウ　24 イ　25 ア　26 エ　27 オ　28 ウ　29 オ　30 イ

31 エ　32 ウ　33 イ　34 ア　35 オ　36 エ　37 ア　38 エ　39 イ　40 イ　41 ウ　42 エ

第1回 模擬試験

標準解答 198ページ

※実際の試験形式と異なる場合があります。実力チェック用としてお使い下さい。

160点以上 合格安全圏
140点以上 合格範囲内
139点以下 努力が必要

制限時間：60分

／200

1 次の――線の読みをひらがなで記せ。（各1×30＝30点）

1 互いが**譲歩**して商談が成立した。（　）
2 美しい音楽で心が**潤**う。（　）
3 **凝**ったつくりの庭園だ。（　）
4 締め切りが近づき**焦燥**感にかられる。（　）
5 議事は**円滑**に進行した。（　）
6 刑事は**容赦**なく犯人を追いつめた。（　）
7 顔を**殴**られて鼻血が出た。（　）
8 そんな説明では**納得**できない。（　）
9 新しい店員を**雇**い入れた。（　）
10 **潤沢**な予算を使って研究にいそしむ。（　）
11 法律は**遵守**しなければならない。（　）
12 **憂**いに沈んだ姿も魅力的な方だ。（　）
13 電車の**転覆**事故で死亡者が多数出た。（　）
14 性能が良い**暖房**器具に買い替える。（　）
15 三味線のお**師匠**さんに手紙を出す。（　）
16 **浅瀬**で魚とりをする。（　）
17 超音波で**胎児**の姿を見る。（　）
18 **遠隔**の地から指示を送る。（　）
19 都市化で大気**汚染**が問題となる。（　）
20 窓から緑の**丘陵**地帯をながめる。（　）
21 国際情勢が**緊迫**の度を高めている。（　）
22 食パンを**一斤**買ってきてください。（　）
23 駅前の**分譲**マンションを買った。（　）
24 景気の**浮揚**策を実行する。（　）
25 山頂は夏でも雪に**覆**われている。（　）
26 彼女はなぞめいた**笑**みをうかべた。（　）
27 **閲覧**室からの資料持ち出しは禁止だ。（　）
28 人いきれで**窒息**しそうだ。（　）
29 漢和辞典の**改訂**版が発行された。（　）
30 カードの普及で**硬貨**の流通が減る。（　）

2 次の――線のカタカナにあてはまる漢字をそれぞれア～オから選び、記号で記せ。

（各2×15＝30点）

1 スイ直に交差する線を引いた。（　）
2 任務のスイ行が困難をきわめた。（　）
3 無スイなことを言うのはやめよう。（　）
（ア吹　イ粋　ウ遂　エ垂　オ推）

4 医シとして戦地におもむく。（　）
5 シ掛け花火を打ち上げる。（　）
6 意シ薄弱な自分がいやだ。（　）
（ア志　イ仕　ウ氏　エ師　オ飼）

7 若年層のコ用問題は深刻だ。（　）
8 コ事の来歴を辞典で調べる。（　）
9 軍事力をコ示するためのパレードだ。（　）
（ア雇　イ誇　ウ古　エ粉　オ故）

10 模ホウした作品では評価できない。（　）
11 ホウ食の時代にもうえた子どもはいる。（　）
12 かぐわしいホウ香にうっとりした。（　）
（ア飽　イ報　ウ抱　エ芳　オ倣）

13 自作の詩がカ作入選した。（　）
14 鉄橋のカ設工事を発注した。（　）
15 カ美な装飾がほどこされた宮殿だ。（　）
（ア華　イ架　ウ佳　エ科　オ課）

3 三つの□に共通する漢字を［　］の中から選んで熟語を作り、記号で答えよ。

（各2×5＝10点）

1 委□・嘱□・結□（　）
2 哀□・□別・□春（　）
3 平□・□便・□和（　）
4 □数・一□・□況（　）
5 湿□・利□・□沢（　）

ア 出	イ 託	ウ 潤	エ 穏	オ 宅
カ 籍	キ 惜	ク 慨	ケ 概	コ 感

4 熟語の構成のしかたには次のようなものがある。

ア 同じような意味の漢字を重ねたもの（例　岩石）
イ 反対または対応の意味を表す字を重ねたもの（例　高低）
ウ 上の字が下の字を修飾しているもの（例　洋画）
エ 下の字が上の字の目的語・補語になっているもの（例　着席）
オ 上の字が下の字の意味を打ち消しているもの（例　非常）

次の熟語はそのどれにあたるか、記号で記せ。

（各2×10＝20点）

1 賢愚（　）
2 尊卑（　）
3 哀歓（　）
4 愛憎（　）
5 不朽（　）
6 慰霊（　）
7 討伐（　）
8 悦楽（　）
9 雅俗（　）
10 緩急（　）

5 次の漢字の部首をア〜エの中から選んで、○で囲め。（各1×10＝10点）

1 膨（ア彡 イ豆 ウ士 エ月）
2 豪（ア亠 イ口 ウ冖 エ豕）
3 殴（ア匚 イ殳 ウ几 エ又）
4 企（ア卜 イ一 ウ人 エ止）
5 翻（ア釆 イ田 ウ羽 エ米）
6 衝（ア彳 イ里 ウ行 エ｜）
7 尿（ア厂 イ尸 ウ｜ エ水）
8 窒（ア穴 イ宀 ウ至 エ土）
9 超（ア口 イ刀 ウ土 エ走）
10 蛮（ア亠 イ赤 ウ八 エ虫）

6 次の［　］の中の語を必ず一度使って漢字に直し、対義語・類義語を完成させよ。（各2×10＝20点）

【対義語】
1 怠慢—勤□（　　）
2 協調—排□（　　）
3 精密—粗□（　　）
4 一般—□殊（　　）
5 冗長—□潔（　　）

【類義語】
6 監禁—幽□（　　）
7 決心—□悟（　　）
8 没頭—専□（　　）
9 廉価—□値（　　）
10 卓越—抜□（　　）

かく・かん・ぐん・ざつ・た・とく・ねん・へい・べん・やす

---

7 次の——線のカタカナを漢字と送りがな（ひらがな）に直せ。（各2×5＝10点）

1 私腹をコヤス政治家にいきどおる。（　　）
2 新しい学説をトナエル。（　　）
3 きょうの行動をカエリミテ日記に書く。（　　）
4 断水にソナエて水をためておく。（　　）
5 庭をタガヤシて畑にする。（　　）

8 次の——線のカタカナを漢字に直し、四字熟語を完成させよ。（各2×10＝20点）

1 彼は前途ユウボウな青年実業家です。（　　）
2 心機イッテン、出直すことにします。（　　）
3 キシ回生のホームランだった。（　　）
4 ムガ夢中でゴールに突進した。（　　）
5 ゼンジン未到の記録にいどむ。（　　）
6 奇想テンガイな作戦で試合に勝った。（　　）

7　無病ソクサイですごしております。（　　）
8　サイショク兼備で名高い人だ。（　　）
9　鶏口ギュウゴが社長の口癖です。（　　）
10　インガ応報はこの世の習いだ。（　　）

9　**次の文中にまちがって使われている同じ音訓の漢字が一字ある。まちがっている漢字を上の（　）に、正しい漢字を下の（　）に記せ。**（各2×5＝10点）

1　安価で高精能と評判の複写機を買い入れ、事務所の窓際に設置した。（　　）→（　　）
2　記帳して着席した者から順に、幹事が一率三千円の会費を徴収した。（　　）→（　　）
3　病没の亡夫が残した多額の不債の返済に追われ、耐え難い貧困生活を送る。（　　）→（　　）
4　目撃証言によって検挙された容疑者が一貫して黙比権を行使した。（　　）→（　　）
5　図書館で閲覧した本から欠絡していた付帯資料を抜粋した。（　　）→（　　）

10　**次の――線のカタカナを漢字に直せ。**（各2×20＝40点）

1　会議で救助対策をケントウした。（　　）
2　初夏が過ぎてムし暑い日が続く。（　　）
3　見知らぬ土地にもすぐにナれた。（　　）
4　長い時をへて大仏が完成した。（　　）
5　ランニングでキソ体力を養う。（　　）
6　チョウリョクの衰えを感じる。（　　）
7　コイか過失かが裁判の争点だ。（　　）
8　雨漏りのする屋根をホシュウする。（　　）
9　ヨウチな言動に閉口する。（　　）
10　切れ味が悪いナイフをトぐ。（　　）
11　試合では実力をハッキできなかった。（　　）
12　人の優しさがホネミにしみる。（　　）
13　コウミョウな計画が奏功した。（　　）
14　電車が運転をサイカイした。（　　）
15　身のケッパクを証明する。（　　）
16　シンシュク性の高い運動着だ。（　　）
17　父の死の知らせにゼックした。（　　）
18　部員をまとめていくのはシナンの業だ。（　　）
19　モヨりの駅まで徒歩五分だ。（　　）
20　大学から学位をサズけられた。（　　）

第2回 模擬試験

標準解答 199ページ

※実際の試験形式と異なる場合があります。実力チェック用としてお使い下さい。

160点以上 合格安全圏
140点以上 合格範囲内
139点以下 努力が必要

制限時間：60分
/200

1 次の――線の読みをひらがなで記せ。（各1×30＝30点）

1 **愚**かな君主を持った臣民は不幸だ。（　　）
2 寸暇を**惜**しんで読書にいそしんだ。（　　）
3 講演の依頼を**快諾**した。（　　）
4 意見の**隔**たりが大きすぎる。（　　）
5 この**屈辱**は必ずはらす。（　　）
6 国民的な**長寿**番組に育つ。（　　）
7 **本邦**初公開の名画を鑑賞する。（　　）
8 **慌**てても発車には間に合わない。（　　）
9 **香辛料**で肉を味付けする。（　　）
10 最終回の失点が**悔**やまれる。（　　）
11 海鮮料理で**胃袋**を満たす。（　　）
12 内閣の信用が**失墜**した。（　　）
13 **帳簿**の不備を税務署に指摘される。（　　）
14 冬は**炉端**が憩いの場だ。（　　）
15 粉薬より**錠剤**のほうが飲みやすい。（　　）
16 **粘**り強さが彼の身上だ。（　　）
17 **湿度**の高い不快な日が続く。（　　）
18 高原のさわやかな空気を**満喫**する。（　　）
19 **類似**品にご注意ください。（　　）
20 **悔恨**の情にさいなまれる毎日だ。（　　）
21 **託児**施設に赤ちゃんを預ける。（　　）
22 平野を**貫**いて大河が流れている。（　　）
23 **穏便**な処分をお願いします。（　　）
24 支払いが**滞**りがちだ。（　　）
25 将来を**嘱望**されている学生だ。（　　）
26 敵を**欺**くために変装する。（　　）
27 **匿名**で新聞社に情報提供があった。（　　）
28 我が子の**健**やかな成長を願う。（　　）
29 問題の**速**やかな解決を望む。（　　）
30 緊張して授賞式に**臨**んだ。（　　）

2 次の――線のカタカナにあてはまる漢字をそれぞれア～オから選び、記号で記せ。

(各2×15＝30点)

1 多**サイ**な攻撃を繰り出す。（　）
2 書類に慎重に記**サイ**した。（　）
3 不良**サイ**権の処理に国費をあてる。（　）
(**ア**彩　**イ**債　**ウ**載　**エ**祭　**オ**歳)

4 引っ越しのためのお金が**イ**る。（　）
5 **イ**心地のいいホテルだ。（　）
6 的の真ん中を**イ**る。（　）
(**ア**入　**イ**要　**ウ**居　**エ**鋳　**オ**射)

7 初めて**カイ**既日食を見た。（　）
8 一秒の不注意を一生後**カイ**する。（　）
9 デマによる混乱を警**カイ**する。（　）
(**ア**戒　**イ**海　**ウ**介　**エ**悔　**オ**皆)

10 名優の演技に**トウ**酔する。（　）
11 無我の境地に**トウ**達した。（　）
12 仏**トウ**のシルエットが夕日に浮かぶ。（　）
(**ア**到　**イ**陶　**ウ**塔　**エ**等　**オ**棟)

13 民間の**カイ**護保険に加入する。（　）
14 識者の見**カイ**を聞く。（　）
15 病状が**カイ**方に向かう。（　）
(**ア**回　**イ**解　**ウ**階　**エ**快　**オ**介)

3 三つの□に共通する漢字を[　]の中から選んで熟語を作り、記号で答えよ。

(各2×5＝10点)

1 降□・□兵・□線（　）
2 □在・□屯・□留（　）
3 □無・謙□・□心（　）
4 □空・円□・□落（　）
5 □母・□雨・□愛（　）

ア 駐	**イ** 巨	**ウ** 伏	**エ** 参	**オ** 柱
カ 慈	**キ** 慰	**ク** 滑	**ケ** 虚	**コ** 冗

4 熟語の構成のしかたには次のようなものがある。

ア 同じような意味の漢字を重ねたもの（例　岩石）
イ 反対または対応の意味を表す字を重ねたもの（例　高低）
ウ 上の字が下の字を修飾しているもの（例　洋画）
エ 下の字が上の字の目的語・補語になっているもの（例　着席）
オ 上の字が下の字の意味を打ち消しているもの（例　非常）

次の熟語はそのどれにあたるか、記号で記せ。

(各2×10＝20点)

1 常駐（　）
2 入籍（　）
3 棄権（　）
4 徐行（　）
5 犠牲（　）
6 需給（　）
7 惜春（　）
8 吉凶（　）
9 粗密（　）
10 脅威（　）

5 **次の漢字の部首をア〜エの中から選んで、○で囲め。**（各1×10＝10点）

1 赴（ア人 イ走 ウ土 エト）
2 賊（ア貝 イ十 ウ戈 エ弋）
3 髄（ア骨 イ冂 ウ辶 エ月）
4 厘（ア里 イ厂 ウ田 エ土）
5 葬（ア艹 イ廾 ウ匕 エ歹）
6 吏（ア一 イノ ウ口 エ人）
7 募（ア艹 イ日 ウ大 エ力）
8 墨（ア里 イ土 ウ灬 エ黒）
9 衰（ア亠 イ口 ウ糸 エ衣）
10 審（ア宀 イ釆 ウ禾 エ田）

6 **次の［　］の中の語を必ず一度使って漢字に直し、対義語・類義語を完成させよ。**（各2×10＝20点）

【対義語】

1 地獄―□楽（　　）
2 抽象―□体（　　）
3 浪費―倹□（　　）
4 侵害―擁□（　　）
5 付加―削□（　　）

【類義語】

6 該当―□合（　　）
7 案内―誘□（　　）
8 魂胆―意□（　　）
9 歴然―明□（　　）
10 潤沢―豊□（　　）

ぐ・ご・ごく・じょ・てき・と・どう・はく・ふ・やく

7 **次の――線のカタカナを漢字と送りがな（ひらがな）に直せ。**（各2×5＝10点）

1 規則にソムイて無断で外出した。（　　）
2 契約書が書類の山にウモレる。（　　）
3 眠気覚ましにシャワーをアビル。（　　）
4 文章をアジワウように読む。（　　）
5 通気性が悪く服の中がムレル。（　　）

8 **次の――線のカタカナを漢字に直し、四字熟語を完成させよ。**（各2×10＝20点）

1 組織も新陳タイシャが必要だ。（　　）
2 キヨウ貧乏で平凡な人生に終わる。（　　）
3 難攻フラクのとりでを攻撃する。（　　）
4 人の価値観は千差バンベツだ。（　　）
5 博学タサイで知られる作家だ。（　　）
6 組織の内部はシブン五裂の状態だ。（　　）

7 事件の一部シジュウが明らかとなった。（　　）
8 リッシン出世を夢見て上京する。（　　）
9 計画の難点を理路セイゼンと指摘した。（　　）
10 キキ一髪で事故をまぬかれた。（　　）

9 **次の文中にまちがって使われている同じ音訓の漢字が一字ある。まちがっている漢字を上の（　）に、正しい漢字を下の（　）に記せ。**（各2×5＝10点）

1 営業成績を高く評価され、人事異動の辞令で形列会社へ出向する。（　）→（　）
2 天然着色料を添化した菓子を製造し、関西圏の問屋や小売店に卸した。（　）→（　）
3 解雇通告を受け失業し、縁顧を頼りに就職口を転々と探し回った。（　）→（　）
4 支店に勤務する若干の営業部員が昨晩、研拾で上京し本社を訪れた。（　）→（　）
5 有能な医師団が高度な技術を要する臓器移殖の手術で渡米した。（　）→（　）

10 **次の——線のカタカナを漢字に直せ。**（各2×20＝40点）

1 テレビがコショウしてしまった。（　　）
2 趣味のツドいに喜んで参加する。（　　）
3 観客のコウフンした声が聞こえた。（　　）
4 目のコえた客の評価は厳しい。（　　）
5 上司の命令に素直にシタガう。（　　）
6 人事のサッシンをはかり再出発する。（　　）
7 初恋を思い出してカンショウにひたる。（　　）
8 旧式の機械を新型にコウカンした。（　　）
9 大キボな汚水処理場が必要となる。（　　）
10 ナサけは人のためならず。（　　）
11 板の所々にフシアナが目立つ。（　　）
12 カブヌシ総会に出席する。（　　）
13 読んだ新聞紙をひもでタバねる。（　　）
14 労働時間をタンシュクする。（　　）
15 山のイタダキを目指して歩く。（　　）
16 知人に目のカタキにされる。（　　）
17 マトハズれの指摘に困惑する。（　　）
18 ナットクできる説明を求める。（　　）
19 一月一日がタンジョウ日です。（　　）
20 精巧なモゾウ品が横行している。（　　）

第3回 模擬試験

標準解答200ページ

※実際の試験形式と異なる場合があります。実力チェック用としてお使い下さい。

制限時間：60分

／200

1 次の——線の読みをひらがなで記せ。（各1×30＝30点）

1 念願の長大トンネルが**貫通**した。（　　）

2 若手が**画壇**に新風を吹き込んだ。（　　）

3 土地の所有権を知人に**譲渡**した。（　　）

4 毎月の登山で心身を**鍛練**する。（　　）

5 産業界の**重鎮**が会議で講演した。（　　）

6 **強引**な手法を使って反発を招いた。（　　）

7 雪道のため慎重に**徐行**運転した。（　　）

8 少数派の異教が**排斥**された。（　　）

9 夕日の美しい風景を**撮影**した。（　　）

10 異国の地で再会するとは**奇遇**だ。（　　）

11 **抽選**で海外旅行に当選した。（　　）

12 郷里の**実兄**が家業を継いだ。（　　）

13 **既成**概念にとらわれない考え方だ。（　　）

14 デパートで**衝動**的に服を買った。（　　）

15 噴火による**隆起**で新山ができた。（　　）

16 **硬式**野球で投手として活躍した。（　　）

17 **突如**として工場で火災が発生した。（　　）

18 経済の先行きに**警鐘**を鳴らす。（　　）

19 教育改革に新**機軸**を打ち出す。（　　）

20 景観を保護する条例が**採択**された。（　　）

21 坂道で転んで**擦過傷**を負った。（　　）

22 仕事を**怠**けて上司から怒られた。（　　）

23 強風で木々が大きく**揺**れる。（　　）

24 医学を**究**めるため海外に留学した。（　　）

25 肉の**塊**を糸でしばって煮込む。（　　）

26 雨上がりで**蒸**し暑さを感じる。（　　）

27 **最寄**りのスーパーで食材を買う。（　　）

28 市場競争に**太刀打**ちできなかった。（　　）

29 大雨で土手の斜面が**崩**れる。（　　）

30 秋風に金色の稲の**穂**が揺れている。（　　）

2 次の――線のカタカナにあてはまる漢字をそれぞれア〜オから選び、記号で記せ。

(各2×15＝30点)

1 教会で厳かに結婚式をアげた。（　）
2 台風で海はひどくアれている。（　）
3 ホテルの部屋にアきがない。（　）
（ア浴　イ編　ウ挙　エ空　オ荒）

4 北トセ星で方角を確認した。（　）
5 日が傾く前に帰トについた。（　）
6 世界進出を企トして買収する。（　）
（ア富　イ図　ウ斗　エ研　オ途）

7 出来ウる限りの努力をした。（　）
8 浪士が主君のかたきをウった。（　）
9 大量の火山灰で家がウもれた。（　）
（ア浮　イ埋　ウ得　エ討　オ請）

10 宗教団体が各地でフ教活動をする。（　）
11 長い論争に終止フが打たれた。（　）
12 折にフれて青春時代を思い出す。（　）
（ア振　イ符　ウ伏　エ触　オ布）

13 ハン主の命で新田を開発する。（　）
14 専門家がにせ物をハン別する。（　）
15 大雪が平野の広いハン囲で降った。（　）
（ア藩　イ繁　ウ判　エ伴　オ範）

3 三つの□に共通する漢字を[　]の中から選んで熟語を作り、記号で答えよ。

(各2×5＝10点)

1 □茶・満□・□煙（　）
2 □越・□人的・□絶（　）
3 浸□・□視・□過（　）
4 欠□・貧□・耐□（　）
5 □潤・防□・□気（　）

ア 没	イ 透	ウ 酵	エ 舗	オ 超
カ 潤	キ 錯	ク 湿	ケ 喫	コ 乏

4 熟語の構成のしかたには次のようなものがある。

ア 同じような意味の漢字を重ねたもの（例 岩石）
イ 反対または対応の意味を表す字を重ねたもの（例 高低）
ウ 上の字が下の字を修飾しているもの（例 洋画）
エ 下の字が上の字の目的語・補語になっているもの（例 着席）
オ 上の字が下の字の意味を打ち消しているもの（例 非常）

次の熟語はそのどれにあたるか、記号で記せ。

(各2×10＝20点)

1 憂国（　）
2 清濁（　）
3 円卓（　）
4 霊魂（　）
5 不審（　）
6 換気（　）
7 別離（　）
8 内紛（　）
9 悲哀（　）
10 出納（　）

5 **次の漢字の部首をア～エの中から選んで、○で囲め。**（各1×10＝10点）

1 厚（ア子 イ日 ウ口 エ厂）
2 慮（ア厂 イ田 ウ虍 エ心）
3 塗（ア示 イ氵 ウ土 エ人）
4 執（ア十 イ乙 ウ土 エ干）
5 登（ア人 イ口 ウ豆 エ癶）
6 臨（ア工 イ匚 ウ口 エ臣）
7 遂（ア豕 イ八 ウ辶 エ一）
8 雑（ア亻 イ乙 ウ隹 エ木）
9 裸（ア木 イ衤 ウ一 エ田）
10 踏（ア口 イ水 ウ日 エ𧾷）

6 **次の［　］の中の語を必ず一度使って漢字に直し、対義語・類義語を完成させよ。**（各2×10＝20点）

【対義語】

1 希薄―□密（　　）
2 実像―□像（　　）
3 過失―□意（　　）
4 違反―遵□（　　）
5 優雅―粗□（　　）

【類義語】

6 征伐―退□（　　）
7 手腕―□量（　　）
8 朗報―□報（　　）
9 肝心―大□（　　）
10 順序―次□（　　）

ぎ・きっ・きょ・こ・じ・しゅ・せつ・だい・のう・や

7 **次の――線のカタカナを漢字と送りがな（ひらがな）に直せ。**（各2×5＝10点）

1 グラスが床に落ちてワレル。（　　）
2 自社の商品が市場の大半をシメル。（　　）
3 一人娘をアマヤカシて育てた。（　　）
4 疲れて判断力がオトロエル。（　　）
5 犬が飼い主をシタッテ付いてくる。（　　）

8 **次の――線のカタカナを漢字に直し、四字熟語を完成させよ。**（各2×10＝20点）

1 古今ムソウの技能と評された。（　　）
2 カンキュウ自在な投球を見せた。（　　）
3 タイギ名分を掲げて行動を起こす。（　　）
4 温故チシンの精神で漢籍を読む。（　　）
5 イッキョ一動に注目が集まる。（　　）
6 優勝をかけたシンケン勝負だ。（　　）

7 当事者にタントウ直入に質問した。（　　）
8 優勝候補相手にリキセン奮闘した。（　　）
9 鉄道の延伸にイク同音に賛成した。（　　）
10 コウシ混同を避けて仕事をする。（　　）

9 次の文中にまちがって使われている同じ音訓の漢字が一字ある。まちがっている漢字を上の（　）に、正しい漢字を下の（　）に記せ。
（各2×5＝10点）

1 極地で生促する動物の実態を解明するため、特別調査団が派遣された。（　　）→（　　）
2 経営を取り巻く環境が不透明な中で、企業の要を担う監部に昇格した。（　　）→（　　）
3 革新的な意匠と高い性能で、幅広い層の消費者から高い評加を得た。（　　）→（　　）
4 人里離れた幽谷の中で、清寂に包まれながら穏やかな生活を送る。（　　）→（　　）
5 多発する豪雨に備えるため、町を縦断する河川の堤妨工事に着手した。（　　）→（　　）

10 次の――線のカタカナを漢字に直せ。
（各2×20＝40点）

1 経営不振で従業員がカイコされた。（　　）
2 夜空にきらめくセイザをながめた。（　　）
3 暑さで大量の汗がブンピツされた。（　　）
4 貴重な古文書をショゾウしている。（　　）
5 多大なギセイを払って完成した。（　　）
6 同郷の人にシンキン感を覚える。（　　）
7 救助隊が現地にハケンされた。（　　）
8 エアコンで室温をカイテキに保つ。（　　）
9 コクフクすべき課題が山積する。（　　）
10 極寒の雪山でトウシの危機にある。（　　）
11 長い間ビョウマに侵されて苦しむ。（　　）
12 短いカンカクで電車が出発する。（　　）
13 旅の経験を元に単行本をアラワす。（　　）
14 意外なマクギれに感動する。（　　）
15 オスのライオンが戦いをいどむ。（　　）
16 他国の侵略で古代文明がホロびた。（　　）
17 クワしい情報を求めて調査した。（　　）
18 セスジを伸ばしていすに座る。（　　）
19 心のオクにひそかな思いを秘める。（　　）
20 海にモグってアワビを採る。（　　）

第4回 模擬試験

標準解答 201ページ

※実際の試験形式と異なる場合があります。実力チェック用としてお使い下さい。

160点以上 合格安全圏
140点以上 合格範囲内
139点以下 努力が必要

制限時間：60分

/200

1 次の——線の読みをひらがなで記せ。（各1×30＝30点）

1 選挙戦には**陰謀**がうず巻いている。（　　）
2 社会からあらゆる不正を**一掃**する。（　　）
3 **特殊**な技能を持つ職人だ。（　　）
4 若き日の成功の**幻影**にとらわれる。（　　）
5 熊が猟師の**仕掛**けたわなにはまる。（　　）
6 悩ましい二者**択一**を迫られた。（　　）
7 警備員が建物への侵入を**阻止**する。（　　）
8 **暫時**静かな山村で過ごした。（　　）
9 バイオリンの名演奏に**陶酔**する。（　　）
10 港に**数隻**の船が停泊している。（　　）
11 理想と現実の**相克**に悩む。（　　）
12 大勝して前回の**雪辱**を果たした。（　　）
13 専門家に原稿の**校閲**を依頼する。（　　）
14 売上に応じた**歩合**が支払われる。（　　）
15 **仮病**を使って部活の練習を休んだ。（　　）

16 水揚げされた魚を**冷凍**する。（　　）
17 地下に通信ケーブルを**埋設**する。（　　）
18 **陪審**員が熟慮の末に評決する。（　　）
19 劇はいよいよ**佳境**にさしかかった。（　　）
20 運動会の開催は当日の天候**次第**だ。（　　）
21 **耐乏**生活を余儀なくされる。（　　）
22 真っ赤な**炎**が舞い上がった。（　　）
23 破れた服のすそを**繕**った。（　　）
24 突然の雨に**遭**ってずぶぬれだ。（　　）
25 会社で製品開発に**携**わっている。（　　）
26 **湾内**を遊覧船で一周する。（　　）
27 音が隣の部屋に**漏**れている。（　　）
28 主君に尽くした**侍**の役を演じる。（　　）
29 **花嫁**は幸せいっぱいの笑顔だ。（　　）
30 日陰のベンチに座って**憩**う。（　　）

2 次の——線のカタカナにあてはまる漢字をそれぞれア〜オから選び、記号で記せ。 (各2×15＝30点)

1 **ユウ**雅な和服姿で式典に出席する。（ ）
2 公園の**ユウ**歩道を散策する。（ ）
3 自然環境の悪化を**ユウ**慮する。（ ）
（ア幽 イ憂 ウ遊 エ雄 オ優）

4 新鮮味に**カ**ける企画案だ。（ ）
5 **カ**りでイノシシを捕らえる。（ ）
6 激しい運動で筋肉に負**カ**をかける。（ ）
（ア枯 イ荷 ウ欠 エ駆 オ狩）

7 屈**タク**のない笑顔にいやされる。（ ）
8 光**タク**のある紙に写真を印刷した。（ ）
9 **タク**抜した才能を開花させた。（ ）
（ア託 イ拓 ウ卓 エ宅 オ沢）

10 民族間の**コウ**争が激化する。（ ）
11 **コウ**久的な解決策を見いだす。（ ）
12 地下深くまで**コウ**道が続いている。（ ）
（ア抗 イ恒 ウ坑 エ郊 オ甲）

13 **イ**の中のかわずから脱却する。（ ）
14 歌手が福祉施設を**イ**問した。（ ）
15 関係者の説明に**イ**和感を覚える。（ ）
（ア要 イ違 ウ井 エ慰 オ入）

3 三つの□に共通する漢字を□の中から選んで熟語を作り、記号で答えよ。 (各2×5＝10点)

1 破□・□傷・決□（ ）
2 暖□・花□・乳□（ ）
3 名□・帳□・原□（ ）
4 □病・□面・□装（ ）
5 □突・緩□・要□（ ）

ア 衝	イ 簿	ウ 房	エ 岐	オ 仮
カ 請	キ 暴	ク 冠	ケ 態	コ 裂

4 熟語の構成のしかたには次のようなものがある。

ア 同じような意味の漢字を重ねたもの（例 岩石）
イ 反対または対応の意味を表す字を重ねたもの（例 高低）
ウ 上の字が下の字を修飾しているもの（例 洋画）
エ 下の字が上の字の目的語・補語になっているもの（例 着席）
オ 上の字が下の字の意味を打ち消しているもの（例 非常）

次の熟語はそのどれにあたるか、記号で記せ。 (各2×10＝20点)

1 譲歩（ ）
2 救援（ ）
3 既知（ ）
4 正邪（ ）
5 惜別（ ）
6 不沈（ ）
7 主催（ ）
8 功罪（ ）
9 孤独（ ）
10 鶏卵（ ）

5 **次の漢字の部首をア〜エの中から選んで、○で囲め。**（各1×10＝10点）

1 菊（ア勹　イ木　ウ艹　エ米）
2 墓（ア大　イ艹　ウ日　エ土）
3 震（ア辰　イ厂　ウ二　エ雨）
4 斜（ア斗　イ小　ウ人　エ十）
5 礎（ア疋　イ口　ウ石　エ木）
6 遅（ア丿　イ羊　ウ尸　エ辶）
7 欧（ア丿　イ匚　ウ欠　エ人）
8 逮（ア亅　イ隶　ウ辶　エ水）
9 濫（ア氵　イ臣　ウ匚　エ皿）
10 翼（ア二　イ羽　ウ八　エ田）

6 **次の［　］の中の語を必ず一度使って漢字に直し、対義語・類義語を完成させよ。**（各2×10＝20点）

【対義語】

1 薄弱―強□（　　）
2 率先―□随（　　）
3 発生―消□（　　）
4 詳細―□要（　　）
5 興奮―鎮□（　　）

【類義語】

6 出納―□支（　　）
7 排除―排□（　　）
8 失望―□胆（　　）
9 安値―□価（　　）
10 緊急―□急（　　）

［がい・こ・し・しゅう・せい・せき・つい・めつ・らく・れん］

---

7 **次の――線のカタカナを漢字と送りがな（ひらがな）に直せ。**（各2×5＝10点）

1 文化の壁が互いをヘダテている。（　　）
2 森の中でヤスラカナ時を過ごす。（　　）
3 食卓を季節の花でカザッタ。（　　）
4 演説中に暴漢にナグラれた。（　　）
5 事業には相当程度危険がトモナウ。（　　）

8 **次の――線のカタカナを漢字に直し、四字熟語を完成させよ。**（各2×10＝20点）

1 試行サクゴの末に新薬が生まれた。（　　）
2 合格は九分クリン間違いない。（　　）
3 刻苦ベンレイして夢がかなった。（　　）
4 暖衣ホウショクが約束されている。（　　）
5 驚天ドウチの大事件が発生した。（　　）
6 労働争議が一件ラクチャクした。（　　）

7 明鏡シスイの心境を保つ。（　　　）
8 初対面ながら意気トウゴウした。（　　　）
9 テンイ無縫な人柄で慕われている。（　　　）
10 ギロン百出して結論に至らない。（　　　）

9 **次の文中にまちがって使われている同じ音訓の漢字が一字ある。まちがっている漢字を上の（　）に、正しい漢字を下の（　）に記せ。**（各2×5＝10点）

1 労働者が直面している状境を細かく検討し、有効な対策を立てる。（　）→（　）
2 本邦初公開の新作映画に対して、芸能界から多くの比評が寄せられた。（　）→（　）
3 高齢化が加速する中、複祉施設の増設が喫緊の課題とされている。（　）→（　）
4 自治体の慢性的な財源不足で、文化遺産の保互活動に支障が出ている。（　）→（　）
5 技術交流を深めるため、複数の外国企業と業務提携の契約を締決した。（　）→（　）

10 **次の――線のカタカナを漢字に直せ。**（各2×20＝40点）

1 狭い道をジョコウしながら通る。（　　　）
2 勝利のためにサイゼンを尽くす。（　　　）
3 試合後にアクシュを交わした。（　　　）
4 キフクに富んだ道を車で走行する。（　　　）
5 キョダイな高層ビルがそびえ立つ。（　　　）
6 多くのシンサンをなめてきた。（　　　）
7 文章の中にミョウな点を見つけた。（　　　）
8 ヤバンな侵略が繰り返される。（　　　）
9 会場にハクシュが鳴り響いた。（　　　）
10 ナンクセをつけられて困惑する。（　　　）
11 読書にボットウして時間を忘れる。（　　　）
12 ラジオ番組にトクメイで投書する。（　　　）
13 会話の時間を仕事の話がシめる。（　　　）
14 試合でオニのような強さを見せる。（　　　）
15 経験不足がユエに起きた事故だ。（　　　）
16 倒産してマルハダカになった。（　　　）
17 キヨらかな川のせせらぎを聞く。（　　　）
18 他人に対してマコトを尽くした。（　　　）
19 秋の田んぼにホサキが垂れる。（　　　）
20 ボタンをオして電源を入れる。（　　　）

第1回 模擬試験 標準解答

1 読み 各1点(30)

1	じょうほ
2	うるお
3	こ
4	しょうそう
5	えんかつ
6	ようしゃ
7	なぐ
8	なっとく
9	やと
10	じゅんたく
11	じゅんしゅ
12	うれ
13	てんぷく
14	だんぼう
15	ししょう
16	あさせ
17	たいじ
18	えんかく
19	おせん
20	きゅうりょう
21	きんぱく
22	いっきん
23	ぶんじょう
24	ふよう
25	おお
26	え
27	えつらん
28	ちっそく
29	かいてい
30	こうか

2 同音・同訓異字 各2点(30)

1	エ
2	ウ
3	イ
4	エ
5	イ
6	ア
7	ア
8	オ
9	イ
10	オ
11	ア
12	エ
13	ウ
14	イ
15	ア

3 漢字識別 各2点(10)

1	イ
2	キ
3	エ
4	ケ
5	ウ

4 熟語の構成 各2点(20)

1	イ
2	イ
3	イ
4	イ
5	オ
6	エ
7	ア
8	ア
9	イ
10	イ

5 部首 各1点(10)

1	エ
2	エ
3	イ
4	ウ
5	ウ
6	ウ
7	イ
8	ア
9	エ
10	エ

6 対義語・類義語 各2点(20)

1	勉
2	他
3	雑
4	特
5	簡
6	閉
7	覚
8	念
9	安
10	群

7 送りがな 各2点(10)

1	肥やす
2	唱える
3	省みて
4	備え
5	耕し

8 四字熟語 各2点(20)

1	有望
2	一転
3	起死
4	無我
5	前人
6	天外
7	息災
8	才色
9	牛後
10	因果

9 誤字訂正 各2点(10)

1	精→性
2	率→律
3	不→負
4	比→秘
5	絡→落

10 書き取り 各2点(40)

1	検討
2	蒸
3	慣
4	経
5	基礎
6	聴力
7	故意
8	補修
9	幼稚
10	研
11	発揮
12	骨身
13	巧妙
14	再開
15	潔白
16	伸縮
17	絶句
18	至難
19	最寄
20	授

第2回　模擬試験　標準解答

1 読み　各1点（30）

1 おろ
2 お
3 かいだく
4 へだ
5 くつじょく
6 ちょうじゅ
7 ほんぽう
8 あわ
9 こうしんりょう
10 く
11 いぶくろ
12 しっつい
13 ちょうぼ
14 ろばた
15 じょうざい
16 ねば
17 しつど
18 まんきつ
19 るいじ
20 かいこん
21 たくじ
22 つらぬ
23 おんびん
24 とどこお
25 しょくぼう
26 あざむ
27 とくめい
28 すこ
29 すみ
30 のぞ

2 同音・同訓異字　各2点（30）

1 ア
2 ウ
3 イ
4 イ
5 ウ
6 オ
7 オ
8 エ
9 ア
10 イ
11 ア
12 ウ
13 オ
14 イ
15 エ

3 漢字識別　各2点（10）

1 ウ
2 ア
3 ケ
4 ク
5 カ

4 熟語の構成　各2点（20）

1 ウ
2 エ
3 エ
4 ウ
5 ア
6 イ
7 エ
8 イ
9 イ
10 ア

5 部首　各1点（10）

1 イ
2 ア
3 ア
4 イ
5 ア
6 ウ
7 エ
8 イ
9 エ
10 ア

6 対義語・類義語　各2点（20）

1 極
2 具
3 約
4 護
5 除
6 適
7 導
8 図
9 白
10 富

7 送りがな　各2点（10）

1 背い
2 埋もれ
3 浴びる
4 味わう
5 蒸れる

8 四字熟語　各2点（20）

1 代謝
2 器用
3 不落
4 万別
5 多才
6 四分
7 始終
8 立身
9 整然
10 危機

9 誤字訂正　各2点（10）

1 形↓系
2 化↓加
3 顧↓故
4 拾↓修
5 殖↓植

10 書き取り　各2点（40）

1 故障
2 集
3 興奮
4 肥
5 従
6 刷新
7 感傷
8 交換
9 規模
10 情
11 節穴
12 株主
13 束
14 短縮
15 頂
16 敵
17 的外
18 納得
19 誕生
20 模造

第3回 模擬試験 標準解答

1 読み 各1点(30)

1 かんつう
2 がだん
3 じょうと
4 たんれん
5 じゅうちん
6 ごういん
7 じょこう
8 はいせき
9 さつえい
10 きぐう
11 ちゅうせん
12 じっけい
13 きせい
14 しょうどう
15 りゅうき
16 こうしき
17 とつじょ
18 けいしょう
19 きじく
20 さいたく
21 さっかしょう
22 なま
23 ゆ
24 きわ
25 かたまり
26 む
27 もよ
28 たちう
29 くず
30 ほ

2 同音・同訓異字 各2点(30)

1 ウ
2 オ
3 エ
4 ウ
5 オ
6 イ
7 ウ
8 エ
9 イ
10 オ
11 イ
12 エ
13 ア
14 ウ
15 オ

3 漢字識別 各2点(10)

1 ケ
2 オ
3 イ
4 コ
5 ク

4 熟語の構成 各2点(20)

1 エ
2 イ
3 ウ
4 ア
5 オ
6 エ
7 ア
8 ウ
9 ア
10 イ

5 部首 各1点(10)

1 エ
2 エ
3 ウ
4 ウ
5 エ
6 エ
7 ウ
8 ウ
9 イ
10 エ

6 対義語・類義語 各2点(20)

1 濃
2 虚
3 故
4 守
5 野
6 治
7 技
8 吉
9 切
10 第

7 送りがな 各2点(10)

1 割れる
2 占める
3 甘やかし
4 衰える
5 慕って

8 四字熟語 各2点(20)

1 無双
2 緩急
3 大義
4 知新
5 一挙
6 真剣
7 単刀
8 力戦
9 異口
10 公私

9 誤字訂正 各2点(10)

1 促→息
2 監→幹
3 加→価
4 清→静
5 妨→防

10 書き取り 各2点(40)

1 解雇
2 星座
3 分泌
4 所蔵
5 犠牲
6 親近
7 派遣
8 快適
9 克服
10 凍死
11 病魔
12 間隔
13 著
14 幕切
15 雄
16 減
17 詳
18 背筋
19 奥
20 潜

第4回 模擬試験 標準解答

1 読み 各1点(30)

1 いんぼう
2 いっそう
3 とくしゅ
4 げんえい
5 しか
6 たくいつ
7 そし
8 ざんじ
9 とうすい
10 すうせき
11 そうこく
12 せつじょく
13 こうえつ
14 ぶあい
15 けびょう
16 れいとう
17 まいせつ
18 ばいしん
19 かきょう
20 しだい
21 たいぼう
22 ほのお
23 つくろ
24 あ
25 たずさ
26 わんない
27 も
28 さむらい
29 はなよめ
30 いこ

2 同音・同訓異字 各2点(30)

1 オ
2 ウ
3 イ
4 ウ
5 オ
6 イ
7 ア
8 オ
9 ウ
10 ア
11 イ
12 ウ
13 ウ
14 エ
15 イ

3 漢字識別 各2点(10)

1 コ
2 ウ
3 イ
4 オ
5 ア

4 熟語の構成 各2点(20)

1 エ
2 ア
3 ウ
4 イ
5 エ
6 オ
7 ウ
8 イ
9 ア
10 ウ

5 部首 各1点(10)

1 ウ
2 エ
3 エ
4 ア
5 ウ
6 エ
7 ウ
8 ウ
9 ア
10 イ

6 対義語・類義語 各2点(20)

1 固
2 追
3 滅
4 概
5 静
6 収
7 斥
8 落
9 廉
10 至

7 送りがな 各2点(10)

1 隔て
2 安らかな
3 飾った
4 殴ら
5 伴う

8 四字熟語 各2点(20)

1 錯誤
2 九厘
3 勉励
4 飽食
5 動地
6 落着
7 止水
8 投合
9 天衣
10 議論

9 誤字訂正 各2点(10)

1 境→況
2 比→批
3 複→福
4 互→護
5 決→結

10 書き取り 各2点(40)

1 徐行
2 最善
3 握手
4 起伏
5 巨大
6 辛酸
7 妙
8 野蛮
9 拍手
10 難癖
11 没頭
12 匿名
13 占
14 鬼
15 故
16 丸裸
17 清
18 誠
19 穂先
20 押

間違えやすい漢字

試験で間違いが多発している漢字を紹介します。
間違えるポイントをおさえ、セットで覚えましょう。

【参考文献】『角川新字源 改訂新版』KADOKAWA、『漢字源 改訂第六版』学研プラス

書き間違い（字形）

衰 vs 哀

哀には、かなしいという字義がある。「哀切」、「哀歓」などが出題されている。
衰には、おとろえるという字義がある。「衰退」、「衰弱」などが出題されている。

書き間違い（字形）

換 vs 喚

喚には、呼ぶ、呼び起こすという字義がある。「喚起」、「喚声」などが出題されている。
換には、とりかえるという字義がある。「交換」、「変換」などが出題されている。

書き間違い（字形）

効 vs 郊

郊には、田舎という字義がある。「近郊」、「郊外」などが出題されている。
効には、効き目があるという字義がある。「有効」、「効果」などが出題されている。

書き間違い（字形）

殴 vs 欧

欧は、ヨーロッパの略である。「欧米」、「欧州」などが出題されている。
殴には、なぐるという字義がある。「横殴り」などが出題されている。

書き間違い（字形）

蓄 vs 畜

畜には、動物を飼うという字義がある。「家畜」、「畜産」などが出題されている。
蓄には、たくわえるという字義がある。「貯蓄」、「備蓄」などが出題されている。

書き間違い（字形）

網 vs 綱

綱には、つなという字義がある。「命綱」、「綱渡り」などが出題されている。
網には、あみという字義がある。「網膜」、「網で覆う」などが出題されている。

書き間違い（字形）

坑 vs 抗

抗には、あらがうという字義がある。「抵抗」、「対抗」などが出題されている。
坑には、穴という字義がある。「坑道」、「炭坑」などが出題されている。

書き間違い（字形）

弧 vs 孤

孤には、ひとりぼっちという字義がある。「孤立」、「孤独」などが出題されている。
弧には、弓なりに曲がった線という字義がある。「弧を描く」などが出題されている。

書き間違い（字形）

斥 vs 斤

斤は、重さの単位である。「一斤」などが出題されている。
斥には、しりぞけるという字義がある。「排斥」などが出題されている。

部首の間違い

孝 vs 老

老の部首は耂（おいがしら）、孝の部首は子（こ）。

老は「おいる」と読むように、年老いたことを意味する。

孝は子が親を大切にするという字義があり、子に関連する。

書き間違い（同訓）

彫 vs 掘

掘には、穴を開けるために土などを取り除くという字義がある。「井戸を掘る」などが出題されている。

彫には、木や石などを削るという字義がある。「仏像を彫る」などが出題されている。

書き間違い（同訓）

詠 vs 読

読には、よむという字義がある。「小説を読む」、「新聞を読む」などが出題されている。

詠には、うたうという字義がある。「朗詠」、「詠嘆」などが出題されている。

書き間違い（字形）

粉 vs 紛

紛には、乱れる、もつれるという字義がある。「紛争」、「内紛」などが出題されている。

粉には、こなという字義がある。「粉末」などが出題されている。

部首の間違い

骨 vs 背

背の部首は肉（にく）、骨の部首は骨（ほね）。

背は体の一部を表し肉と関連する。部首の肉は動物の肉を表した。

一方、骨も体の一部であるが、動物の肉を取り去った部分を表す骨が部首となる。

部首の間違い

成 vs 威

威の部首は女（おんな）、成の部首は戈（ほこづくり）。

威は、戌にこわがらせるという意味がある。部首の女は、感情などを表す。

成は、戊と丁が合わさった字で、戊にまさかり（転じて武器）という意味がある。部首の戈も武器を表す。

書き間違い（同訓）

受 vs 請

請には、仕事などをひきうけるという字義がある。「工事を請ける」、「要請」などが出題されている。

受には、うけるという字義がある。「検査を受ける」、「手術を受ける」などが出題されている。

書き間違い（字形）

慕 vs 募

募には、つのるという字義がある。「募金」、「応募」などが出題されている。

慕には、懐かしく思うという字義がある。「慕情」、「追慕」などが出題されている。

部首の間違い

焦 vs 隻

隻の部首は隹（ふるとり）、焦の部首は灬（れんが）。

隻は、隹は鳥、又は手を表し、手で鳥を捕まえるという由来がある。

焦は、火で焦げるという意味がある。灬（れんが）は火を表す部首。

部首の間違い

某 vs 甘

甘の部首は甘（かん・あまい）。

甘は「あまい」と読むように、味に関連する。その甘に木を加えた某の部首は木（き）。

書き間違い（同訓）

降 vs 卸

卸には、問屋からおろすという字義がある。「卸値」などが出題されている。

降には、負ける、おりるという字義がある。「降参」、「降水」などが出題されている。

書き間違い（同音同訓）

擦 vs 刷

刷には、すり出す、清めるという字義がある。「ビラを刷る」、「刷新」などが出題されている。

擦には、こするという字義がある。「マッチを擦る」、「擦過傷」などが出題されている。

3級新出配当漢字一覧

配当漢字を部首ごとにまとめ、過去に出題された用例を頻出順にのせています。
色がついている漢字は、試験によく出る漢字です。

部首	漢字	頻出用例
ノ（はらいぼう）	乏	乏しい・欠乏・耐乏・貧乏
乙（おつ）	乙	甲乙・乙女
亅（はねぼう）	了	未了・終了・魅了・了承・完了・修了
亻（にんべん）	佳	佳境・佳作・絶佳
	偶	偶然・偶数・偶発・偶像・配偶者・土偶
	倹	倹約
	債	負債・債権・債務・国債・債権者
	催	催す・催眠・主催・催促・開催・共催
	侍	侍・侍者
	伸	伸ばす・屈伸・伸縮・追伸・伸張・伸長
	促	促進・促す・催促・促成
	伐	討伐・殺伐・伐採・征伐・間伐・濫伐
	伴	伴う・伴奏・相伴う・同伴・伴走・随伴
	伏	起伏・伏せる・屈伏・伏線・潜伏・降伏
	倣	模倣
𠆢（ひとやね）	企	企てる・企業・企画・企図
儿（ひとあし・にんにょう）	克	克明・克服・相克
	免	免税・免職・免許・免除・放免・免責
冖（わかんむり）	冠	栄冠・冠水・冠・弱冠・王冠・冠雪
	冗	冗談・冗漫・冗長
冫（にすい）	凝	凝らす・凝視・凝固・凝縮・肩凝り・凝結
	凍	凍える・解凍・凍る・凍結・冷凍・凍死
刂（りっとう）	刑	減刑・刑罰・処刑・実刑・刑事・極刑
	削	添削・削減・削除・削る・粗削り・掘削
力（ちから）	勘	勘弁・勘案・勘定・勘当・勘違い
	募	募る・応募・募集・急募・公募・募金
	励	励ます・激励・励行・精励
匚（はこがまえ）	匠	巨匠・師匠・意匠・名匠
匸（かくしがまえ）	匿	隠匿・秘匿・匿名
十（じゅう）	卓	卓越・卓抜・卓球・食卓・円卓・卓見
	卑	尊卑・卑下・卑屈・卑劣・野卑・卑近
卩（わりふ・ふしづくり）	卸	卸値・卸す
厂（がんだれ）	厘	九分九厘

部首	漢字	頻出用例
又（また）	双	双方（そうほう）・双眼鏡（そうがんきょう）・無双（むそう）
	又	又聞き（またぎき）・又（また）・又貸し（まただがし）
口（くち）	哀	哀れ（あわ）な・哀歓（あいかん）・悲哀（ひあい）・哀切（あいせつ）・哀願（あいがん）・哀感（あいかん）
	吉	吉凶（きっきょう）・不吉（ふきつ）・吉報（きっぽう）・吉兆（きっちょう）
	啓	啓発（けいはつ）・啓示（けいじ）・拝啓（はいけい）
	哲	哲学（てつがく）・変哲（へんてつ）
	吏	官吏（かんり）
口（くちへん）	喚	喚起（かんき）・喚声（かんせい）・召喚（しょうかん）・喚問（かんもん）
	喫	喫茶（きっさ）・喫煙（きつえん）・満喫（まんきつ）
	嘱	嘱望（しょくぼう）・委嘱（いしょく）・嘱託（しょくたく）
土（つち）	墾	開墾（かいこん）
	墜	墜落（ついらく）・失墜（しっつい）・撃墜（げきつい）
	塗	塗る（ぬ）・塗料（とりょう）・塗装（とそう）・塗布（とふ）・朱塗り（しゅぬ）・上塗り（うわぬ）
	墨	墨（すみ）・墨絵（すみえ）・墨守（ぼくしゅ）・白墨（はくぼく）・水墨画（すいぼくが）
土（つちへん）	塊	塊（かたまり）・金塊（きんかい）・氷塊（ひょうかい）・団塊（だんかい）
	坑	坑道（こうどう）・炭坑（たんこう）
	壇	登壇（とうだん）・文壇（ぶんだん）・画壇（がだん）・壇上（だんじょう）・花壇（かだん）
	墳	墳墓（ふんぼ）・古墳（こふん）
	埋	埋める（う）・穴埋め（あなう）・埋設（まいせつ）・埋蔵（まいぞう）・埋没（まいぼつ）・埋葬（まいそう）
大（だい）	契	契機（けいき）・契約（けいやく）
	奪	奪う（うば）・争奪（そうだつ）・奪回（だっかい）・強奪（ごうだつ）・奪取（だっしゅ）・略奪（りゃくだつ）
	奉	奉納（ほうのう）・奉仕（ほうし）
女（おんな）	婆	老婆（ろうば）・老婆心（ろうばしん）
女（おんなへん）	嫁	嫁ぐ（とつ）・花嫁（はなよめ）・嫁（よめ）
	娯	娯楽（ごらく）
	如	欠如（けつじょ）・突如（とつじょ）・躍如（やくじょ）
	嬢	令嬢（れいじょう）
	婿	花婿（はなむこ）
	姫	姫（ひめ）・姫君（ひめぎみ）
	妨	妨げる（さまた）・妨害（ぼうがい）
子（こへん）	孤	孤島（ことう）・孤独（こどく）・孤立（こりつ）・孤高（ここう）
	孔	鼻孔（びこう）・気孔（きこう）
宀（うかんむり）	宴	祝宴（しゅくえん）・宴席（えんせき）・宴会（えんかい）

部首	漢字	頻出用例
	審	不審・審美眼・陪審・審議・審判・審査
寸（すん）	寿	長寿・寿・天寿・喜寿
	封	完封・開封・封建的・密封・厳封・封鎖
尸（かばね・しかばね）	尿	検尿・排尿・利尿・尿意・糖尿病・尿素
山（やま）	岳	山岳
	崩	崩れる・崩落・雪崩・崩壊・山崩れ
山（やまへん）	峡	峡谷・海峡・山峡
工（たくみへん）	巧	巧みな・巧妙・精巧・技巧・悪巧み・老巧
巾（はば）	帝	帝政・皇帝・帝王・賢帝
巾（はばへん・きんべん）	帆	帆・帆柱・帆走・出帆・帆船・帆足
幺（よう・いとがしら）	幻	幻・夢幻・幻想・幻影・幻覚・幻滅
	幽	幽閉・幽玄・幽霊・幽谷
广（まだれ）	廉	廉価・清廉・破廉恥・廉売
	廊	画廊・廊下・回廊
弓（ゆみへん）	弧	弧
彡（さんづくり）	彫	彫る・木彫り・彫刻・彫金
彳（ぎょうにんべん）	徐	徐行
心（こころ）	慰	慰める・慰霊・慰留・慰労・慰問・慰謝料
	忌	忌引き・回忌
	愚	愚問・愚か・暗愚・賢愚・愚劣・愚行
	憩	憩い・休憩・小憩
	慈	慈善・慈悲・慈愛・慈雨・慈母・慈父
	怠	怠る・怠慢・怠ける
	憂	憂慮・憂い・憂色・憂国
忄（りっしんべん）	悦	悦楽・満悦・恐悦・悦・喜悦
	怪	怪しい・奇怪・怪奇・怪談・怪獣・怪物
	悔	悔しい・後悔・悔恨・悔やむ
	慨	感慨・慨嘆
	悟	覚悟・悟る
	慌	慌てる・大慌て
	恨	恨む・遺恨・悔恨・痛恨
	惜	惜しむ・惜敗・惜別・惜春・痛惜・哀惜
	憎	憎い・愛憎・心憎い

部首	漢字	頻出用例
⺗（したごころ）	慕	慕う・敬慕・恋慕・慕情・追慕・思慕
戸（とだれ・とかんむり）	房	暖房・工房・房・乳房・文房具・一房
手（て）	掌	掌握・合掌・掌中・車掌・分掌
扌（てへん）	掛	掛ける・仕掛ける
	換	換える・換言・変換・換金・転換・交換
	掲	掲げる・掲載・前掲・掲示・掲揚
	携	携わる・連携・携行・提携・携帯・必携
	拘	拘束
	控	控える
	搾	搾る・乳搾り
	撮	撮る・撮影
	擦	擦る・擦過傷
	摂	摂取・摂生・摂理・摂食
	措	措置
	掃	掃く・清掃・一掃・掃除
	択	択一・選択・採択
	抽	抽象・抽出・抽選
	排	排他・排斥・排除・排気・排尿・排煙
	揚	揚げる・抑揚・旗揚げ・高揚・浮揚・水揚げ
	揺	揺れる・動揺
	擁	擁護・抱擁・擁立
	抑	抑揚・抑制・抑圧・抑える・抑止
攵（のぶん・ぼくづくり）	敢	果敢・勇敢・敢然・敢闘・敢行
斗（とます）	斗	北斗
斤（きん）	斤	一斤
	斥	排斥
方（ほうへん・かたへん）	施	施す・施設・実施・施行・施策・施政
日（ひ）	暫	暫定・暫時
	昇	昇る・昇降・昇格・昇進・上昇・昇任
	晶	結晶・液晶
木（き）	架	架空・架ける・担架・書架・高架・架橋
	棄	棄権・破棄・棄却・放棄・投棄・遺棄
	桑	桑・桑畑

部首	漢字	頻出用例
	某	某所（ぼうしょ）・某国（ぼうこく）
木（きへん）	概	概略（がいりゃく）・概要（がいよう）・概算（がいさん） 概念（がいねん）・概況（がいきょう）・気概（きがい）
	棋	棋士（きし）
	楼	鐘楼（しょうろう）・楼閣（ろうかく）・高楼（こうろう） 楼門（ろうもん）
欠（あくび・かける）	欧	西欧（せいおう）・北欧（ほくおう）・訪欧（ほうおう） 欧米（おうべい）・欧州（おうしゅう）・渡欧（とおう）
	欺	欺く（あざむく）
歹（かばねへん・いちたへん・がつへん）	殊	特殊（とくしゅ）・殊勝（しゅしょう）・殊に（こと）
殳（るまた・ほこづくり）	殴	殴る（なぐ）・横殴り（よこなぐ）
氵（さんずい）	滑	滑る（すべ）・円滑（えんかつ）・滑走路（かっそうろ） 潤滑（じゅんかつ）・滑らか（なめ）・滑車（かっしゃ）
	湿	湿る（しめ）・湿潤（しつじゅん）・乾湿（かんしつ） 除湿（じょしつ）・湿度（しつど）・湿原（しつげん）
	潤	潤う（うるお）・湿潤（しつじゅん）・潤沢（じゅんたく） 豊潤（ほうじゅん）・潤滑（じゅんかつ）・潤む（うる）

部首	漢字	頻出用例
	瀬	浅瀬（あさせ）
	潜	潜む（ひそ）・潜水（せんすい）・素潜り（すもぐ） 潜伏（せんぷく）・潜在（せんざい）・潜入（せんにゅう）
	滞	滞る（とどこお）・停滞（ていたい）・滞納（たいのう） 滞留（たいりゅう）・遅滞（ちたい）・沈滞（ちんたい）
	滝	滝（たき）
	泌	分泌（ぶんぴつ）
	漂	漂う（ただよ）・漂着（ひょうちゃく）・漂泊（ひょうはく） 漂白（ひょうはく）・漂流（ひょうりゅう）
	没	没頭（ぼっとう）・出没（しゅつぼつ）・没収（ぼっしゅう） 没落（ぼつらく）・埋没（まいぼつ）・日没（にちぼつ）
	滅	滅びる（ほろ）・消滅（しょうめつ）・滅亡（めつぼう） 不滅（ふめつ）・点滅（てんめつ）・絶滅（ぜつめつ）
	濫	濫用（らんよう）・濫発（らんぱつ）・濫獲（らんかく） 濫読（らんどく）・濫伐（らんばつ）・濫造（らんぞう）
	浪	浪費（ろうひ）・放浪（ほうろう）・波浪（はろう）
	漏	漏れる（も）・漏電（ろうでん）・遺漏（いろう） 漏水（ろうすい）・脱漏（だつろう）・雨漏り（あまも）

部首	漢字	頻出用例
	湾	港湾（こうわん）・湾岸（わんがん）・湾曲（わんきょく） 湾内（わんない）
火（ひ）	炎	炎（ほのお）・気炎（きえん）・炎天下（えんてんか） 炎上（えんじょう）・炎暑（えんしょ）・肺炎（はいえん）
火（ひへん）	炊	炊く（た）・炊飯（すいはん）・煮炊き（にた） 雑炊（ぞうすい）・自炊（じすい）・炊事（すいじ）
	炉	暖炉（だんろ）・香炉（こうろ）・炉端（ろばた） 溶鉱炉（ようこうろ）
灬（れんが・れっか）	焦	焦げる（こ）・焦燥（しょうそう）・焦点（しょうてん） 焦慮（しょうりょ）
牜（うしへん）	犠	犠牲（ぎせい）
	牲	犠牲（ぎせい）
犭（けものへん）	獄	地獄（じごく）・脱獄（だつごく）・投獄（とうごく） 監獄（かんごく）
	猟	狩猟（しゅりょう）・猟師（りょうし）・禁猟（きんりょう） 猟犬（りょうけん）
田（た）	甲	甲乙（こうおつ）・甲（こう）・甲高い（かんだか） 甲板（かんぱん）
	畜	畜産（ちくさん）・家畜（かちく）

部首	漢字	頻出用例
田（たへん）	畔	湖畔・池畔・河畔
疒（やまいだれ）	疾	疾走・疾駆・疾風
	痘	天然痘・水痘
	癖	潔癖・難癖・癖・習癖・口癖
旡（なし・ぶ すでのつくり）	既	既に・既知・既定・既成・既婚・既製
石（いしへん）	硬	硬い・硬貨・硬直・生硬・硬球・硬式
	礎	基礎・礎石
	碑	石碑・記念碑・歌碑・慰霊碑・墓碑・碑文
ネ（しめすへん）	祉	福祉
禾（のぎへん）	穏	穏やか・穏健・平穏・穏便・不穏・安穏
	穫	収穫

部首	漢字	頻出用例
	穂	穂・穂先・稲穂
	稚	幼稚・稚魚
穴（あなかんむり）	窒	窒息・窒素
竹（たけかんむり）	籍	入籍・書籍・移籍・国籍・除籍・在籍
	篤	危篤・篤実・篤学・篤志家
	符	符合・切符・音符・終止符・符号
	簿	帳簿・名簿・家計簿・簿記
米（こめへん）	粋	抜粋・無粋・純粋・不粋
	粗	粗い・精粗・粗密・粗略・粗野・粗削り
	粘	粘る・粘着・粘膜・粘土・粘液
	糧	食糧

部首	漢字	頻出用例
糸（いと）	緊	緊迫・緊急・緊密・緊張・緊縮
糸（いとへん）	緩	緩める・緩慢・緩急・緩和・緩衝
	絞	絞る
	綱	綱渡り・命綱・横綱・要綱・綱領・綱引き
	紺	濃紺・紺色・紫紺
	繕	修繕・繕う
	締	締める・締結・戸締まり
	縛	束縛・縛る・捕縛
	紛	紛れる・内紛・紛争・紛失
	縫	縫う・裁縫・縫合・縫製
羽（はね）	翻	翻意・翻訳・翻案

部首	漢字	頻出用例
耳（みみへん）	聴	聴く・傾聴・聴講・聴取・聴衆・傍聴
肉（にく）	脅	脅す・脅威・脅迫
月（にくづき）	肝	肝・肝要・肝試し・度肝・肝臓・肝心
	胎	胎動・胎児・母胎・胎生
	胆	大胆・魂胆・落胆・豪胆・心胆
	胞	胞子・細胞・同胞
	膨	膨らむ・膨大・膨張
	膜	粘膜・角膜・鼓膜・皮膜・網膜
艹（くさかんむり）	華	華美・豪華・華麗・繁華街・栄華・華やぐ
	菊	野菊・菊
	葬	葬儀・葬式・埋葬

部首	漢字	頻出用例
	藩	藩主・脱藩
	苗	苗・苗木・苗代・早苗
	芳	芳香
虍（とらがしら・とらかんむり）	虐	虐待・残虐・暴虐
	虚	虚実・空虚・虚像・虚栄・虚勢・虚構
虫（むし）	蛮	蛮行・野蛮・蛮勇・蛮声・蛮習
行（ぎょうがまえ・ゆきがまえ）	衝	折衝・衝突・衝動・衝撃
衣（ころも）	衰	衰える・衰退・盛衰・衰微・衰弱・老衰
	袋	足袋・袋・寝袋・胃袋・手袋・紙袋
	裂	裂ける・分裂・破裂・決裂・裂傷
衤（ころもへん）	裸	裸・裸眼・赤裸々・裸子・丸裸

部首	漢字	頻出用例
覀（おおいかんむり）	覆	覆う・転覆・覆面
言（ごんべん）	詠	朗詠・詠嘆・詠歌・題詠
	該	該博・当該
	諮	諮問・諮る
	譲	譲る・譲歩・譲渡・譲位・互譲・分譲
	請	請ける・申請・要請・下請け・請求・請願
	託	屈託・託児所・委託・嘱託・信託・託する
	諾	許諾・承諾・快諾・受諾・内諾・諾否
	訂	改訂・校訂・増訂
	謀	策謀・無謀・共謀・陰謀・謀略・参謀
	誘	誘う・誘導・誘惑・誘致・勧誘・誘発

部首	漢字	頻出用例
豕（ぶた・いのこ）	豚	豚・養豚・豚肉・子豚
貝（かい・こがい）	貫	貫く・貫通・縦貫・一貫・突貫
	賢	賢い・賢明・賢愚・先賢・賢帝・賢者
貝（かいへん）	賊	海賊・賊軍・盗賊・義賊・逆賊
赤（あか）	赦	容赦・赦免・恩赦・特赦
走（そうにょう）	超	超越・超える・超過・超然・超人・超絶
	赴	赴任・赴く
車（くるまへん）	軌	軌道・軌跡・常軌
	軸	機軸・基軸・新機軸・主軸・軸足
辛（からい）	辛	辛い・辛抱・辛苦・辛酸・辛勝・辛口
辰（しんのたつ）	辱	恥辱・栄辱・屈辱・雪辱

部首	漢字	頻出用例
辶（しんにょう・しんにゅう）	遇	遭遇・境遇・冷遇・待遇・不遇・優遇
	遵	遵守・遵法
	遂	遂げる・未遂・完遂・遂行
	遭	遭遇・遭う・遭難
	逮	逮捕
阝（おおざと）	郭	輪郭・城郭
	郊	郊外・近郊
	邪	邪悪・邪魔・正邪・邪推・邪念・無邪気
	邦	本邦・邦人・邦楽・邦画・連邦
酉（とりへん）	酵	酵母・発酵・酵素
	酔	酔う・陶酔・心酔

部首	漢字	頻出用例
金（かねへん）	錯	錯誤・錯覚・交錯・錯乱・倒錯
	鐘	鐘・早鐘・鐘楼・晩鐘・警鐘
	錠	錠剤・錠前・手錠
	鍛	鍛える・鍛錬・鍛練
	鋳	鋳造・鋳る・鋳型・鋳物
	鎮	鎮圧・鎮痛・鎮静・鎮魂・鎮火・文鎮
	錬	鍛錬・錬金術・製錬
門（もんがまえ）	閲	校閲・検閲・閲覧
阝（こざとへん）	隔	隔てる・隔世・間隔・隔年・遠隔・隔絶
	随	追随・付随・随分・随時・随所・随想
	阻	阻害・険阻・阻止

部首	漢字	頻出用例
	陳	陳列(ちんれつ)・陳腐(ちんぷ)・陳情(ちんじょう)・陳謝(ちんしゃ)・陳述(ちんじゅつ)・開陳(かいちん)
	陶	陶酔(とうすい)・陶器(とうき)・陶芸(とうげい)
	陪	陪審(ばいしん)・陪審員(ばいしんいん)
	隆	隆起(りゅうき)・隆盛(りゅうせい)・興隆(こうりゅう)
	陵	丘陵(きゅうりょう)・陵墓(りょうぼ)
隹(ふるとり)	雇	雇(やと)う・解雇(かいこ)・雇用(こよう)
	隻	数隻(すうせき)
雨(あめかんむり)	零	零落(れいらく)・零細(れいさい)・零度(れいど)・零下(れいか)・零時(れいじ)
	霊	霊峰(れいほう)・慰霊(いれい)・霊魂(れいこん)・幽霊(ゆうれい)・霊前(れいぜん)・霊感(れいかん)
頁(おおがい)	顧	回顧(かいこ)・顧(かえり)みる・顧慮(こりょ)・顧問(こもん)・愛顧(あいこ)・恩顧(おんこ)
食(しょくへん)	餓	餓死(がし)
	飽	飽(あ)きる・飽食(ほうしょく)・飽和(ほうわ)
馬(うまへん)	騎	騎手(きしゅ)・騎馬(きば)・一騎(いっき)
	駐	常駐(じょうちゅう)・駐車(ちゅうしゃ)・駐輪(ちゅうりん)・駐在(ちゅうざい)・駐留(ちゅうりゅう)・進駐(しんちゅう)
骨(ほねへん)	髄	神髄(しんずい)・骨髄(こつずい)
鬼(おに)	魂	魂(たましい)・闘魂(とうこん)・霊魂(れいこん)・鎮魂(ちんこん)・精魂(せいこん)・魂胆(こんたん)
	魔	邪魔(じゃま)・病魔(びょうま)・魔法(まほう)・魔王(まおう)
鬼(きにょう)	魅	魅惑(みわく)・魅了(みりょう)・魅力(みりょく)
魚(うおへん)	鯨	捕鯨(ほげい)・鯨(くじら)
鳥(とり)	鶏	鶏卵(けいらん)・養鶏(ようけい)・鶏舎(けいしゃ)・鶏(にわとり)・鶏鳴(けいめい)・闘鶏(とうけい)

4級新出配当漢字一覧

配当漢字を部首ごとにまとめ、過去に出題された用例を頻出順にのせています。色がついている漢字は、試験によく出る漢字です。

部首	漢字	頻出用例
一（いち）	丘	丘陵（きゅうりょう）・砂丘（さきゅう）
	丈	丈夫（じょうぶ）・背丈（せたけ）・気丈（きじょう）
	与	与（あた）える・授与（じゅよ）・与党（よとう）
丶（てん）	丹	丹念（たんねん）
乙（おつ）	**乾**	乾湿（かんしつ）・乾杯（かんぱい）・乾（かわ）かす・乾燥（かんそう）
二（に）	互	互譲（ごじょう）・交互（こうご）
亻（にんべん）	依	依頼（いらい）
	偉	偉（えら）い
	儀	葬儀（そうぎ）
	仰	仰（あお）ぐ
	傾	傾聴（けいちょう）・傾（かたむ）く・傾向（けいこう）・傾斜（けいしゃ）
	伺	
	侵	侵犯（しんぱん）・侵害（しんがい）・侵入（しんにゅう）
	僧	
	俗	雅俗（がぞく）
	倒	倒（たお）れる・圧倒（あっとう）・打倒（だとう）
	傍	傍聴（ぼうちょう）・傍観（ぼうかん）・路傍（ろぼう）
𠆢（ひとやね）	介	介入（かいにゅう）・紹介（しょうかい）・介護（かいご）
八（はち）	兼	兼（か）ねる・兼用（けんよう）
几（つくえ）	凡	平凡（へいぼん）・凡人（ぼんじん）・非凡（ひぼん）
凵（うけばこ）	**凶**	吉凶（きっきょう）・凶（きょう）
刂（りっとう）	刈	刈（か）る
	剣	真剣（しんけん）
	剤	錠剤（じょうざい）・鎮痛剤（ちんつうざい）・薬剤（やくざい）
	刺	刺（さ）す・風刺（ふうし）
	到	未到（みとう）・到達（とうたつ）
力（ちから）	勧	勧誘（かんゆう）・勧告（かんこく）
	劣	劣悪（れつあく）・優劣（ゆうれつ）・劣（おと）る
匚（かくしがまえ）	匹	一匹（いっぴき）
卜（と・うらない）	**占**	占（し）める・独占（どくせん）
卩（わりふ・ふしづくり）	却	棄却（ききゃく）・売却（ばいきゃく）・却下（きゃっか）
	即	即座（そくざ）
又（また）	及	普及（ふきゅう）・及（およ）ぶ

部首	漢字	頻出用例
口(くち)	含	含(ふく)む
	召	召(め)す
	唐	
口(くちへん)	叫	叫(さけ)ぶ・絶叫(ぜっきょう)
	咲	咲(さ)く
	吹	吹雪(ふぶき)・吹(ふ)く・紙吹雪(かみふぶき)
	嘆	詠嘆(えいたん)・慨嘆(がいたん)・嘆(なげ)く・嘆願(たんがん)・嘆息(たんそく)
	吐	吐(は)く・吐露(とろ)
	噴	噴(ふ)く・噴煙(ふんえん)・噴出(ふんしゅつ)
囗(くにがまえ)	圏	圏外(けんがい)
土(つち)	堅	堅固(けんご)・堅持(けんじ)

部首	漢字	頻出用例
	執	執筆(しっぴつ)・執(と)る・執行(しっこう)・執念(しゅうねん)・確執(かくしつ)・執着(しゅうちゃく)
	壁	壁紙(かべがみ)
土(つちへん)	壊	壊(こわ)す・崩壊(ほうかい)
	堤	
	塔	
	坊	
士(さむらい)	壱	
大(だい)	奥	奥歯(おくば)・山奥(やまおく)・奥(おく)
	奇	奇怪(きかい)・怪奇(かいき)・奇遇(きぐう)・好奇心(こうきしん)・奇妙(きみょう)
女(おんな)	威	脅威(きょうい)・威力(いりょく)・権威(けんい)・威勢(いせい)
女(おんなへん)	婚	既婚(きこん)・未婚(みこん)・晩婚(ばんこん)・婚礼(こんれい)

部首	漢字	頻出用例
	姓	
	奴	
	妙	巧妙(こうみょう)・絶妙(ぜつみょう)・妙(みょう)な
	娘	娘(むすめ)
宀(うかんむり)	寂	
	寝	寝袋(ねぶくろ)・寝床(ねどこ)・就寝(しゅうしん)
寸(すん)	尋	尋(たず)ねる
尸(かばね しかばね)	屈	屈伸(くっしん)・屈託(くったく)・卑屈(ひくつ)・屈辱(くつじょく)・屈伏(くっぷく)・屈折(くっせつ)
	尽	尽(つ)くす・無尽(むじん)
	尾	末尾(まつび)・尾(お)
山(やまへん)	峠	峠(とうげ)

部首	漢字	頻出用例
	峰	霊峰・峰
巛 かわ	巡	巡る・一巡・巡礼
工 たくみ え	巨	巨匠・巨体・巨大
巾 はばへん きんべん	幅	増幅・拡幅・道幅・大幅・振幅
	帽	脱帽
幺 いとがしら よう	幾	
广 まだれ	床	寝床・床・起床・温床
弋 しきがまえ	弐	
弓 ゆみへん	弾	弾く・弾む
彡 さんづくり	影	撮影・幻影・人影
	彩	多彩・色彩・精彩

部首	漢字	頻出用例
彳 ぎょうにんべん	御	
	征	遠征・征服・征伐
	徴	徴収
	彼	彼我・彼
	微	衰微・微熱・微力
心 こころ	恐	恐悦・恐ろしい・恐縮
	恵	知恵・恩恵
	恥	恥辱・恥・破廉恥・恥じる
	怒	怒る・激怒
	慮	憂慮・顧慮・配慮・不慮・思慮
	恋	恋慕・恋しい・初恋・恋愛

部首	漢字	頻出用例
	惑	誘惑・魅惑・困惑・惑星・惑う・疑惑
忄 りっしんべん	憶	追憶
	恒	恒久・恒常
	惨	
	慎	慎重
	悩	悩む
	怖	
	忙	忙殺・多忙・忙しい
	慢	緩慢・怠慢・我慢・自慢
戈 ほこづくり ほこがまえ	戒	戒める・警戒・戒律・厳戒
	戯	

部首	漢字	頻出用例
戸（とだれ・とかんむり）	扇	扇（おうぎ）
手（て）	撃	衝撃（しょうげき）・追撃（ついげき）・撃墜（げきつい）
扌（てへん）	握	掌握（しょうあく）・握手（あくしゅ）・握力（あくりょく） 握（にぎ）る
	扱	扱（あつか）う
	援	援護（えんご）・声援（せいえん）・応援（おうえん） 救援（きゅうえん）・後援（こうえん）
	押	押（お）す
	拠	根拠（こんきょ）・証拠（しょうこ）・拠点（きょてん）
	掘	掘（ほ）る
	抗	対抗（たいこう）・抵抗（ていこう）
	振	振（ふ）る
	拓	開拓（かいたく）・干拓（かんたく）
	抵	抵触（ていしょく）・抵抗（ていこう）
	摘	摘（つ）む
	拍	拍手（はくしゅ）・突拍子（とっぴょうし）・脈拍（みゃくはく）
	抜	抜粋（ばっすい）・抜群（ばつぐん）・卓抜（たくばつ） 抜（ぬ）く
	搬	搬送（はんそう）
	描	描（えが）く
	払	払（はら）う
	捕	捕鯨（ほげい）・逮捕（たいほ）・捕（つか）まる
	抱	抱擁（ほうよう）・辛抱（しんぼう）・抱（かか）える 抱（いだ）く・抱負（ほうふ）・介抱（かいほう）
攵（のぶん・ぼくづくり）	攻	攻防（こうぼう）・攻（せ）める・攻略（こうりゃく）
	敏	敏速（びんそく）・敏感（びんかん）
	敷	敷（し）く
斗（とます）	斜	斜面（しゃめん）・斜（なな）め・傾斜（けいしゃ）
日（ひ）	旨	論旨（ろんし）
	旬	下旬（げじゅん）・旬刊（じゅんかん）
	是	是非（ぜひ）
	曇	曇（くも）る
	普	普通（ふつう）・普及（ふきゅう）
	暦	暦（こよみ）
日（ひへん）	暇	暇（ひま）・寸暇（すんか）・休暇（きゅうか）
曰（ひらび・いわく）	更	更新（こうしん）・更（さら）に・更衣（こうい）
	替	為替（かわせ）

部首	漢字	頻出用例
	冒	冒頭(ぼうとう)
木(き)	朱	朱塗り(しゅぬ)・朱色(しゅいろ)
	柔	柔弱(にゅうじゃく)・柔道(じゅうどう)
木(きへん)	朽	朽ちる(く)・不朽(ふきゅう)
	枯	枯れる(か)・栄枯(えいこ)
	桃	桃(もも)・桃色(ももいろ)・桃源郷(とうげんきょう)
	杯	祝杯(しゅくはい)・乾杯(かんぱい)
	柄	身柄(みがら)・人柄(ひとがら)・絵柄(えがら)
	欄	
欠(あくび・かける)	歓	哀歓(あいかん)
止(とめる)	歳	

部首	漢字	頻出用例
歹(かばねへん・いちたへん・がつへん)	殖	殖やす(ふ)・増殖(ぞうしょく)・繁殖(はんしょく)・利殖(りしょく)・養殖(ようしょく)
殳(るまた・ほこづくり)	殿	宮殿(きゅうでん)
氵(さんずい)	汚	汚染(おせん)・汚点(おてん)・汚れる(よご)・汚い(きたな)
	汗	汗(あせ)
	況	概況(がいきょう)・好況(こうきょう)・実況(じっきょう)・不況(ふきょう)
	沼	沼(ぬま)
	浸	浸す(ひた)・水浸し(みずびた)・浸水(しんすい)
	沢	潤沢(じゅんたく)・光沢(こうたく)
	濁	清濁(せいだく)
	淡	濃淡(のうたん)・淡い(あわ)・冷淡(れいたん)・淡雪(あわゆき)・淡泊(たんぱく)・枯淡(こたん)
	澄	澄む(す)

部首	漢字	頻出用例
	沈	沈む(しず)・沈滞(ちんたい)・浮沈(ふちん)・不沈(ふちん)・沈黙(ちんもく)・沈痛(ちんつう)
	滴	一滴(いってき)・水滴(すいてき)
	添	添削(てんさく)・添加(てんか)
	渡	譲渡(じょうと)・綱渡り(つなわた)・渡欧(とおう)・渡る(わた)
	濃	濃紺(のうこん)・濃い(こ)・濃淡(のうたん)・濃密(のうみつ)・濃度(のうど)
	泊	漂泊(ひょうはく)・外泊(がいはく)・泊まる(と)・宿泊(しゅくはく)
	浜	
	浮	浮く(う)・浮揚(ふよう)・浮沈(ふちん)・浮上(ふじょう)・浮遊(ふゆう)
	漫	冗漫(じょうまん)・漫画(まんが)
	溶	溶ける(と)・溶液(ようえき)・溶鉱炉(ようこうろ)
	涙	涙(なみだ)

部首	漢字	頻出用例
火（ひへん）	煙	喫煙（きつえん）・煙（けむり）・排煙（はいえん）
	燥	焦燥（しょうそう）・乾燥（かんそう）
	爆	爆笑（ばくしょう）・爆発（ばくはつ）・起爆剤（きばくざい）
灬（れんが・れっか）	為	為替（かわせ）・行為（こうい）・無為（むい）・無作為（むさくい）
	煮	煮炊き（にたき）・煮る（にる）
	烈	強烈（きょうれつ）・熱烈（ねつれつ）
犬（いぬ）	獣	怪獣（かいじゅう）
犭（けものへん）	獲	濫獲（らんかく）
	狂	狂う（くるう）・熱狂（ねっきょう）
	狭	狭い（せまい）・狭める（せばめる）
	狩	狩猟（しゅりょう）・狩る（かる）
	猛	猛暑（もうしょ）・勇猛（ゆうもう）・猛獣（もうじゅう）
玄（げん）	玄	幽玄（ゆうげん）・玄米（げんまい）・玄関（げんかん）
王（おうへん・たまへん）	環	環境（かんきょう）・一環（いっかん）
	珍	珍しい（めずらしい）・珍味（ちんみ）・珍重（ちんちょう）・珍獣（ちんじゅう）
甘（かん・あまい）	甘	甘辛い（あまからい）・甘やかす（あまやかす）・甘党（あまとう）
田（た）	畳	畳（たたみ）
疒（やまいだれ）	疲	疲れる（つかれる）・疲労（ひろう）
	療	治療（ちりょう）・医療（いりょう）・療養（りょうよう）・療法（りょうほう）
白（しろ）	皆	皆（みな）
皿（さら）	監	監禁（かんきん）
	盗	盗む（ぬすむ）・盗難（とうなん）・怪盗（かいとう）・盗作（とうさく）
	盤	基盤（きばん）・終盤（しゅうばん）・吸盤（きゅうばん）・序盤（じょばん）
	盆	
目（め）	盾	矛盾（むじゅん）
目（めへん）	瞬	
	眠	催眠（さいみん）・居眠り（いねむり）・眠る（ねむる）・安眠（あんみん）・冬眠（とうみん）
矛（ほこ）	矛	矛先（ほこさき）・矛盾（むじゅん）
石（いしへん）	砲	号砲（ごうほう）
礻（しめすへん）	祈	祈る（いのる）
禾（のぎ）	秀	優秀（ゆうしゅう）・秀作（しゅうさく）
禾（のぎへん）	稿	原稿（げんこう）・遺稿（いこう）
	称	愛称（あいしょう）

部首	漢字	頻出用例
	稲	稲妻(いなずま)・稲穂(いなほ)・稲作(いなさく)・水稲(すいとう)
穴(あなかんむり)	突	突如(とつじょ)・衝突(しょうとつ)・突拍子(とっぴょうし)・突入(とつにゅう)・突進(とっしん)・突く(つ)
立(たつへん)	端	異端(いたん)・万端(ばんたん)・炉端(ろばた)・端(はし)・先端(せんたん)・極端(きょくたん)
竹(たけかんむり)	箇	箇条書き(かじょうが)
	範	規範(きはん)
米(こめへん)	粒	米粒(こめつぶ)
糸(いと)	紫	紫色(むらさきいろ)・紫外線(しがいせん)
	繁	繁栄(はんえい)・繁華街(はんかがい)・繁雑(はんざつ)
糸(いとへん)	維	維持(いじ)
	緯	
	縁	無縁(むえん)・縁者(えんじゃ)・縁起(えんぎ)
	繰	繰る(く)
	継	継続(けいぞく)・継承(けいしょう)
	紹	紹介(しょうかい)
	網	網(あみ)
	紋	
	絡	
罒(あみがしら・あみめ・よこめ)	罰	賞罰(しょうばつ)・罰金(ばっきん)・罰則(ばっそく)・刑罰(けいばつ)
羽(はね)	翼	翼(つばさ)
而(しかして・しこうして)	耐	耐乏(たいぼう)・耐震(たいしん)・耐える(た)
肉(にく)	肩	肩凝り(かたこ)・肩身(かたみ)・肩車(かたぐるま)・肩(かた)
	腐	陳腐(ちんぷ)・豆腐(とうふ)・腐る(くさ)・腐敗(ふはい)・腐食(ふしょく)
	膚	
月(にくづき)	脚	三脚(さんきゃく)
	脂	脂肪(しぼう)・油脂(ゆし)・脱脂綿(だっしめん)・樹脂(じゅし)・脂身(あぶらみ)
	脱	脱獄(だつごく)・虚脱(きょだつ)・脱ぐ(ぬ)・脱漏(だつろう)・脱藩(だっぱん)・脱落(だつらく)
	胴	
	肪	脂肪(しぼう)
	腰	物腰(ものごし)
	腕	腕力(わんりょく)・腕前(うでまえ)
至(いたる)	致	誘致(ゆうち)・一致(いっち)・招致(しょうち)
舌(した)	舗	舗装(ほそう)・店舗(てんぽ)・舗道(ほどう)
舟(ふね)	舟	

部首	漢字	頻出用例
舟(ふねへん)	般	一般(いっぱん)・諸般(しょはん)
艹(くさかんむり)	芋	里芋(さといも)・芋(いも)
	菓	和菓子(わがし)
	荒	荒(あ)れる
	芝	芝生(しばふ)・芝居(しばい)・芝(しば)
	薪	
	蓄	蓄(たくわ)える
	薄	薄(うす)い
	茂	茂(しげ)る
衣(ころも)	襲	
衤(ころもへん)	被	被写体(ひしゃたい)・被害(ひがい)・被服(ひふく)
角(つのへん)	触	手触(てざわ)り・感触(かんしょく)・触(ふ)れる
言(げん)	誉	名誉(めいよ)
言(ごんべん)	詰	詰(つ)める
	誇	誇(ほこ)る・誇張(こちょう)
	詳	詳細(しょうさい)・未詳(みしょう)・詳(くわ)しい
	訴	訴(うった)える・訴状(そじょう)・提訴(ていそ)・勝訴(しょうそ)・告訴(こくそ)
	謡	民謡(みんよう)
豕(ぶた・いのこ)	豪	豪華(ごうか)・古豪(こごう)・豪雨(ごうう)
貝(かいへん)	贈	贈(おく)る
	販	販売(はんばい)・市販(しはん)
	賦	賦与(ふよ)
走(そうにょう)	越	超越(ちょうえつ)・卓越(たくえつ)・越(こ)す
	趣	趣味(しゅみ)・情趣(じょうしゅ)
⻊(あしへん)	距	距離(きょり)
	跡	軌跡(きせき)・足跡(あしあと)・追跡(ついせき)・奇跡(きせき)・航跡(こうせき)・旧跡(きゅうせき)
	跳	跳(は)ねる・跳躍(ちょうやく)
	踏	未踏(みとう)・足踏(あしぶ)み・踏(ふ)む
	躍	躍如(やくじょ)
	踊	
車(くるま)	輝	輝(かがや)く
	載	掲載(けいさい)・載(の)る・連載(れんさい)・記載(きさい)
	輩	先輩(せんぱい)・後輩(こうはい)

部首	漢字	頻出用例
車（くるまへん）	較	比較
	軒	軒先
辶（しんにょう／しんにゅう）	違	違法・勘違い・違和感
	迎	迎春・迎える・送迎
	遣	派遣
	込	込める・見込み
	遅	遅滞・遅い・遅刻
	途	帰途・用途・途中・別途
	逃	逃れる・逃走・逃避
	透	浸透・透過・透視・透明・透ける
	迫	緊迫・迫る・迫力
	避	避ける
阝（おおざと）	郎	新郎
釆（のごめへん）	釈	釈放
舛（まいあし）	舞	見舞う・舞台・鼓舞・乱舞・舞曲
金（かねへん）	鋭	鋭い・鋭利・新鋭
	鉛	鉛
	鑑	図鑑
	鎖	封鎖・鎖・閉鎖・連鎖・鎖国
	鈍	鈍い
門（もんがまえ）	闘	闘魂・敢闘
阝（こざとへん）	陰	陰謀・光陰・陰険・陰湿
	隠	隠匿
	陣	円陣
	隣	近隣・隣
隶（れいづくり）	隷	隷属
隹（ふるとり）	雅	雅俗・風雅・優雅
	雌	雌・雌雄
	雄	雄・雌雄・雄大・英雄・雄弁
	離	隔離・別離・距離
雨（あめかんむり）	需	需給・必需品
	震	耐震・震える
	霧	霧

部首	漢字	頻出用例
	雷	雷(かみなり)・雷雨(らいう)・落雷(らくらい)
	露	暴露(ばくろ)・露天(ろてん)・露出(ろしゅつ)・朝露(あさつゆ)・夜露(よつゆ)
音(おと)	響	響(ひび)く・反響(はんきょう)
頁(おおがい)	項	項目(こうもく)
	頼	頼(たよ)る・信頼(しんらい)・依頼(いらい)・頼(たの)む
食(しょくへん)	飾	虚飾(きょしょく)・飾(かざ)る・装飾(そうしょく)
馬(うま)	驚	驚(おどろ)く
馬(うまへん)	駆	疾駆(しっく)・駆(か)ける
	騒	物騒(ぶっそう)・騒(さわ)ぐ
髟(かみがしら)	髪	髪(かみ)・散髪(さんぱつ)・毛髪(もうはつ)
鬼(おに)	鬼	鬼(おに)・鬼気(きき)

部首	漢字	頻出用例
魚(うおへん)	鮮	新鮮(しんせん)・鮮度(せんど)・鮮烈(せんれつ)
鹿(しか)	麗	華麗(かれい)
黒(くろ)	黙	黙秘(もくひ)・黙殺(もくさつ)・暗黙(あんもく)・沈黙(ちんもく)・黙(だま)る
歯(はへん)	齢	樹齢(じゅれい)・年齢(ねんれい)
鼓(つづみ)	鼓	鼓膜(こまく)

※「漢字検定」「漢検」は、公益財団法人 日本漢字能力検定協会の登録商標です。

受検をお考えの方は、必ずご自身で公益財団法人 日本漢字能力検定協会の発表する最新情報をご確認ください。
ホームページ：https://www.kanken.or.jp/kanken/
【試験に関する問い合わせ】
・ホームページ（問い合わせフォーム）：**https://www.kanken.or.jp/kanken/contact/**
・電話：**0120-509-315**

編集協力（データ分析、一部問題作成）　岡野秀夫

漢字検定3級〔頻出度順〕問題集

編　者　資格試験対策研究会
発行者　清水美成
発行所　**株式会社 高橋書店**
〒170-6014 東京都豊島区東池袋3-1-1 サンシャイン60 14階
電話　03-5957-7103

本書の内容についてのご質問は「書名、質問事項（ページ、内容）、お客様のご連絡先」を明記のうえ、郵送、FAX、ホームページお問い合わせフォームから小社へお送りください。

回答にはお時間をいただく場合がございます。また、電話によるお問い合わせ、本書の内容を超えたご質問にはお答えできませんので、ご了承ください。本書に関する正誤等の情報は、小社ホームページもご参照ください。

【内容についての問い合わせ先】
書　面　〒170-6014 東京都豊島区東池袋3-1-1 サンシャイン60 14階　高橋書店編集部
F A X　03-5957-7079
メール　小社ホームページお問い合わせフォームから　(https://www.takahashishoten.co.jp/)

【不良品についての問い合わせ先】

ページの順序間違い・抜けなど物理的欠陥がございましたら、電話03-5957-7076へお問い合わせください。

ただし、古書店等で購入・入手された商品の交換には一切応じられません。